LES ANNÉES MITTERRAND

Histoire baroque d'une normalisation inachevée

DU MÊME AUTEUR

DIS MAMAN, C'EST QUOI L'AVANT-GUERRE?, Éditions Alain Moreau, 1980.

En collaboration :

VERS LA GUERRE CIVILE, avec Alain Geismar et Evelyn Morcau, Éditions Jean-Claude Lattès, 1969.
PAIX EN GALILÉE, avec Monika Skandrani, Selim Nassib, Marc Kravetz, Éditions de Minuit, 1983.

SERGE JULY

LES ANNÉES MITTERRAND

Histoire baroque d'une normalisation inachevée

BERNARD GRASSET
PARIS

Université d'Ottawa
BIBLIOTHÈQUES
LIBRARIES
University of Ottawa

A l'équipe de Libération.

PREMIÈRE PARTIE

UN PRÉSIDENT BAROQUE

« Je dissimule, je biaise, j'adoucis, j'accommode tout autant qu'il m'est possible; mais dans un besoin pressant je ferais voir de quoi je suis capable. »

CARDINAL DE MAZARIN.
(Cité par C. Federn, in *Mazarin*, éd. Payot.)

L'électorat et le calendrier en ont décidé ainsi : le Président des années quatre-vingt, c'est lui.

François Mitterrand a été élu en mai 1981 et, selon la Constitution, il présidera aux destinées françaises de cette décennie quasiment jusqu'à son terme.

Pourtant, s'il avait eu à choisir « sa » décennie, il aurait très vraisemblablement préféré les années soixante-dix : il avait œuvré pour succéder immédiatement à de Gaulle et devenir ainsi le Président d'une France s'épanouissant dans une opulente social-démocratie. Mais les étudiants de Mai 68 en ont décidé autrement. Et puis Georges Pompidou est mort trop vite. Enfin ce sont les producteurs de pétrole qui y ont mis de la mauvaise volonté : il a dû laisser passer une décennie pour faire triompher enfin son ambition présidentielle. Il a presque soixante-cinq ans quand il fait battre en retraite un destin que beaucoup s'acharnaient à lui croire contraire.

Pourtant Mitterrand aura eu « droit » à une décennie exceptionnelle, de celles qui ne cessent de scintiller dans les manuels et dans les mémoires, parce que, rétrospectivement, s'y est joué le sort d'un peuple, d'une nation, peut-être même d'un continent. Parfois, mais il faut un ou deux siècles de recul pour s'en apercevoir distinctement, on prend conscience que finalement c'est une civilisation qui était en cause.

Les années quatre-vingt auront été celles de la « Grande Mutation ». Le monde change : faites vos jeux, rien ne va plus, noir passe, impair et manque! Le progrès n'est plus ce qu'il était : cette prodigieuse mutation bouleverse toutes les subjectivités, de nouvelles machines communicationnelles et informatiques arrachent de nous-mêmes le travail de la mémoire, celui de la perception, jusqu'à une partie même de notre imagination. Les différents modes d'emploi connus de la réalité ne correspondent plus aux situations nouvelles, et les grands récits collectifs d'antan ne sont plus là pour occulter les questions que suscite un tel processus. Une société n'est plus et l'autre n'est pas encore tout à fait là. Les années quatre-vingt auront campé dans cet entre-deux.

Mitterrand n'était pas du tout préparé à présider à la destruction de l'ancien mode de production, des cultures et des illusions qui lui donnaient sa chair et son humanité. Détruire d'un côté, mais recomposer de l'autre à l'aveugle, en tâtonnant sans être en mesure, ou rarement, de donner du sens et des valeurs à cet au-delà de la modernité industrielle.

Le leader de la gauche avait rêvé, avec la mystique du verbe qui l'habite comme elle a habité tout le XIXe siècle et la première moitié du XXe en Europe, qu'il allait ciseler une France qui serait puissante de son alibi social et de sa philosophie redistributrice. Sous sa conduite vigilante, l'État aurait l'efficacité et la rigueur d'une balance de justice : le monde, face à un tel exemple, ferait appel à lui pour défendre et rétablir les justes équilibres. Il serait le symétrique de De Gaulle, un de Gaulle juste et social, c'est-à-dire un de Gaulle de gauche. Celui enfin qui allait remettre ce régime, construit à l'envers, sur ses pieds. L'Histoire apprécierait sans risque d'erreur. De ce rêve, il ne reste que le discours de Cancun...

Heureusement, il n'y a pas que les hommes qui soient rusés, l'Histoire l'est également. A ce jeu-là c'est elle qui a toujours le dernier mot : c'est le plus souvent involontairement que les hommes font l'Histoire, en la cherchant là où elle n'est pas. C'est une chance : si c'était toujours consciemment, ils deviendraient vite invivables et on ne pourrait plus les contredire : les dictatures naissent sur ce genre de malentendu. De Gaulle et Mitterrand nous l'ont épargné.

Il ne suffisait pas de se tromper, il fallait encore le faire au moment propice avec une vraie majorité, et surtout, à partir de là, il fallait en revenir.

Dans un avion pour Salzbourg, Jean François-Poncet, l'ancien ministre des Affaires étrangères de Giscard, aura, au printemps 1985, cette remarque percutante : « Un homme d'État moderne a, durant son mandat, deux, tout au plus trois, grandes décisions stratégiques à prendre et le reste du temps, il le passe à réparer avec plus ou moins de talent les gaffes qu'on commet inévitablement au pouvoir. » Et ce très fin observateur de constater que Mitterrand, finalement, n'avait pas raté les deux grandes décisions de son septennat : la décision sur les Pershing et son engagement dans la bataille des Euromissiles, dès 1981, et la décision sur la politique de rigueur en 1982, mais surtout en 1983. Jean François-Poncet ajoutait, non sans ironie, que pour le reste Mitterrand a eu beaucoup de gaffes à réparer...

Mars 1983 restera sans doute comme l'une des grandes césures de la société française, quand celle-ci a accepté de basculer enfin dans la mutation mondiale en cours. La « grandeur » de Mitterrand aura été de contribuer à nous rendre « ordinaires » : on imagine mal paradoxe plus douloureux que celui imposé à ce Président qui rêvait au drapé et à la grandiloquence des situations d'exception : réussir à aligner la démocratie hexagonale sur le modèle anglo-saxon et soumettre l'économie nationale à toutes les contraintes du marché mondial. La France s'est mise brutalement à jour avec ce que Fernand Braudel appelait l' « économie-monde ».

La décision de mars 1983 est synonyme d'ouverture sur le monde, refus forcené de se replier sur le moelleux protégé de notre recoin planétaire, en se bouchant les yeux et les oreilles pour ne surtout pas voir et ne pas entendre ce que le monde justement avait à nous montrer et à nous dire. La rupture qui intervient alors ne se réduit pas à un ensemble de dispositions financières : elle inaugure dans tous les domaines une « normalisation » de la société française par rapport au marché mondial, celle des valeurs, des idées, des attitudes et des marchandises, le seul moyen nous restant de prendre en marche le train de cette nouvelle révolution industrielle. Mitterrand n'aura pas été ce de Gaulle de gauche auquel il prétendait, mais le Président d'une normalisation. Ce n'était pas forcément enthousiasmant : c'était courageusement indispensable.

Il fallait en effet renoncer à toutes nos prétentions à modeler le monde à notre image, admettre qu'il n'était plus possible d'éviter la « crise » mondiale, comme ce fut le cas pendant plus de dix ans, et rompre enfin avec une « vie » politique datant des années soixante, quand la grande croissance sortait au pas de course la France de la domination du monde rural. Une combinaison de conservatismes sociaux et culturels qui murait l'avenir et aggravait tous les handicaps propres aux pays d'Europe, et dont le candidat Mitterrand était l'une des expressions organisées.

En portant la gauche au pouvoir en 1981, la société française a voulu retarder l'inévitable échéance et s'offrir un nouveau sursis à crédit sur l'avenir. Car, paradoxalement, la gauche apparaissait comme un moyen de persévérer dans la politique que pratiquait la Ve République depuis vingt-trois ans : la navigation à vue dans le sillage de l'État-providence.

Là où la droite faisait de la démocratie sociale à doses homéopathiques et irrégulières, la gauche, en arrivant au pouvoir, allait pouvoir procéder à grande échelle et de manière systématique. L'électorat le plus roué du monde avait porté Mitterrand à l'Élysée pour rétablir et consolider un système que la gestion barriste avait commencé à remettre en cause de manière autoritaire.

L'excès s'appelle le programme du candidat Mitterrand. Avec le sentiment de supériorité qu'inspire tout aveuglement, la gauche, sans faire de révolution, en a quand même trop fait et a provoqué une sorte d'overdose du système de la gestion étatique. Cela ressemble à la goutte d'eau qui fait déborder le vase : la disproportion entre la goutte d'eau et le vase n'empêche pas celle-ci de provoquer une inondation. Déjà en équilibre instable, les finances publiques vont verser comme déborde un vase. Le rejet de l'année 1981 sera motivé aux premières élections de 1982 par la peur d'une gestion ivre. Si « grandeur » il y a, celle de Mitterrand aura été, à son corps défendant, en se battant bec et ongles contre la politique de la rigueur pour finir par s'y résoudre, d'avoir transformé ce débat personnel et collectif en spectacle cathartique.

C'est l' « erreur » inévitable de 1981 qui aura déclenché ce processus de prise de conscience collective. « Inévitable », Mitterrand le rappelle non sans raisons : il n'était pas sérieusement envisageable que la gauche, arrivant au pouvoir après vingt-trois ans, renonce au rituel de la distribution égalitaire et n'honore pas ses mythes fondateurs, comme l'appropriation collective de quelques moyens de production. « Inévitable », compte tenu du langage antérieur, mais erreur quand même, due au contraste ravageur entre ce que la gauche croyait et ce qui était. Et puisque l'on évoque la catharsis, et la purgation des passions par la tragédie, il convient de ne pas oublier qu'en grec, « erreur » et « fatalité » sont désignées par le même mot. Le destin avait sans doute rendez-vous avec Mitterrand en mai 1981 : il n'a pas manqué de commettre cette erreur « inévitable » qui est à l'origine de la tragédie électorale de la gauche. Ce n'est qu'en mars 1983, après plus d'une année de convulsions, que le Président-acteur pourra « faire librement ce qu'il avait à faire », c'est-à-dire rompre avec hésitations et remords, mais rompre quand même avec les croyances collectives et les illusions personnelles sur lesquelles il avait construit sa victoire présidentielle.

Contrairement à certains augures, il n'est pas raisonnable de vouloir réécrire cette histoire : « Si on m'avait écouté en 1978 ou en 1979 ! » S'ils n'ont pas été entendus, c'est tout simplement qu'ils étaient en grande partie inaudibles. Il ne suffit pas d'avoir raison en politique, encore faut-il que ce ne soit ni trop tôt, ni trop tard.

Il est heureux qu'on ne les ait pas écoutés : il n'est pas certain que sans la mise en œuvre du programme de la gauche, il y ait eu une telle prise de conscience collective de la crise et de ses contraintes. La société française avait un besoin impératif de cette épreuve et de ce qu'elle allait provoquer dans les comportements vis-à-vis de l'entreprise, dans les modes de vie, dans la vie politique, et parmi les valeurs anciennes qui tenaient toujours le haut du pavé.

Pour conduire un tel processus, il fallait un homme à l'âme particulièrement enchevêtrée, un chef d'État suffisamment baroque pour accueillir les tempêtes qu'il allait provoquer et en faire les leviers d'une politique apaisante. Ce n'est pas pour avoir réalisé, comme il le prétend, des réformes sociales qui, par ailleurs, étaient déjà sur rails dans le septennat précédent que Mitterrand entrera dans l'Histoire, mais pour avoir, malgré lui et grâce à lui, permis à notre société de prendre conscience des défis de cette fin de siècle.

Comment passe-t-on en un laps de temps aussi court d'une société protégée à une société du risque?

La politique fabrique des images. Pendant seize ans, de manière inlassable et obstinée, contre vents et marées, contre modes et vogues, Mitterrand a réussi à imposer l'image de l'union de la gauche et d'un programme commun de gouvernement. Une image à laquelle l'opinion avait fini par s'accoutumer au terme d'une aussi longue et aussi talentueuse persuasion. Mieux, cette image est sacralisée par la victoire de 1981 : d'une certaine manière, elle a alors force de loi. En 1982, après une année de transe étatiste et de réformes qui, vues avec le recul du temps, ont tout l'air d'être des réformettes, tous les clignotants financiers s'affolent : la gauche au pouvoir est en train de tilter l'économie française. Les mesures de rigueur se suivent, mais elles restent insuffisantes jusqu'au grand saut de mars 1983.

Cette image de la rigueur est totalement contradictoire avec la précédente. Cruellement comme l'époque, elle semble même renouer avec le barrisme d'avant 1981, mais en plus systématique, en plus rigoureux même que l'ancien Premier ministre de Giscard. La thèse et l'antithèse siègent dans le même gouvernement. Pour Mitterrand, le problème rappelle celui que justement de Gaulle avait dû résoudre : arrivé au pouvoir pour garder l'Algérie française, il impose l'autodétermination de l'Algérie : la décolonisation qu'il entreprend alors est, à bien des égards, aussi pour l'époque une « normalisation » des anciennes métropoles impériales.

Mitterrand, dans un premier temps, se refuse à assumer un tel revirement. Il cherche même comme un lion en cage à sortir du carcan de la rigueur. N'y parvenant pas, il va entrer à reculons dans cette politique, en niant le changement. Ce sera le masque de la « parenthèse dans le changement » et de « la même politique qui continue ». Les faits en décident autrement : la pratique gouvernementale finit par imposer une nouvelle politique. Et le discours présidentiel de la continuité va, en prenant le contrepied de la rigueur, brouiller l'image de celle-ci. Pis, cet écart entre la pratique et le discours va apparaître comme l'ultime manifestation du vieux fond jacobino-dirigiste de la gauche, comme un gigantesque lapsus idéologique : la gauche en fait n'est pas ralliée à la politique de rigueur, elle n'y souscrit que contrainte et forcée et, finalement, elle n'a pas changé. Le congrès du Parti socialiste en octobre 1983 prend le lapsus au pied de la lettre : L'« archaïsme de gauche » y jette ses derniers feux et précipite la fameuse « bataille des libertés ».

L'opinion va réagir en plébiscitant dans les sondages – ces élections à blanc – les leaders de la gauche social-libérale (Jacques Delors et Michel Rocard). C'est l'un des paradoxes de cette période : l'impopularité de la gauche est sélective : elle vise surtout le Président. De telle sorte qu'il devra finalement tirer les conséquences politiques de l'aggiornamento économique : ce sera la nomination de Laurent Fabius en juillet 1984 à l'Hôtel Matignon, après la défaite de l'école privée, qui aura provoqué le mouvement social le plus important depuis Mai 68. Après la rupture de mars 1983, celle de juillet 1984 : cette fois, il y a adéquation entre le discours et la pratique. Mais cette réunification tardive est globalement ressentie comme l'ultime désaveu du Président. Les images sont volontiers simplificatrices : Mitterrand apparaît comme l'homme qui s'est opposé en vain au changement de politique, ce changement lui ayant été imposé, une première fois, par la techno-structure financière après les municipales de 1983 et, une seconde fois, par la société civile au cours de l'été 1984.

Dans ces conditions, il est difficile de créditer le Président de ce changement et surtout de ses vertus, y compris ses vertus économiques. Tel est finalement le drame statistique de Mitterrand, que reflètent, à la manière d'un électrocardiogramme, ses courbes d'impopularité.

Cette lecture est vraie. Mais ce n'est qu'une facette de la réalité. Il en est d'autres de cette politique en crabe.

Elle aura d'abord permis de marginaliser le Parti communiste, qui constituait jusqu'au début des années quatre-vingt l'une des principales sources d'archaïsme politique. Ce déclin provoqué de manière délibérée par Mitterrand est irréversible. Deuxième mouvement : l'aggiornamento de mars 1983 ou la défaite de l'idéologie face au marché. Il n'y a plus désormais deux conceptions du monde qui s'affrontent sur l'inflation ou le budget de l'État. La France vivait toujours sous la menace d'une guerre civile froide pour trois décimales : aujourd'hui, le même langage est parlé par des hommes situés à droite et par d'autres réputés de gauche. Une culture économique commune s'est imposée qui rend possible une cohabitation des idées hier encore impensable. C'est d'autant plus aisé que dans ce domaine on atteint le degré zéro. Le processus de destruction-recomposition qui travaille l'époque a emporté au passage tous les échafaudages politiques, tous les bidonvilles de la pensée sociale, pour imposer un recyclage généralisé des idées : la France découvre la politique du consensus, à la base de toutes les grandes démocraties : plus le fonds commun est riche, épais et étendu, plus cette démocratie a des chances d'approfondir ses potentialités. Va-t-on enfin vers l'émergence de deux grands partis sur le mode anglo-saxon, un parti démocrate d'une part et un parti conservateur de l'autre? Et repoussés aux extrêmes en dehors du jeu de l'alternance et de ce langage commun, les deux partis du rejet : le PC d'un côté et le Front national de l'autre. Ainsi s'esquisse une nouvelle ère de la vie politique. On assiste à la mise à jour chaotique d'un système politique dont le retard sur les mentalités sociales fut l'un des freins les plus crispés à la modernisation de la société industrielle.

A défaut d'avoir été toujours totalement consciente, cette normalisation inachevée a été pourtant maîtrisée de bout en bout. Ce reflet de la réalité est aussi vrai que l'autre : ils se croisent et se recoupent comme l'envers et l'endroit d'une même action politique. Il ne suffisait pas en effet d'avoir été le panache blanc derrière lequel s'était rassemblée l'union de la gauche pour conquérir le pouvoir présidentiel, encore fallait-il conduire cette « normalisation », l'imposer politiquement et socialement.

Si Mitterrand a pu devenir ainsi le « héros » malgré lui de cette douloureuse prise de conscience, c'est certes parce que la Constitution réserve au Président un rôle exceptionnel, mais aussi parce que sa personnalité même le prédestinait à assumer un rôle historique aussi baroque.

La Constitution de la Ve République fait en effet du Président le personnage central non seulement de la vie politique, mais de l'activité nationale. Ses pouvoirs sont tels qu'il peut peser à bon ou à mauvais escient sur la plupart des événements qui font la trame d'une époque. La durée même de son mandat lui donne une dimension hors du commun. Sept ans : ce n'est pas encore la « longue durée » braudelienne, mais, dans cette seconde partie du siècle de la vitesse, c'est déjà le temps d'une révolution. On en est ou on n'en est pas, on l'épouse ou on la rejette, mais, de toute évidence, une société, sept ans après l'avènement d'un Président, quoi qu'il ait fait, n'est plus la même que celle qui l'avait élu. Et lui non plus. On ne s'inscrit pas dans une décennie sans que la fonction elle-même finisse par faire du Président un homme qui se prenne pour un faiseur de destin. Il y est naturellement encouragé par la vieille tradition centralisatrice, qui, depuis l'absolutisme, fait du monarque de droit divin ou de droit électoral le centre obligé de la vie sociale. Et c'est peu dire que la machine étatique française centralise encore mieux aujourd'hui qu'il y a trois siècles.

D'emblée, Mitterrand est au centre : majesté constitutionnelle, acteur principal et, croit-il, auteur exclusif de cette pièce de sept ans, de cette représentation aux innombrables séquences qu'il donne aux Français.

On pourrait aisément faire une histoire psychologique de la Vᵉ République. De la psychologie de De Gaulle à celle de Pompidou, de celle de Giscard à celle de Mitterrand. Entrelacs de défauts, de passions, d'indifférences et de croyances, c'est l'équation intime de chacun, qui, se moulant dans cette Constitution finalement très élastique, a cru faire l'Histoire et qui, parfois, l'a effectivement faite. Les défauts de ces auteurs-acteurs sont appelés naturellement à prendre sur la durée autant d'importance que leurs prétendues qualités, de telle sorte qu'on ne distingue plus le sens du balancier. Ce qui est vrai pour de Gaulle l'est évidemment pour Mitterrand : la Constitution, à l'image de son fondateur, a une prédilection pour les hommes complexes. Plus ils le sont et plus ils peuvent jouir de ce texte conçu alors pour apaiser des périodes agitées.

La France, par sa passion de la politique, produit des hommes politiques exceptionnels. Nous avons, sans aucun doute possible, la classe politique la plus sophistiquée du monde. Ce différentiel en notre faveur explique en partie le bilan morose de la politique européenne de Mitterrand : l'absence de vrais répondants, que ce soit en Grande-Bretagne (pourtant Mitterrand a cru pendant longtemps à Margaret Thatcher), en République fédérale, en Italie ou aux Pays-Bas.

L'homme politique français, avant d'accéder à la responsabilité de chef d'État, est le fruit d'une sélection psychologique et professionnelle implacable qui s'étend sur plus de dix ans. Son parcours d'obstacles est d'une telle variété de difficultés que le hasard est relégué aux marges. Il faut certes la maladie de Pompidou pour favoriser la percée de Giscard, mais l'essentiel de son dispositif était déjà en place. Le candidat à la présidence doit affronter des campagnes électorales quasi annuelles, et celui qui réussit à surmonter ces défaites et ces prises du pouvoir partielles mais répétées est au final un personnage d'une trempe exceptionnelle, mithridatisé contre l'échec, l'impatience, l'impopularité et même la bêtise.

L'équation de Mitterrand, comme celle de tous les grands fous de politique qui réussissent l'exploit de rattraper sans cesse leurs contemporains, parfois même de les dépasser sur un demi-siècle, est un mystère. Il y a un mystère Mitterrand qui n'a échappé ni à ses biographes, ni à tous ceux qui ont eu l'occasion de l'approcher. Même pour ses plus proches amis, l'homme reste insaisissable. Un mystère de cette densité suppose une vraie complicité de celui qu'il entoure. Mitterrand ne lésine pas sur les labyrinthes, les fausses confidences et les vraies défausses, grâce auxquels il cultive cette apparence universelle du pouvoir : la figure du Sphinx.

Il ne saurait s'agir ici de portraiturer une nouvelle fois Mitterrand, de tenter de raconter cet homme qui s'ingénie à ne jamais être là où l'on croit pouvoir enfin le saisir, qui pratique à l'égard de sa propre histoire le même jeu de miroirs qu'il utilise en toute chose.

Mais il n'est pas possible de faire le récit de cette « normalisation » dramatique et finalement tranquille, sans faire intervenir de manière décisive, dans chacun de ses épisodes, le « héros » de cette histoire.

Mitterrand combine toutes les apparences et toutes les profondeurs d'un chef d'État baroque. Il évoque en particulier, par son usage voluptueux et calculateur du pouvoir, le cardinal de Mazarin, qui fut aussi grand Premier ministre qu'il fut impopulaire. Mais ce qu'il avait légué à Louis XIV, c'était déjà le Grand Siècle.

Tout à la fois « parrain » d'une « famille » de fidélités, « joueur », « esthète » de la politique, et « juge de paix », négociateur invétéré, Mitterrand est multiple : c'est pourtant cette trinité qui, fondue par les contraintes de l'action présidentielle, a fait de lui le « héros » paradoxal de ces années quatre-vingt.

Le 14 juillet 1981, sur la pelouse concave du jardin de l'Élysée, une foule en grande partie inhabituelle en ces lieux se répand, triomphale : c'est la foule de Mitterrand. Il la contemple amoureusement car c'est l'œuvre d'une vie. Des écrivains, des journalistes, des grands industriels, des hauts fonctionnaires, des petits entrepreneurs, des hommes politiques, des gens célèbres et des inconnus, des hommes et des femmes de gauche, certains ouvertement de droite et beaucoup d'autres qui ne se sont jamais posé la question.

Cette foule ne connaît qu'un agent catalyseur : ce n'est ni le socialisme à la française, ni la succession conjointe de Jaurès et de Blum, mais une relation personnelle et unique, parfois très ancienne, avec cet homme au teint vitrifié par un orgueil marmoréen. Parmi ces relations, il n'y en a pas deux qui se ressemblent, mais, au fil du temps, elles finissent en se recoupant par déterminer un centre géométrique : le Président. Un demi-siècle de vie intellectuelle, mondaine, amoureuse, guerrière ou politique que Mitterrand a cultivé et cultive encore comme un séducteur infatigable mais religieusement fidèle, par coups de téléphone, par lettres, par dîners, par invitations, en prenant toujours un soin maniaque à ne pas négliger le moindre recoin d'une mémoire qu'il a immense. Ce « travail » que d'autres considéreraient comme subalterne comparé à l'activité noble du parlementaire ou du responsable politique, Mitterrand l'a mené de front sans le moindre manquement. Dans le « management » de ses relations, ce n'est jamais la politique ou les idées qu'il a placées au poste de commandement mais une gestion quotidienne de la fidélité et du plaisir partagé qui ne supporte pas la moindre trahison.

Aux quatre coins du monde, Mitterrand entretient ainsi des amitiés souvent inconnues, issues de rencontres alors passées inaperçues et qu'il a cultivées au fil de correspondances, de voyages ou d'escales parisiennes, en marge de leurs activités respectives. Les conseillers de l'Élysée, le protocole et le Quai d'Orsay, lorsqu'ils préparaient les voyages du Président, durent souvent composer avec sa décision de dîner en privé avec un industriel suédois ou un haut fonctionnaire espagnol. A cette occasion, ils découvraient que c'étaient de vieux amis du Président dont ils ignoraient jusqu'alors l'existence.

Mitterrand est un orfèvre en hommes. Il n'a jamais vraiment eu de coup de foudre pour des idées : s'il en a eu parfois pour des raisonnements ou des calculs, il en a souvent eu pour des hommes et des femmes. A force de fidélité, il a su en faire un réseau national et en partie international sur lequel il a appuyé sa carrière et son ambition.

En politique, la fidélité est la clef de toutes les ambitions. L'infidélité est mortelle. Pierre Mendès France, qui avait pu éprouver à ses dépens la susceptibilité de Mitterrand, constatait que « pour ses compagnons, il [pouvait] remuer ciel et terre ».

Lorsque ses amis viennent à être malades, Mitterrand leur consacre un temps précieux et une attention exceptionnelle, téléphonant tous les jours, parfois pendant des semaines ou des mois, les visitant jusqu'à deux ou trois fois par semaine, malgré des emplois du temps étouffés par les charges présidentielles, l'activité diplomatique ou les crises qui, sans prévenir, le mobilisent. A ce moment-là, Mitterrand ne recherche ni l'effet médiatique, ni la rumeur positive, ni le placement à terme selon la formule populaire : « Un prêté pour un rendu. » Il se mobilise pour eux comme il le ferait pour l'arbitrage sur les trente-neuf heures, avec la même énergie et le même sens du devoir. Et en veillant scrupuleusement à ce que personne n'en sache rien, que cet épisode reste dans la pénombre de son emploi du temps, quasiment comme un autre « domaine réservé ».

Car Mitterrand dissimule ses amitiés comme des secrets d'État, comme le code d'une force de frappe intime, tout aussi vitale à son indépendance que l'arme nucléaire l'est à celle de la France. Il les protège de la politique et de son spectacle indiscret, et même parfois obscène, et se ménage ainsi des positions de repli vers lesquelles sa réflexion assaillie par le doute peut trouver refuge. Ce silence protecteur auquel il n'a jamais failli masque une volonté orgueilleuse de ne pas dépendre de ses amitiés, d'une certaine manière de ne pas avoir à partager avec elles ses réussites. Cela donne à ces relations une pureté parfois cristalline, un désintéressement qu'il veut d'autant plus total que cette machine à séduire a besoin d'être aimée sans contrepartie publique. Il a ainsi fallu attendre que Marguerite Duras ose raconter sa « douleur » de jeune femme pendant la guerre et l'Occupation pour que soit fait mention pour la première fois dans un livre de cet épisode qui conduisit Mitterrand – à la demande de De Gaulle – à participer aux côtés des troupes américaines à l'ouverture des camps de concentration nazis. C'est à Dachau, dans un entassement de cadavres de déportés, séparés des survivants par les GI's pour éviter tout risque d'épidémie, que le jeune délégué du général de Gaulle devait entendre le chuchotement douloureux de Robert Antelme, qui était alors le mari de l'auteur de *l'Amant*. Il prévient la jeune femme. Une opération clandestine d'évacuation est mise sur pied – clandestine parce que les Américains étaient très sourcilleux sur les quarantaines – et cet ami est sauvé. Il ne le sera jamais totalement. A chaque rechute, Mitterrand sera près de lui, attentif. Il l'était encore en 1983, lorsqu'il faillit mourir d'un décollement de la plèvre. Et n'était cette volonté de Marguerite Duras de régler ses comptes avec sa propre histoire, on n'en saurait rien. Combien de personnalités, pourtant éminemment respectables, en auraient fait, selon une formule de Mitterrand, un « commerce de circonstances »... Mitterrand délibérément le drape de silence, comme s'il redoutait de le voir se ternir à la lumière des projecteurs et perdre ce qui en fait son prix à ses propres yeux : la preuve ultime de son pouvoir de séduction.

« Le réseau Mitterrand, déclare un de ses conseillers, plonge ses racines dans toute la France, dans toutes les générations. » C'est dans la partie politique de cet humus qu'il a constitué une organisation rigoureuse de fidélités liées à sa parole, à son étoile et, finalement, à son ambition. C'était vrai avant la guerre, ça l'était plus encore pendant, et la sédimentation s'est poursuivie au fil de ses engagements, de ses coups de foudre et de ses défis. De Gaulle avait la « France Libre » : mieux que tous les partis du monde, une épopée historique, un drapeau et une légende, et des milliers d'hommes et de femmes qui se dopent jour après jour, la guerre terminée, à la mémoire des batailles. Il n'y a pas de fidélité plus forte que celle des sociétés secrètes combattantes : l'infidélité s'y paie en effet de la mort. C'est ce réseau qui a été l'instrument fondamental de sa reconquête du pouvoir en 1958. Certes, Mitterrand a connu les complicités de la Résistance et en a gardé quelques amitiés indéfectibles, dont certaines aujourd'hui encore sont nimbées d'anonymat, mais, comparé à ce que fut la France Libre, son mouvement de Résistance faisait figure de petit modèle. Au sein de cette toile tissée patiemment comme le ver à soie qui, comme le dit si bien Alain dans une phrase fameuse, « accroche son fil à toutes choses autour de lui », Mitterrand a sécrété une « famille » de fidèles, au sens que les Italo-Américains donnèrent à cette notion au début du siècle, lorsque, paysans émigrés, ils débarquèrent à New York et y créèrent des organisations de défense patriarcales.

On y retrouve la même croyance féodale dans cette prédominance du lien personnel, dans la valorisation de la relation bilatérale, que Mitterrand a étendue à son action politique. Toute une partie de son immense activité diplomatique a visé en particulier à nouer des liens de ce type avec une multitude de chefs d'État et de gouvernement. Pourtant séparé d'elle par des abîmes idéologiques, il a cru ainsi, pendant longtemps, avoir réussi à créer une relation privilégiée de ce type avec Margaret Thatcher.

Cette « famille » aux membres dispersés dans tous les horizons a été non seulement à la base de toutes ses tentatives politiques, mais elle fut aussi, et pour les mêmes raisons, une structure d'autodéfense qui lui a permis de résister aux désastres et de les surmonter. Car si le doute a effleuré Mitterrand, il n'a jamais eu le dessus. Et pourtant les occasions n'ont pas manqué dans la cage aux fauves de la IVe République, comme dans celle de la Ve. Dès qu'il est apparu, pendant la guerre, il a tout de suite été reniflé comme un prétendant dangereusement carnassier à la succession du roi des animaux. Député à trente ans, ministre à trente-deux, il fut le Fabius de son époque. Alors, les intimidations n'ont pas manqué. Il a été inlassablement vilipendé, suspecté, calomnié. Il faut dire que son tempérament de joueur, son art du double jeu et du triple langage ont magnétisé les crachats et suscité les pièges. Jusqu'à l'affaire des fuites et à celle de l'Observatoire. Il eut même droit – suprême blessure – à la levée de son immunité parlementaire. Les tentatives d'empoisonnement – symboliques – furent nombreuses. Peu après la « mise à mort » de la rue de l'Observatoire, alors que le doute s'insinuait jusqu'au sein de la « famille », il fut, comme le disait alors François Mauriac, l'un de ses rares défenseurs, comme un « grand cerf aux abois », dont la curée se claironne sur les places publiques à chaque lever du jour. Car personne ne doutait alors, et depuis longtemps déjà, qu'il fût un « grand cerf ». Il a fallu la coalition d'autres grandes ambitions pour l'empêcher d'être le plus jeune président du Conseil de la IVe République. Il pensait l'être quand de Gaulle, encore lui, lui a soufflé le pouvoir pour une décennie.

A plusieurs reprises, il s'est trouvé confronté au spectre de sa disparition politique. Des buissons mensongers de l'Observatoire, il ne devait jamais revenir. La plupart n'en seraient d'ailleurs jamais revenus, définitivement humiliés par cette machination où il n'avait pas réussi à jouer au plus fin avec les provocateurs. Il y perdra une partie de sa « famille », blessée par ses vérités incomplètes, gangrenée par le doute. Mitterrand plonge, frôle la dépression. Les attaques cruelles du Premier ministre de l'époque, Michel Debré, coulent en lui une « haine inexpiable » pour les gaullistes qui ont cherché à profiter de l'occasion pour le liquider. Le gaullisme de la Ve République devient alors, comme le dit Catherine Nay [1], le « mal absolu ». Il refait surface avec un pamphlet au vitriol, un discours d'anthologie qui fait frémir la mémoire sénatoriale, mais qui ne suffira pas à éviter l'humiliation terrible de la levée de son immunité parlementaire.

Il rebondit surtout des enfers comme candidat à la présidence de la République en 1965. Le frôlement de l'aile de la mort lui a donné l'audace du Don Juan de Mozart, lorsqu'il défie la statue du Commandeur.

Car, pour l'époque, c'était bien la statue du Commandeur qu'il provoqua alors en duel singulier, pour prouver à tous et à lui-même qu'il était encore vivant, qu'il avait puisé dans l'humiliation une force vitale inaltérable, qu'il revenait plus dangereux encore que la veille du piège de l'Observatoire. Sans un défi aussi insensé, aussi insolent que celui de 1965, il ne se serait jamais imposé comme « parrain » de la gauche et qui, depuis plus de vingt ans, lui fait « la loi ».

Dans sa soif de vengeance, il analyse inlassablement la Constitution, son fonctionnement et son usage comme un braqueur qui décompose un système de sécurité bancaire pour y déceler les points faibles. Mitterrand, porté par une affirmation de soi qu'aiguise la revanche, va tout connaître des rouages de la Ve République, jusqu'aux moindres détails. Il va en devenir le meilleur expert. La faille, c'est justement ce qui fait la force du texte de 1962 : l'élection du Président au suffrage universel. Il va prendre alors une longueur d'avance sur toute la classe politique : il a pressenti l'intérêt formi-

1. *Le Noir et le Rouge*, Grasset, 1984.

dable de cette contrainte : la candidature à la présidence commande toute la mise en scène politique. C'est la position stratégique qu'il faut tenir coûte que coûte pour pouvoir imposer sa volonté à tous les alliés potentiels et pour, à l'inverse, ne pas dépendre d'eux.

A force de se persuader qu'il était l'homme providentiel qui allait débarrasser la France du gaullisme liberticide, la haine en attendant a fait de lui un homme de gauche. Alors qu'il appartient tout comme ses proches de la Convention des institutions républicaines à la culture « radicale », il sort du défi de 1965 métamorphosé en homme de gauche.

Pour nourrir son engagement, il va adopter le socialisme littéraire, celui qui va de Hugo à García Marquez en passant par Zola. Tout un paraître « socialiste » d'autant plus seyant qu'il fait immédiatement épopée. Et c'est bien ainsi qu'il l'entend lorsque, le jour de son intronisation présidentielle, il descend respirer les cendres humides des grands hommes dans la pénombre solennelle du Panthéon.

Dans le sillage présidentialiste, Mitterrand va développer, étendre les positions de sa « famille », jusqu'à prendre avec elle le Parti socialiste en 1971, avec l'aide de Pierre Mauroy et de Jean-Pierre Chevènement. Pierre Mauroy, lorsqu'il était à Matignon, montrait à ses visiteurs avec une délectation non dénuée d'ironie le fauteuil que Guy Mollet occupait dans son bureau de la SFIO : Mitterrand n'en avait pas voulu ; alors le maire de Lille le traînait avec lui. Mitterrand ne s'assoit pas dans le siège de son prédécesseur. Formellement, il n'aimerait succéder à personne : le rêve de Mitterrand, quoi qu'il puisse en dire, c'est le mitterrandisme ; comme il y eut le gaullisme. Il partage en effet avec de Gaulle ce même orgueil volcanique d'un Rastignac monté à Paris pour y imposer son ordre. C'est évident pour le chef de la France Libre : il n'a cessé d'opposer ses conceptions à celles qui avaient cours, dans tous les domaines de la vie publique, à toutes les périodes de sa vie. Mitterrand, à la différence de De Gaulle, n'est pas un visionnaire. Il voit loin : ce n'est pas pareil.

Pourtant, ce mythe de la fondation d'un ordre nouveau le taraude. Il y avait cru en proposant la communauté franco-africaine, avant 1958, comme forme de décolonisation progressive (l' « indépendance-association » avec la France, qu'il ressortira d'ailleurs lors des événements de Nouvelle-Calédonie), puis, avec l'aventure de l'union de la gauche, quand il pensait pouvoir transformer la France en vitrine mondiale de la social-démocratie. Encore raté. Aujourd'hui, dans la confusion d'une évolution à certains égards apaisante de la vie politique française, il mitonne une réforme de la Constitution qui romprait avec le caractère hybride du texte gaulliste et instaurerait un véritable régime présidentiel, dont il serait le père. Car ce pionnier est toujours en quête d'une grande œuvre fondatrice qui ferait enfin du mitterrandisme un ordre et de sa « famille » une dynastie politique.

En attendant, il plante des arbres, dans sa clairière de Latché, au cœur de la forêt landaise. Le défrichage des clairières par les moines pionniers n'est-il pas la figure emblématique de l'envol de la civilisation occidentale moderne? Dans une clairière, le regard ne connaît pas l'horizon : il n'y a pas de barrières, d'enclos, car les arbres noirs s'en chargent. Et au-delà de cent mètres, c'est déjà la pénombre des bois.

Par contre, quand on lève les yeux, le regard ne voit pas d'autres hommes, pas de vallées ou d'océans, il s'abîme seulement dans la profondeur opaque d'un ciel pluvieux. Au milieu de la clairière de Latché, une ferme qui forme le bâtiment principal et, à côté, légèrement décalée, la bergerie où Mitterrand vit et reçoit les membres épars de son troupeau. Latché est conçu comme un lieu où Mitterrand reprend l'Histoire au commencement du temps occidental, lorsque le moine agriculteur partait à la conquête des ténèbres qui l'entouraient de toute part. Ces ténèbres ont été reconstituées au siècle dernier : la forêt par endroits est épaisse de plusieurs kilomètres, ce qui semble stimuler Mitterrand à la parcourir de long en large pour y poursuivre son dialogue incessant avec le peuple des arbres. Comme tout fondateur qui se respecte depuis l'Antiquité, tous les ans, à la Toussaint, il plante des arbres, ces symboles obsessionnels d'un temps indifférent. Il a naturellement une prédilection pour le roi des arbres, le chêne, mais, comme il le confie lui-même : « J'ai voulu faire des chênes et des châtaigniers. Cela n'a pas réussi comme je l'espérais. Je me suis obstiné et puis j'ai dû changer de politique. » Il aime les arbres destinés à faire des ombres géantes, il les caresse comme on prend la nuque d'un enfant pour savoir s'il a de la fièvre. Il connaît tous ses arbres, tous ceux qu'il a plantés depuis seize ans qu'il est installé à Latché. Avant les Landes, il plantait dans le Nivernais, où il va encore de temps à autre visiter ses témoins préparés par ses soins à lui survivre.

De toute évidence, ces arbres rythment sa vie plus sûrement qu'une montre, d'ailleurs il se permet le luxe de n'en pas porter, comme tous ceux qui affectent d'être les maîtres du temps.

Faute d'avoir pu instaurer un nouvel ordre social ou international, comme il en a eu encore le mirage en 1981, ce fondateur frustré plante dans Paris des monuments, comme il plante à Latché des chênes et des érables.

Lorsqu'il ne plante pas – des monuments ou des arbres –, le « parrain » cultive ses relations. La politique du parrain, c'est celle du fauteuil, lorsqu'il peut mettre la fidélité à l'épreuve du tête-à-tête.

C'est par méfiance instinctive qu'il préfère la politique du fauteuil à celle des réunions, qui tendent toujours à transformer des remarques ou des doutes en position personnelle. Il craint la pression des réunions qui arrachent des décisions qui ne sont pas mûres. Et puis la réunion est un système de travail où la dimension personnelle des rapports tend à s'abolir, pour ne connaître que des fonctions : ce n'est pas le cadre où les masques et les séductions de Mitterrand peuvent s'exercer. C'est au contraire un homme de confessionnal, qui arrache à ses conseillers, à ses ministres ou à ses amis des constats, des réflexions ou des projets. Les uns et les autres peuvent s'épancher plus librement qu'ils ne le feraient dans un cénacle formalisé. Et puis on ne construit pas une « famille » aussi disparate dans la publicité : des hommes qui ne pourraient pas coexister plus de cinq minutes dans la même pièce sont néanmoins ses amis.

Le tête-à-tête permet à Mitterrand de conserver l'amitié de tous et d'entendre ainsi des confessions parfois totalement contradictoires.

Cette gestion « familiale » appliquée à la conquête du pouvoir a permis de corseter plus sûrement l'union de la gauche que ne l'aurait fait toute autre procédure. Appliquée à la stratégie de son ambition présidentielle, elle s'est révélée très efficace. Mais un système de commandement et de maniement des hommes aussi féodal, s'il permet en effet toutes les contorsions tactiques et tous les renversements de situation, induit des effets particulièrement destructeurs dès lors qu'il est appliqué à la conduite d'un exécutif moderne.

Il a notamment rendu impossible l'émergence effective d'un Premier ministre. Nombre de ministres formés à la politique du fauteuil avant 1981 ont poursuivi ce type de relations privilégiées : ils traitent en direct avec Mitterrand, par téléphone ou au cours d'un dîner, court-circuitant automatiquement le Premier ministre. Laurent Fabius, qui a lui-même pratiqué ce système alors que Pierre Mauroy était à Matignon, a eu à en subir les conséquences depuis qu'il lui a succédé. Il en avait pourtant fait une condition de sa réussite comme Premier ministre : imposer une même discipline gouvernementale. Mais l'Élysée, face aux décisions du Premier ministre, reste toujours une chambre d'appel. Elle est simplement plus sélective. Certes, depuis la nomination de l'ancien ministre de l'Industrie, Mitterrand, toujours autant sollicité par les plaideurs de sa « famille », les renvoie en général à Fabius : « Voyez avec le Premier ministre, c'est lui qui dirige le gouvernement ! » Cela n'empêche pas les manquements à cette règle, a fortiori dans tous les domaines sensibles où le Président se sent plus directement concerné.

A la question : « Y a-t-il un pilote dans l'avion ? », il est porté à considérer qu'il s'agit d'une injure : le pilote, c'est évidemment lui. De là un système que son conseiller aux affaires diplomatiques, Hubert Védrine, le fils d'un de ses vieux compagnons d'armes, décrit par une formule évocatrice : « Le système en écailles. » Chaque écaille est partiellement recouverte par trois autres au-dessus d'elle, mais elle-même en recouvre tout aussi partiellement trois autres : il en va pour la répartition des responsabilités dans l'organigramme mitterrandien comme dans la nature. Il s'ensuit une dispersion de la responsabilité entre plusieurs personnes mises en concurrence à tout moment et qui en réfèrent à un Président seul à même de faire une éventuelle synthèse. Lorsqu'il y a défaillance, il n'y a plus dispersion de la responsabilité, mais dissolution : le responsable demeure introuvable. C'est notamment ce qui s'est passé tout au long de l'affaire Greenpeace. Mais l'exemple le plus célèbre reste celui de la police dans le gouvernement Mauroy. Dans un premier temps, elle est confiée à Gaston Defferre, une grande figure du mitterrandisme « familial ». Defferre accumule les maladresses, l'échec est patent. Defferre est maintenu, mais Mitterrand crée un secrétariat à la Sécurité publique qui est confié au Charles Pasqua du socialisme : Joseph Franceschi. Il échoue à son tour. Mitterrand maintient Defferre et Franceschi dans leurs fonctions et invente le commandant Prouteau et la cellule élyséenne : au final, ça produit l'affaire Barril et un invraisemblable sac de nœuds policiers. Dans le système du « parrain », la fidélité importe plus que l'efficacité : on ne se sépare pas des « vieux croûtons », selon l'expression d'un conseiller élyséen, on laisse faire le temps, en attendant le plus souvent que cette situation cornélienne se dénoue d'elle-même.

Ces procédures qui font disjoncter tous les niveaux de responsabilité ne connaissent qu'un seul recours : le Président lui-même. Lui seul peut espérer redresser une situation à la dégradation de laquelle il a pris une part active. On s'interroge souvent sur l'intentionnalité de cette attitude : inconscience ou non, il est de fait qu'il préfère ces situations en forme d'impasses, lorsque la foule chavire : « C'est, dit-il, dans les difficultés que je suis le plus à l'aise. » On ne compte plus ces formules qui le montrent retrouvant son tonus, son intelligence dans la « tempête » et dans la « gestion paroxystique des crises ». Ces formules ont le bonheur des autoportraits cursifs : Mitterrand entretient avec la politique les mêmes rapports qu'un joueur avec sa passion dévorante.

Le joueur ne vit jamais aussi intensément qu'au moment ensorcelant du quitte ou double, lorsqu'il a le couteau sous la gorge, qu'il est menacé d'une faillite totale, secoué par des jets d'adrénaline et qu'il mise sur la promesse d'un geste renversant, d'une carte époustouflante qui va inverser le cours des événements.

A chaque « crise », on retrouve un Mitterrand jubilant : comme s'il avait enfin rendez-vous avec l'idée qu'il se fait de lui-même. Son physique même est atteint par cette renaissance : lorsqu'il est détendu par le retour des tempêtes, son visage perd son masque trop lisse qui l'empêche de sourire et retrouve brusquement les rides « vivantes » d'un homme qui aura soixante-dix ans en 1986.

Lorsqu'il déclare : « Dans la tempête la France s'épanouit », il faut bien évidemment entendre que Mitterrand s'épanouit alors parce qu'il peut enfin déployer son talent incandescent à gouverner l'instable.

L'usage obsédant qu'il fait de ce mot ne doit rien au hasard chez un homme qui comme lui s'acharne sur le verbe. Mot évocateur, dont Claude Gilbert Dubois, comme la plupart des spécialistes, fait un des archétypes de la pensée baroque : « Son évocation permet de faire jouer inconsciemment toutes les émotions et les angoisses qui, à travers ce dialogue de l'homme et de la mer, expriment les rapports de la science au monde, de la conscience et de l'esprit et de la nature, de la tradition et de la nouveauté [1]. » Il y a dans la tempête mitterrandienne un drame évidemment multiple : l'orgueil de l'homme qui va imposer son savoir-faire aux éléments déchaînés et, simultanément, l'aveu d'une impuissance à maîtriser un monde encore mystérieux, inconnu, parce qu'en gestation. Les bouleversements technologiques ne sont pas pour rien dans l'usage de cette métaphore où l'angoisse n'est pas absente : c'est en surmontant les tempêtes que le navigateur de haute mer peut tenter de forger une identité qui intègre ce qui est encore aujourd'hui obscur, mais qui demain ne le sera sans doute plus.

Pour avoir une intelligence acérée, le joueur a besoin d'une situation qui rappelle cette excitation stimulante. Sinon il s'ennuie, il perd de son tranchant, il en devient banal. La gestion des courbes et des indices ennuie Mitterrand et il attend quasiment dans l'impatience l'échappée : l'éclatement d'une crise internationale ou, plus simplement, un dossier gouvernemental mal géré qui « tourne » et prend la couleur cendreuse du désastre.

Du joueur, Mitterrand possède toutes les chevilles et il en goûte toutes les voluptés. Il a le génie de la dissimulation au point que ses proches amis renoncent à l'occasion de surprendre un jour sa sincérité en état d'abandon : il est si habilement fuyant qu'il n'est jamais là où l'on se persuadait de pouvoir enfin le prendre en flagrant délit. Comme de nombreux chefs d'État, il a évidemment la ruse inspirée, mais il cherche toujours à lui donner comme un supplément d'âme esthétique : car plus que les ruses en elles-mêmes, c'est la perfection formelle et l'intelligence pure des « beaux coups » qui l'émeuvent. Il apprécie les tactiques apparemment fulgurantes dans leur déploiement, mais préparées de longue date, amorcées longtemps auparavant dans l'indifférence d'un début de partie. Du joueur, enfin, il partage ce pouvoir d'adaptation exceptionnel qui lui permet de régler en permanence son attitude sur le destin, sur le tirage des cartes ou l'intelligence de son adversaire du moment.

Ce joueur a l'ivresse du double jeu, des déclarations à double sens et des silences à double fond : Mitterrand n'est pas changeant par opportunisme, mais par conception du monde. Lorsqu'il se prononce en faveur d'un choix, au même instant lui viennent à l'esprit trois bonnes raisons qui dessinent l'ombre d'un doute. Il ne peut pas s'empêcher de les exprimer, ce qui rend sa communication particulièrement délicate. Mais ce avec quoi jongle cet artiste équilibriste, ce sont par excellence les rapports de forces. C'est là où son adresse est la plus évidente, où ses intuitions sont les plus éloquentes. Encore convient-il de borner leurs territoires.

Sa réputation politicienne vient en grande partie d'une connaissance exceptionnelle, que tous ses adversaires lui reconnaissent, de la société politique, de ses institutions, de ses rouages, de ses règles, de ses périmètres intérieurs et, naturellement, de sa faune. Dans ce domaine, Mitterrand opère au radar : il devine à peu près tout et, au moindre signe, il est capable comme le paysan devant un ciel limpide de pronostiquer l'orage.

Mais il n'a pas le même bonheur partout. Le monde industriel, la culture commerciale lui sont naturellement étrangers : il doit dépenser une énergie considérable, fréquenter plus assidûment que de coutume ses amis industriels pour réussir à s'en faire une image qu'il sait toujours imparfaite. Une égale étrangeté le met en porte à faux avec les convulsions de la société civile.

Si l'affaire de l'école privée s'est ainsi éternisée, c'est parce qu'il a fallu à Mitterrand beaucoup de temps pour digérer le mouvement consumériste sur l'école. Les événements ne se déroulaient pas du tout comme prévu : sa stratégie de départ, astucieusement construite autour d'une « laïcité creuse », était emportée par la résistance imprévue de la réalité. Pendant des mois, à travers plusieurs négociations parallèles, il a tenté de maintenir un équilibre instable entre toutes les directions possibles : que l'une d'entre elles vînt à s'imposer et il voulait avoir les mains libres pour précipiter son succès (c'est d'ailleurs ce qui s'est finalement passé). Mais qu'un coup de vent social imposât un brutal changement de cap, et, dans ce cas, il n'avait rien compromis en s'engageant de manière définitive derrière une politique. Ce virtuose a l'obsession des portes closes : son art consiste souvent à n'en fermer aucune. Mais, manifestement, Mitterrand « ne sentait pas cette affaire », comme le dira plus tard, après le dénouement, un connaisseur en la matière, Jean-Pierre Chevènement.

De la même manière, Mitterrand restera singulièrement désarmé face à la question dite faussement de l'immigration, qui serait peut-être plus simple si tout un chacun admettait qu'il s'agit du drame de l'intégration des communautés maghrébines. Les gouvernements socialistes n'ont certes pas ménagé leur arme traditionnelle : la bonne volonté. Mais si on ne mélange pas ce carburant à une politique active, offensive, il condamne au surplace. Dans la gêne et la maladresse, les socialistes ont dû baisser les bras et abandonner avec amertume ce terrain à l'agitation parfois démagogique de leurs adversaires. C'est bien ce malaise que, sous forme d'acte manqué, le silence de Fabius au cours de son face-à-face avec Chirac exprimait. Sur les deux grands problèmes de société de ces cinq dernières années : l'intégration des Maghrébins et le pluralisme scolaire, le socialisme de Mitterrand a battu en retraite. Seule compensation sur ce terrain : la déshystérisation lente mais ferme de la justice : elle est l'œuvre d'un homme, Robert Badinter, soutenu certes sans défaillance par le Président. Ce n'était pourtant pas à Robert Badinter que Mitterrand avait spontanément pensé pour occuper le poste idéologiquement brûlant de la chancellerie, mais à Maurice Faure. Celui-ci devait renoncer très vite, au bout d'un mois, intimement persuadé d'ailleurs que Mitterrand ne l'avait mis là qu'avec l'idée qu'il ne ferait qu'y passer. Maurice Faure et Robert Badinter sur le sujet, ce n'est pas exactement la même chose!

A l'inverse, Mitterrand se retrouve pleinement à l'aise dans la gestion de ces rapports de forces très purs que sont les relations internationales. Entre le grand intellectuel européen, l'avocat inflexible des Euromissiles et le modernisateur malgré lui de la société politique hexagonale, il n'y a pas le moindre hiatus : c'est le même système de pensée qui est à l'œuvre, le même « monteur de coups », le même joueur aux intuitions parfois fulgurantes qui le rendent attentif à la moindre possibilité d'initiative.

S'il était effectivement un joueur professionnel, on le classerait dans la catégorie des joueurs de contre. A l'état-major des armées, on en ferait un spécialiste des stratégies défensives et des contre-attaques foudroyantes : Mitterrand répugne aux grandes offensives frontales. Ce n'est ni son tempérament, ni son talent.

Face à la décision, il demande le temps. Il fait savoir, par ses porte-parole ou par le jeu des confidences savamment distillées, qu'il prend effectivement « le temps de réfléchir ». Traduction : il laisse « jouer » les événements jusqu'à ce que des lignes de force se dégagent. Parfois il est trop tard et c'est la réalité qui entre-temps a imposé son jeu au Président.

Depuis cinq ans, toutes les crises ont été réglées selon un rituel immuable et à un rythme toujours délitant. Interrogé à ce sujet (entretien du 2 novembre 1983), Mitterrand plaide en faveur de l'héritage culturel : « Je mets parfois du temps à décider, car je pèse et je repèse. Mais, lorsque j'ai décidé, j'agis tout de suite. Je n'attends plus. Le plus difficile, c'est de ne pas se laisser entraîner par soi-même, par une volonté propre au moment de la décision. Je suis comme ma famille, comme mes ancêtres, comme ma région. Les Charentais tardent aussi, mais ils agissent et ils font beaucoup de choses. C'est une marque de l'Histoire : il reste dans cette région une atmosphère de guerre de religion : chacun vit derrière ses hauts murs. Par exemple, lorsque j'étais jeune, je n'ai jamais vu à quoi ressemblaient nos voisins... »

L'attente interminable qu'il impose parfois aux événements et surtout à ses collaborateurs est motivée certes par la prudence, mais aussi par son invraisemblable optimisme, toujours dans l'expectative d'un renversement de situation imprévu, d'un événement qui brusquement va changer la donne et gripper les rapports de forces les plus contraignants, l'autorisant enfin à faire une sortie : le gouvernement de la tempête est d'abord un gouvernement du miracle. Il faut y croire : Mitterrand y croit, même lorsque celui-ci ne se produit pas toujours. Pendant l'émolliente affaire Greenpeace, il l'a ainsi attendu en vain : c'est alors qu'il s'est résigné au sacrifice d'Hernu. De cette attitude découle une suite invraisemblable de rendez-vous manqués avec le miracle, avec la « bonne carte » qui transformerait au moment décisif un jeu négatif en jeu d'enfer.

Mais surtout ce joueur de contre ne peut pas prendre d'initiative tant que la réalité adverse ne s'est pas exprimée, tant qu'il n'a pas vu le jeu des forces prendre sa consistance. C'est sa méthode de pensée : il a besoin d'observer longuement le champ de bataille pour le mettre en forme stratégique et le faire accoucher d'une idée de manœuvre. Mais la réalité ne ressemble pas toujours à un champ de bataille : qu'à cela ne tienne, Mitterrand va transformer mentalement et pratiquement toute situation en champ de bataille : pour voir et donc comprendre les évolutions. C'est ainsi qu'il sera amené, à partir de 1981, a faire un usage tout à fait particulier du Premier ministre. Il en fait son expérimentateur en chef, celui qui va faire bouger les choses pour que le Président réfléchisse. Le Premier ministre-expérimentateur suscite, à partir des directives présidentielles, des réactions dans l'opinion, dans l'opposition comme dans la majorité, et le Président peut alors suivre à la trace les effets que cette « action » provoque inévitablement. Le stratège élyséen peut faire son diagnostic. Et, éventuellement, prescrire une tactique.

Pierre Mauroy était l'homme idéal pour interpréter ce rôle ingrat : un taureau au cuir puissant, insensible aux coups et généreux dans la bagarre, d'une certaine manière inusable. Avec Laurent Fabius, le problème ne se posait déjà plus dans les mêmes termes, ce qui n'a pas empêché Mitterrand de procéder exactement de la même manière durant l'affaire Greenpeace. Seulement les temps avaient changé et Laurent Fabius, aussi soucieux de son avenir que de servir Mitterrand, fit savoir publiquement (le « trouble » de décembre 1985) qu'il n'entendait pas jouer ce rôle. Le colosse lillois, quant à lui, n'avait pas lésiné sur les « expériences » au seul profit des recherches élyséennes.

Un tel système prive très rapidement Matignon de toute autonomie de gestion, de tout vrai pouvoir de décision, parce qu'il émascule en définitive son autorité. Le Premier ministre cesse de fonctionner comme un paratonnerre. L'inversion dans le système Mitterrand est à ce point totale qu'il a été amené publiquement à se définir comme le « bouclier du Premier ministre ». Grâce à ce système, qui n'est évidemment qu'une rationalisation a posteriori, c'est le Président qui cumule tous les inconvénients. Il s'use personnellement, et le Premier ministre, en s'usant également très vite, contribue à l'affaiblir par ricochet. En effet, pour pouvoir durer, pour surmonter les caillots d'effets négatifs engendrés par cette expérimentation présidentielle, le Premier ministre doit être systématiquement remis en selle. C'est ainsi qu'à de très nombreuses reprises, le Président aura été amené à « confirmer » son Premier ministre dans ses fonctions, mime de l'intronisation destiné à mettre fin à une crise gouvernementale ou à un conflit entre les deux têtes de l'exécutif.

Cette transformation du Premier ministre en expérimentateur, conjuguée à la « politique du fauteuil », a entraîné la gouvernementalisation de l'Élysée. A la manière d'un metteur en scène de théâtre qui, au cours des répétitions, occupe successivement tous les rôles pour faire comprendre aux acteurs comment il veut qu'on les interprète : depuis 1981, Mitterrand a offert aux Français un véritable récital de Président-Protée, à la fois ministre de la Police (la cellule élyséenne du commandant Prouteau), secrétaire d'État à l'Industrie (le plan sidérurgie du 4 avril 1984), ministre du Travail (la décision sur les trente-neuf heures en juin 1982), secrétaire d'État à la

Communication (la négociation de la cinquième chaîne de télévision en novembre 1985) par exemple. Sans même évoquer l'ensemble de l'activité diplomatique des grandes aux petites affaires. Homme-orchestre assurément, toujours en mouvement, changeant sans cesse de fonction dans cette mise en scène de l'exécutif au cours de laquelle il ne cesse d'improviser le texte de la pièce présidentielle. Mitterrand, à travers le jeu de ses apparences, semble toujours à la recherche du masque qui coïncidera le mieux avec lui-même. Mais cette ronde virevoltante d'un Président finalement insaisissable donne le vertige à l'opinion, qui a fini par se convaincre que Mitterrand, en définitive, était au centre de tout, que s'il était ainsi omniprésent, c'est que rien ne se décidait sans lui.

Il est jugé non seulement comme Président, mais aussi comme Premier ministre « remplaçant ». Par chance, il a perdu les législatives de 1978 : il eût fait un piètre Premier ministre. Celui-ci est nécessairement une machine à décider. L'efficacité d'un Premier ministre se juge à sa capacité à prendre vite les bonnes décisions sur des sujets déterminants. Ce n'est ni le rythme, ni le goût de Mitterrand. Finalement, Matignon n'est peut-être pas la meilleure école élyséenne...

De la même manière et pour les mêmes raisons, le PS fut placé sous poumon artificiel à l'Élysée, de telle sorte que le Président restait très publiquement le principal dirigeant du parti majoritaire. Aussi le discours maladroit d'un apparatchik de troisième ordre était-il immédiatement porté au passif du Président. Ni Pierre Mauroy, ni Laurent Fabius n'ont été mis en position d'exercer le moindre contrôle sur le parti. Au contraire, Mitterrand s'est ingénié à les mettre tous deux en constant déséquilibre à l'égard de la haute hiérarchie du parti. Il a choisi pour Premier ministre un leader socialiste qui n'était pas issu du creuset de la Convention des institutions républicaines, mais un rejeton de la SFIO, qui plus est minoritaire du parti depuis qu'au congrès de Metz en 1979, il avait été rejeté avec Rocard à la « droite » du parti par les réquisitoires des jeunes hussards de Mitterrand.

Le choix de Mauroy est exemplaire de ce double jeu propre à Mitterrand : le leader lillois est littéralement piégé, il ne peut pas utiliser Matignon pour s'imposer au parti comme chef naturel de la majorité, puisqu'il est étroitement surveillé par les chiens de garde de la « famille » au sein du PS. Le parti et Matignon sont mis en concurrence et se limitent l'un par l'autre : en fait, ils s'affaiblissent de concert. La guérilla à bien des égards obsessionnelle conduite par Pierre Joxe, chef du groupe parlementaire socialiste pendant trois ans, contribua à faire trébucher Pierre Mauroy en le poussant à des surenchères, désespérées mais stupides, destinées à séduire au mieux, à calmer le plus souvent, l'aréopage du parti. Mitterrand a de temps à autre relâché cette pression, il ne l'a jamais supprimée : depuis longtemps déjà, Pierre Joxe aurait pu succéder à Gaston Defferre...

Laurent Fabius sera soumis aux mêmes contrepoids. Pourtant le nouveau Premier ministre disposait d'atouts évidents pour enfin exercer un contrôle rigoureux sur le parti : ce sabra du mitterrandisme, ce disciple qui rappelle à Mitterrand ses premiers succès ministériels fut l'un des tribuns patentés de la « famille ». Au point même que sa nomination à Matignon a été commentée comme une prise du pouvoir totale par la Convention des institutions républicaines et ses épigones du courant A : ils tenaient enfin tous les rouages de l'appareil d'État et du parti. En quelques mois, Laurent Fabius était remis en équilibre instable avec le Parti socialiste, dans une sorte de parité flottante où toute envolée de l'un risquait de provoquer la noyade de l'autre. Au cours du second semestre de 1985, Fabius était à nouveau sévèrement « marqué » par la direction du PS.

Cet équilibrisme vacillant fait du jongleur le maître du jeu : il est en situation de centre de gravité. L'opinion ne s'y est pas trompée qui a vu systématiquement en lui le responsable des deux congrès catastrophiques du PS, celui de Valence en octobre 1981 (le délire dirigiste sur l'État) et celui de Bourg-en-Bresse en octobre 1983 (le délire dirigiste sur la société civile). Ces deux congrès, qui répétaient inlassablement la partition de ceux qui avaient précédé la victoire, qui piétinaient de manière pathétique dans les certitudes d'autrefois, sont apparus comme des lapsus présidentiels : ils disaient tout haut ce que Mitterrand ne pouvait pas dire compte tenu de sa charge, mais qu'il partageait dans les conciliabules réguliers avec les dirigeants du parti. C'est par ce jeu de miroirs mis en place par ses soins que Mitterrand est devenu le paratonnerre de la gauche au pouvoir, qu'il a cristallisé sur sa personne toutes les impopularités, les siennes propres, celles de Matignon, de ses ministres comme celles du parti.

Plus que la figure de Fraser, pourtant très baroque, qui, selon Jacques Attali [1], symboliserait le mode de raisonnement présidentiel, c'est la bande de Moebius qui représente le mieux cette politique en perpétuel dédoublement, toujours en déséquilibre et qui donne le sentiment de « courir après sa queue ».

Cette forme a en effet une particularité exceptionnelle : l'envers est dans la continuité de l'endroit, qui est lui-même l'envers d'un autre

1. Jacques Attali, *la Figure de Fraser*, Fayard, 1984.

endroit, et ainsi de suite jusqu'à ce que cette boucle torsadée se referme sur elle-même.

L'endroit, c'est la stratégie d'union de la gauche et le gouvernement à participation communiste; l'envers, c'est l'affaiblissement des communistes, qui rend possible justement leur participation limitée au gouvernement; l'endroit, c'est la politique de rigueur et l'envers, c'est la théorie de la parenthèse dans la politique inaugurée en 1981, d'où il se déduit la fameuse « bataille des libertés » de l'hiver 1983; l'endroit, c'est la modernisation industrielle et la revalorisation de l'entreprise et du profit...

Mitterrand triomphe en 1981 à son troisième essai. La stratégie qu'il a patiemment imposée à tous les partis, à tous les syndicats liés à la gauche, à toutes les associations est fondée sur un a priori : l'union pour gouverner entre le PS et le PC. Il défend cette union avec les communistes alors même que se développe dans les années soixante-dix un violent anticommunisme de gauche. Rien n'y fait, Mitterrand persiste. Cette stratégie, outre qu'elle lui ouvre les portes de l'Élysée, a pour principale conséquence de miniaturiser le Parti communiste, à tout le moins de le faire changer de taille. Personne ou presque n'a rien vu venir de cette stratégie à double fond où la défense de l'union avec les communistes met en branle leur inexorable déclin. Dans cette perspective en trompe l'œil, les communistes s'engouffrent. Il faut attendre 1977 pour qu'ils prennent conscience que ce sont bien les baisers de Mitterrand qui instillent dans l'électorat communiste un poison mortel. Alors on peut comprendre que l'opinion n'y ait vu que du feu. Elle a simplement eu l'instinct de faire de Mitterrand le meilleur des remparts contre les communistes.

Après la victoire de 1981, Mitterrand va maintenir coûte que coûte son étreinte généreusement meurtrière sur le PC sans finalement se soucier du prix à payer. Puis c'est le tournant de la rigueur de 1982-1983 et la contre-image de « la parenthèse dans le changement ». Cette fiction de la continuité entre 1981 et 1983 est destinée à maintenir l'étreinte sur le PC. Mitterrand la fera durer jusqu'en juillet 1984. Au passage, le PCF aura avalisé la politique de rigueur.

Lorsque les communistes quitteront le gouvernement en pleine « révolution de juillet », leur départ passera inaperçu, comme un allié depuis longtemps exsangue qui s'efface plus qu'il ne rompt. En fait, Mitterrand aura été victime de son succès : le déclin du Parti communiste est si rapide que, pour maintenir le théâtre de l'union de la gauche, il doit faire du bouche-à-bouche électoral au PC afin de le remettre à peu près sur pied. Il est trop tard : la gesticulation du PC est un chant du cygne grotesque. Le Président et le PS voient s'effondrer le PC, l'allié qui, avec la muselière gouvernementale, donnait aux socialistes l'illusion de l'épopée. Il se sauve – qui peut – et en sortant il effondre tous les décors peints et tous les stucs de cette mise en scène idéologique.

L'ennui de cette stratégie du double jeu, c'est que, faute de perdre totalement son efficacité, elle ne peut s'énoncer. Destinée à leurrer, il va sans dire que sa finalité échappe à l'opinion. Mitterrand est toujours en train de « parler faux », puisqu'il poursuit des objectifs qui sont souvent à l'opposé de ceux qu'il prétend caresser. Ce jeu de miroirs interdit toute communication : la communication moderne ne connaît justement que le premier degré. La réaction ne s'est pas fait attendre : ce fut le regain dans l'opinion du « parler vrai », par opposition aux « fourberies » du Président. Le fameux « effet Fabius » s'est nourri de ce besoin, après qu'il eut fait les choux gras de Rocard avant 1981 et de Delors entre 1982 et 1984.

La bande de Moebius n'a qu'un défaut : elle se referme sur elle-même, revient au point de départ et finit par tourner en rond. Elle n'est pas évolutive. Pour passer d'une bande à une autre, il faut une rupture. C'est ce que provoque l'avènement de la Ve République dans la carrière de Mitterrand. Il y a continuité de 1965 à 1983. Avec la césure de mars 1983, Mitterrand change de bande. Il est depuis sur le même espace et il est vraisemblable que, sauf raz de marée électoral, la cohabitation peut ne pas provoquer de rupture dans son parcours. De fait, ces bandes sont liées entre elles comme des anneaux : cette chaîne, à défaut de faire toujours sens, soumet les partisans de Mitterrand à une gymnastique difficile.

On imagine mal système de pensée et de travail plus impopulaire que celui-là. Le Président en est sans doute conscient, qui ne cherche pas le soutien enthousiaste, mais toujours le soutien par défaut.

Si, dans la tempête, il ne reste plus que lui à la barre, les électeurs, ses partisans la veille encore troublés, ne pourront pas faire autrement que de le soutenir : ils le feront par intérêt et non par conviction idéologique. Cela ne le choque pas : ce pragmatique accorde peu de poids aux idées, ce ne sont pas elles qui mènent le monde, mais beaucoup plus, selon lui, la fascination qu'exerce le miroir aux intérêts. Intérêts particuliers, de caste, de lobby ou de classe : c'est selon. Et naturellement, pour peser et repeser ces intérêts, il faut un juge auquel on puisse faire appel pour dire le poids relatif de chacun d'entre eux. A fortiori, lorsque sous le coup de révolutions technologiques et culturelles toutes les formes sociales changent de manière vertigineuse et contradictoire, que triomphe enfin l'instabilité, le recours à un conciliateur devient une nécessité vitale. Mitterrand veut parfois le pour et le contre, au goût de la conciliation : c'est sa philosophie du pouvoir. On le vérifie aussi bien dans la gestion brisée, souvent absurde, de l'affaire de l'école privée que dans la manière dont Mitterrand se projette sur la scène internationale.

Le drame scolaire est emblématique de l'époque : l'unité de l'enseignement est remise en question plus rapidement même que ne le supposait Mitterrand. Il va gérer cette découverte, qu'il fait en même temps que la société française, alors même que des secteurs entiers de son électorat en font encore une question « religieuse » : ce passage au « multiple », au pluralisme suscite des tensions extrêmes. Gouverner, c'est alors assurer le passage de l'unité mythique des années soixante, dont la statue de De Gaulle reste l'incarnation nostalgique, au pluralisme. Et cela dans tous les domaines de la vie hexagonale et internationale : la réalité s'enfuit dans tous les sens. Même la conciliation qu'il avait imaginée durant l'année 1982 – « la laïcité creuse » – se brise et se décompose malgré une inlassable négociation. L'extraordinaire dans l'affaire, c'est que la hiérarchie catholique, partie prenante de cette négociation, fut en définitive dépassée elle aussi, tout comme Mitterrand, par le mouvement social. Dès lors, il fallait passer de l'unité creuse au pluralisme réel, cette fois sans faux-fuyants. On peut s'interroger pour savoir si Mitterrand (inconsciemment?) n'a pas laissé se dégrader inexorablement cette affaire pour pouvoir la clore par un « coup d'État » en faveur du pluralisme.

Mitterrand aura présidé, pendant les premières années de son septennat, au passage d'une société « unitaire », dont le « tout à l'État » était l'expression la plus classique, à une société « plurielle », dont la revendication de flexibilité (en débat à la fin 1985) résume parfaitement l'exigence de discontinuité qui est à l'œuvre. Si la société gagne en souplesse pour mieux accueillir les caprices du futur et ses lois à venir, elle n'en est pas moins dure et cynique. Elle l'est d'autant plus : la morale du changement et de l'inconstance est la morale glaçante d'un nouvel âge de fer. Ce n'est pas spécialement propice à l'affirmation d'un héroïsme politique auquel on puisse s'identifier et s'abandonner avec volupté. L'inadaptation des formes, des hommes, des discours à une réalité aussi changeante, aussi tourmentée, aussi incertaine que celle que nous connaissons ne favorise pas la popularité des hommes qui nous gouvernent, peu importe d'ailleurs leur couleur politique. C'est une période ingrate pour la gloire étatique : voilà pourquoi, y compris dans son impopularité et dans ce qu'il a de plus exaspérant, Mitterrand était bien l'homme de ces situations contradictoires.

Ce goût de la conciliation est chez lui de l'ordre de la conviction. On touche le fond de ses engagements : la justice. L'avocat qu'il fut s'est mué à travers l'exercice des responsabilités gouvernementales en juge de paix : celui que l'on saisit comme conciliateur. Dans la démesure orgueilleuse qui le caractérise souvent, il voudrait représenter la justice, pour la société française comme pour le monde; être celui qui, parce qu'il croit qu'on ne fait rien sans la paix et qu'il a horreur de se faire des ennemis, finit par apaiser des contradictions violentes. Il faut avoir, comme lui, le désir de contenter tout le monde pour être disponible aux plus invraisemblables conciliabules, pour tenter de négocier de manière inlassable, sur des années s'il le faut, pour arriver à ce qu'il considère comme une approximation précaire de justice. Pendant cinq ans, il aura négocié l'Europe et, manifestement, il n'a pas terminé. Le Liban, le Tchad : là encore des négociations interminables qui auraient découragé tout autre que lui. Mais, justement, cette machine à négocier est là sur son terrain de prédilection. Il y faut de la fluidité : il en a à revendre; une patience inentamable de juriste – c'est dans son tempérament; un optimisme indestructible au point qu'il l'aveugle parfois; une âme de calculateur qui ne répugne pas aux procédures les plus tortueuses, sinon même les plus vicieuses, et enfin une pratique du tête-à-tête (la politique du fauteuil) qui en fait un des plus redoutables diplomates qui soient.

L'engagement à gauche de Mitterrand, « qui n'est pas socialiste », comme le disait Pompidou peu avant sa mort, s'il fut un calcul évident, destiné à verrouiller son dispositif de conquête présidentiel, n'en est pas moins compréhensible. Le jour où il a jeté cette définition : « La gauche, c'est la justice », Mitterrand était d'une totale sincérité avec lui-même. Son socialisme est d'emprunt, tout comme le fut sa volonté de « rompre avec le capitalisme », mais son engagement à gauche ne l'est pas, pour autant que c'est de justice qu'il est question. Le socialisme de la rupture avec le capitalisme, c'est celui de l'avocat de la défense, pas celui du juge de paix, car il ne permet pas la conciliation... Mais c'est son affirmation d'hier qui a rendu possibles les conciliations d'aujourd'hui.

Un conciliateur se juge sur sa capacité à pacifier des conflits, à dénouer des nœuds gordiens et non à les trancher. De ce point de vue, l'adjectif du slogan de 1981 : « la force tranquille », aura tenu ses promesses.

De l'alternance à la gestion « rigoureuse » de l'économie et des finances publiques (à partir de 1983), en passant par l'école privée et la limitation difficile mais réelle du rôle de l'État, Mitterrand aura, à bien des égards, « pacifié » certaines des passions archaïques qui immobilisaient la société française.

C'est ce Président qui aborde aujourd'hui la « cohabitation ». Dans cette situation encore indistincte, aux contours fluctuants, va se jouer le dernier acte de son septennat. Il est symptomatique que ce soit à une contradiction de ce genre qu'il doive désormais se consacrer, que ce soit justement à lui qu'elle soit soumise. On imagine difficilement meilleur hommage de la réalité à sa personnalité et à son histoire politique.

Il l'aborde paradoxalement avec beaucoup d'atouts. D'abord politiques : la normalisation de la démocratie française qu'il a conduite depuis cinq ans débouche, d'une manière ou d'une autre, à des situations de type cohabitationniste; il est maintenant certain qu'aucun Président ne disposera plus dans les années à venir d'une majorité parlementaire dévouée corps et âme au chef de l'exécutif. L'horizon obligé est désormais celui de la cohabitation, que Mitterrand, Fabius, Rocard, Barre ou Chirac soit alors Président. L'éclatement des majorités construites sur un modèle de société spécifique est un fait irréversible sur le moyen terme. Aucun des candidats en présence n'est porteur d'une telle alternative globale et, par ailleurs, aucun n'est en mesure, en tout cas pour l'instant, d'incarner une sorte de *surmoi* social qui rassemblerait dans une nouvelle unité d'essence monarchique toutes les angoisses centrifuges de notre société.

Atouts psychologiques enfin : outre qu'il s'y prépare effectivement depuis 1984, qu'il vit depuis la nomination de Fabius de manière schizophrénique, à la fois au présent et au futur, que chacune de ses initiatives anticipe de longue main l'après-mars 1986, il navigue naturellement parmi les tensions. Un homme qui n'est jamais autant lui-même que dans la tourmente générale est prédisposé à manipuler dans tous les sens une situation comme la cohabitation : d'ores et déjà, il a répertorié toutes les feintes possibles et imaginables, sans compter celles que la réalité ne manquera pas de lui révéler le moment venu. Il ne sera jamais aussi dangereux que lorsqu'il feindra de s'effacer.

Son engagement électoral durant l'hiver 1985 dit assez comment il conçoit la cohabitation : comme une machine à faire et à défaire les rapports de forces. Pour une part, il agite la cohabitation comme un leurre devant l'opposition, en cherchant par ce frémissement séduisant à diviser celle-ci, à engager une partie de ses leaders et de leurs troupes dans le labyrinthe du jeu constitutionnel, qui ressemble à des fourches caudines, d'ailleurs autant pour lui que pour ses adversaires. Ce leurre, il l'a agité depuis 1984, avec « succès » puisqu'il a réussi à dissocier le RPR et une partie de l'UDF de la noria barriste et à susciter la sécession lepéniste à l'extrême droite. Mais ce qui fait l'intérêt du leurre aux yeux du taureau de combat, c'est que son adversaire humain n'en est jamais très éloigné. C'est-à-dire qu'il y a quand même de la réalité dans le leurre : en l'occurrence, il y a du pouvoir exécutif à partager, et ce partage dépendra entièrement du rapport de forces entre le PS et le RPR, au moins autant que du rapport général des forces tel qu'il sera connu le 16 mars à 20 heures.

Selon le détail des situations que les victoires et les défaites particulières des uns et des autres vont créer, la cohabitation prendra des formes évidemment différentes, elle sera plus ou moins défavorable à Mitterrand. Dans le cas où il n'y aurait pas rejet formel du Président par l'électorat, mais bien volonté de celui-ci d'imposer la cohabitation aux vainqueurs des législatives, il appartiendra alors à Mitterrand, pour achever sur le plan constitutionnel l'œuvre de normalisation de fait de la démocratie française entreprise depuis l'alternance de 1981, de réussir la cohabitation.

Sa réussite ne fera ni vraiment le bonheur de la gauche socialiste, ni celui de l'opposition. Ni même sans doute le sien. Il est vraisemblable que ce soit, dans ces temps troublés, le meilleur service que l'on puisse rendre aux Français.

DEUXIÈME PARTIE

HISTOIRES D'UNE NORMALISATION

« Plus encore, l'enquêteur sur le temps présent n'arrive jusqu'aux trames " fines " des structures qu'à condition, lui aussi, de *reconstruire,* d'avancer hypothèses et explications, de refuser le réel tel qu'il se perçoit, de le tronquer, de le dépasser, toutes opérations qui permettent d'échapper au donné pour le mieux dominer, mais qui, toutes, sont reconstructions. »

FERNAND BRAUDEL, *Écrits sur l'Histoire.*

Pour rendre à la société française une partie de sa fluidité, il est certain qu'il fallait un Président pas ordinaire. Sans doute un Président baroque : ce fut Mitterrand. Personne ou presque ne savait qu'il l'était à ce point-là, et personne ne pouvait prévoir, en particulier pas lui, que ce serait là son œuvre essentielle. Cet homme a joué, dans ce processus qui a conduit à faire de la France une démocratie industrielle concurrente, parce qu'une démocratie finalement comme les autres, des rôles multiples et contradictoires. C'est leur somme qui a produit cet effet dissolvant sur certains des comportements les plus conservateurs de l'Hexagone.

Voilà pourquoi on ne saurait raconter cette aventure « culturelle », ce roman politique, sans reconstituer les journées qui en font la trame. Journées de crise, d'attente, de ruse, ou d'échec, journées économiques ou scolaires, internationales ou militaires, elles forment un ensemble et se conjuguent négativement et positivement pour produire des bouleversements d'autant plus importants qu'ils sont ordinaires.

Un choix devait être fait au milieu d'une activité et d'une réactivité aussi abondantes. L'Europe sans doute, et plus particulièrement la présidence française en 1984, aurait mérité un traitement en profondeur, ne serait-ce que par le temps que Mitterrand y a consacré et par l'acharnement qu'il y a mis : même si, pour l'essentiel, il n'a fait que « continuer » géographiquement et institutionnellement l'Europe, il a également semé pour l'avenir (Eurêka). Il aurait fallu également évoquer cette gestion de l'audiovisuel, à la fois très brusque, très molle aussi, autoritaire souvent, simplement libérale parfois, mais toujours contradictoire.

Le choix ici s'est porté sur les « crises » les plus saillantes, sur la généalogie de certaines décisions, sur la genèse de certaines initiatives et même sur les ratés qui permettaient le plus de mettre en relief cette activité étrange, essentielle et pourtant toujours lointaine, que l'on appelle gouverner. Selon la manière dont on l'exerce, selon l'homme qui en a la charge, une société se transforme ou se bloque, évolue ou régresse. Même solitaire, l'exercice du pouvoir exécutif n'est jamais une procédure simple : une action produisant des effets, suivie d'une autre action. Ce sont le plus souvent les effets induits, parfois même les effets jugés sur le coup secondaires qui provoquent les modifications les plus radicales. C'est la raison pour laquelle une moindre importance a été accordée à l'année 1981, qui, pour l'essentiel, reste celle de l'affirmation socialiste. Il n'y a pas que les chefs d'État qui s'épanouissent dans les difficultés : l'Histoire aussi, et pour les mêmes raisons, évidemment.

Le choix s'est porté enfin sur les situations que l'auteur connaissait le mieux pour avoir eu à les traiter à chaud, en tant que journaliste de quotidien.

De très bons auteurs feront le récit détaillé de cette période. D'autres mettront l'accent plus spécialement sur le débat économique au sein de la gauche. D'autres encore, partisans ou adversaires, feront le bilan de cette législature, ministère par ministère, les uns se limiteront à un inventaire et d'autres opposeront les intentions de 1981 aux résultats de 1986. Tous auront leurs intérêts et leurs lecteurs. Ce n'est ni le sujet de ce récit, ni celui de ce livre : il n'y a donc pas d'oubli.

1

L'ivresse

De mai à décembre 1981

Le 10 mai 1981, la force d'une intuition

Au commencement, il y avait une formidable intuition. On l'oublie trop souvent, les accélérations de l'Histoire, les tournants, les redistributions de cartes sont le plus souvent le fruit d'une intuition.

A l'origine de la victoire de la gauche en 1981 sous la bannière mitterrandiste, il y avait une de ces intuitions qui laissent en général pantois les historiens : la certitude soudaine chez le premier secrétaire du PS, apparue pendant sa méditation landaise de l'été 1980, que Giscard d'Estaing était un Président en sursis, dont l'assise s'effondrait de l'intérieur même de sa « majorité ». Cet été-là, Mitterrand a compris que la gauche, quel que soit le candidat, Rocard ou lui-même, ne pouvait que l'emporter face à un homme condamné par son propre camp. Le premier qui ramasserait la victoire au nom de la gauche non communiste entrerait à l'Élysée en vainqueur.

Giscard d'Estaing est tombé comme tombent les rois. Sans gloire, abandonné. Il s'est battu face à un homme qui, d'une certaine manière, l'a simplement regardé s'épuiser, ne lui offrant même pas le recours d'un affrontement entre deux choix de société auxquels il aurait pu se raccrocher. Le cocktail du chômage et des diamants, de la raideur technocratique et d'une famille encombrante aura été détonant. Pris isolément, ils auraient sans doute été supportables et supportés. L'un mélangé à l'autre a fait le vide dans les rangs giscardiens. Les Français ne sont pas moralistes et les frasques des coulisses du régime n'auraient pas ému outre mesure les électeurs si celui-ci n'avait été victime d'une compréhension aussi glacée des rigidités de la société française. Giscard a entrevu la plupart des grandes questions de la décennie sans réussir à leur donner une traduction concrète. Les Français ont fini par prendre pour du mépris ce qui n'était souvent qu'une forme exacerbée d'impuissance politique à devenir majoritaire dans sa majorité.

Giscard d'Estaing a été confronté à un phénomène qu'il n'est pas parvenu à gérer : l'absence d'alternance avait fini par provoquer une sclérose institutionnelle. Et l'avenir giscardien finissait par faire plus peur que les silences de Mitterrand, plus peur encore que le vide prévisible qui s'annonçait.

Face à cette équation, Mitterrand le tenace, le silencieux, l'énigmatique, a fini par rassurer, et cela parmi tous les électorats. Même son allure de monarque libéral est devenue une sorte de garantie, le gage d'une aventure aux risques moindres que l'immobilisme promis par Giscard d'Estaing. Paradoxalement, ses seize années de tentatives manquées ont pris l'allure d'un brevet de bonne conduite, d'autant qu'au passage il est parvenu à réduire l'influence du Parti communiste plus sûrement que les rodomontades giscardiennes. Cette statue hiératique qu'on tutoie moins encore que Giscard, le descendant chaptalisé de Louis XV, a fini par incarner une permanence, un discours face aux dangers de l'avenir « udefien ». Il était devenu, *en creux,* l'incarnation de la Vᵉ République et le plus sûr garant du très étrange système présidentiel légué par de Gaulle.

Le 14 juin, une victoire « culturelle »

Plus de neuf millions d'électeurs, le plus « tranquillement » du monde, ont voté dimanche 14 juin pour les candidats « socialistes » aux législatives.

Comment ce mot magique aux multiples miroirs idéologiques a-t-il pu séduire au point que la France s'offre la perspective de devenir de but en blanc une « nation socialiste »?

Comment des électeurs, la veille encore centristes, giscardiens ou chiraquiens, écologistes, ou même communistes, sont-ils parvenus à voter « les pleins pouvoirs » à un mot dont la connotation révolutionnaire se perd dans le fin fond des chaumières et des HLM? Comment se fait-il même qu'ils aient été plus nombreux que lors du premier tour des présidentielles à se porter sur des candidats aux couleurs « socialistes »?

Peut-on attribuer ce succès au programme de Mitterrand alors même que le candidat des socialistes a fait toute sa campagne en ne prenant à peu près aucun engagement irréversible, en se situant perpétuellement en retrait, en refusant le débat sur le changement de société, en faisant courir son adversaire, comme le font les pugilistes?

Les dirigeants socialistes eux-mêmes admettent volontiers que la victoire du 10 mai fut d'abord la défaite de Giscard.

Mitterrand a été élu comme Carter au lendemain de la décadence nixonienne : le recours moral après l'humiliation giscardienne. Cette carte, Mitterrand, depuis sa prise de fonction officielle le 21 mai, ne va cesser de la jouer, multipliant, jusqu'à l'excès parfois, les gestes symboliques et les déclarations qui, pris en eux-mêmes, n'avaient pas de très grandes vertus électoralistes – on pense à la peine de mort ou au nucléaire pris avec des pincettes –, mais qui, tous ensemble, conféraient une stature morale rutilante au nouveau Président : il osait être fidèle à ses convictions au mépris du racolage électoral.

Toutes ses initiatives convergent alors pour dessiner un modèle de gouvernement antigiscardien, dépourvu de toute stratégie et tourné tout entier vers la réalisation d'une image antithétique à celle produite par l'ancien gouvernement.

Cette attitude constante explique sans doute en partie le vote du 14 juin : c'est moralement que François Mitterrand se veut l'« antigiscardien ». Plus qu'un programme, c'est bien une manière de gouverner qui a été condamnée le 10 mai et le 14 juin 1981.

La deuxième motivation des électeurs « socialistes », c'est la substitution d'un style à l'autre. On est passé du technocrate à l'homme de culture. François Mitterrand, toujours soucieux des symboles, a soigneusement mis en scène sa photographie officielle, celle qui est destinée aux salles de mairie; elle est signée de Gisèle Freund, la photographe de tous les monstres sacrés de la littérature contemporaine... Assis devant une bibliothèque, le Président sourit, un livre ouvert devant lui. Un style technocratique a été condamné le 10 mai 1981 comme rimant avec mépris et avec cynisme. Les électeurs souhaitaient un gouvernement plus à « l'écoute du pays », comme on dit. La « culture » est censée être ce « supplément d'âme ». Culturels, les socialistes le sont d'ailleurs par tous les côtés. Pour son intronisation le 21 mai, Mitterrand a réussi à mêler l'opéra à son triomphe avec la participation de l'un des plus grands ténors du moment, mais aussi la littérature baroque latino-américaine et le cinéma à grand spectacle avec la superproduction télévisuelle du Panthéon. Un ministre sur deux a écrit un livre et un dirigeant socialiste sur deux est enseignant ou presque, généralement professeur de faculté ou maître assistant. Mieux, deux écrivains professionnels font partie du cabinet présidentiel, sans compter les journalistes venus jouer les nègres littéraires pour le compte de ministres pressés. Quelques mois avant l'élection présidentielle, Régis Debray se taillait un succès de librairie avec un essai théorique sur le pouvoir intellectuel en France. Titre : *le Scribe.* Les scribes sont au pouvoir. En mission officielle.

Aux chiffres viennent donc de succéder les mots, à la magie des nombres celle du verbe. Et si les Français avaient tout simplement eu besoin qu'on leur parle autrement, qu'on y mette les formes et qu'on choisisse les mots?... Succès de la démocratisation de l'enseignement, du livre de poche et des mass media que ce retour triomphal des littéraires sur le devant de la scène politique. Mitterrand et les siens, tous amoureux du verbe et de la chose écrite, sont perçus comme susceptibles d'émotion, comme plus accessibles aux sentiments. Donc plus proches.

Enfin, cette victoire « culturelle » traduit, même dans ses accents les plus pompiers, une volonté d'enracinement de la part de l'électorat. Le giscardisme était planétaire. Il était ici et ailleurs, il était à l'image des multinationales, plus actif en Namibie qu'en Lorraine, en Argentine qu'en Bretagne. Des fractions entières de l'électorat en étaient toutes déboussolées. Dès qu'un problème se posait, la solution ou la cause était à chercher aux antipodes. La réalité finissait par devenir incontrôlable. Les électeurs avaient manifestement envie de revenir en France, de rompre avec la culture et le style des multinationales, de parler de la France aux Français, quitte même à se replier sur l'horizon hexagonal... C'est ce qu'avait très bien senti Jacques Seguela, avec sa fameuse affiche des présidentielle où le clocher d'un petit village de la France profonde servait de point d'appui à François Mitterrand et à sa « force tranquille ». Message ambigu : ce désir d'en revenir aux réalités concrètes, locales et nationales, que les électeurs imaginent plus facilement maîtrisables et cette crainte d'une planétarisation des problèmes, qui pourraient, à terme, se traduire par des simplifications dangereuses et par la génération de nouveaux conservatismes.

L'attitude et le style, tels paraissent être les moteurs de la vague rose dont François Mitterrand fut l'habile stratège. Deux revendications qui ne figurent dans aucun texte programmatique mais qui traduisent bien ce moment exceptionnel où une société se pose les problèmes de l'art et de la manière de gouverner. Et, comme les Français sont particulièrement bien éduqués en matière politique, ils savent par expérience que, pour un gouvernement, la manière fait la différence.

Le 15 juin, le baiser qui tue

Dans les films d'épouvante, c'est la séquence où les spectateurs dépensent leur surplus d'adrénaline : le héros maléfique embrasse sa victime, qui, séduite et tétanisée, s'abandonne au plaisir sans savoir que ce baiser est mortel.

Cette scène s'est jouée une bonne vingtaine de fois sur écrans de télévision depuis la signature du Programme commun en 1972. Et quand Georges Marchais a voulu s'enfuir de cette étreinte en 1977, il était déjà trop tard, le désir s'était emparé du « corps » électoral communiste, à un point tel qu'il dut subir, en mai puis en juin 1981, des amputations terribles. Mais, à la différence de ces films de série, cette fois, il y a inversion des rôles et c'est le « vampire » qui tombe victime du « baiser qui tue ».

Toute la stratégie mitterrandiste depuis 1970 est obsédée par l'inversion du rapport de forces à gauche, comme en témoigne d'ailleurs la fameuse déclaration de François Mitterrand à Vienne, au congrès de l'Internationale communiste, peu après la signature du Programme commun : « Notre objectif est de refaire un grand Parti socialiste sur le terrain occupé par le PC. Sur les cinq millions d'électeurs communistes, trois peuvent voter socialiste. »

Pari tenu.

Mitterrand a su mettre à profit une double dialectique, entre, d'une part, une défense inflexible de l'union de la gauche par les socialistes face aux injures de la direction communiste à partir de 1977 et, d'autre part, la pression dans l'opinion créée par le développement d'un fort anticommunisme de gauche (l'un des principaux enfants de Mai 68 et sa descendance), alimenté, il est vrai, de manière quotidienne par la bêtise intarissable des dirigeants communistes français.

En répétant inlassablement que les socialistes étaient unitaires pour deux, Mitterrand flattait dans le sens du poil le mythe essentiel de la gauche : le Front populaire, la Résistance et la Libération, la fête unanime, le peuple réunifié. Bref, le Saint-Graal de la gauche : si ce mot avait un sens, il était évidemment à chercher, pour tous les électeurs socialistes et communistes, du côté de l'« union ». Déjà trempé dans la potion magique de l'union en 1965, pour avoir mis de Gaulle en ballottage, Mitterrand était devenu l'incarnation vivante de cette mystique de gauche, paradoxalement beaucoup plus vivace pour les communistes que pour les socialistes. Aussi, dès que les dirigeants communistes injuriaient Mitterrand, le PS ramassait des voix communistes. Et plus ils l'injuriaient, plus les électeurs communistes trouvaient du charme à Mitterrand. Le jackpot électoral était au bout du chemin des crachats. Il suffisait de les supporter, jour après jour, année après année, sans broncher. Mitterrand a tenu bon.

Deuxième dialectique, celle qui articule le mythe unitaire brandi par le PS et l'anticommunisme de gauche.

C'est l'un des grands événements de ces vingt dernières années, événement sans lequel, non plus, Mitterrand ne serait pas Président, l'anticommunisme est passé à gauche. L'anticommunisme du *Figaro,* par exemple, servait les communistes. Inefficacité totale. Mais quand il devient une catégorie de gauche, il se révèle une arme redoutable.

Il se développe à partir des années soixante, donne naissance à l'extrême gauche, éclate triomphalement en mai 1968 et, en août de la même année, avec l'invasion de la Tchécoslovaquie, se poursuit avec la floraison de tous les mouvements sociaux et l'invention de nouvelles libertés. Tous ces mouvements se heurtent peu ou prou au PCF. Le gauchisme attise cette contradiction parfois jusqu'à la violence physique. Enfin c'est la rupture totale et définitive en 1974-1975 avec l'archipel du Goulag et la marée dissidente.

Après, le bilan du totalitarisme soviétique jugé « globalement positif » par le PCF, l'approbation de l'occupation militaire de l'Afghanistan et de la répression de Solidarnosc en Pologne sont venus en points d'orgue, comme d'ultimes confirmations. L'anticommunisme de gauche a fini par détacher de la mauvaise conscience les intellectuels que le PCF culpabilisait depuis la fin de la guerre, ce qui expliquait en grande partie sa survivance dinosaurienne. En dix ans, le PCF a perdu à peu près tous ses intellectuels – les grands, les prestigieux, mais aussi les obscurs, syndicalistes, enseignants, techniciens et scientifiques, ceux-là mêmes qui lui servaient de cordon sanitaire idéologique. La défaite du PCF s'est nouée dans ce divorce alors même que son électorat ouvrier s'effritait pour des raisons identiques aggravées par ces mutations de la société industrielle. Et c'est peu dire que la bêtise satisfaite de Georges Marchais, complaisamment offerte par tous les médias audiovisuels, a fait le reste en faisant honte à de très larges fractions de l'électorat communiste.

La force de Mitterrand, ce sera d'avoir campé à la croisée de ces chemins. Il a tout ramassé. Mieux, au fil des années, plus le PS devenait puissant et plus il devenait une garantie crédible pour des électeurs qui cherchaient depuis des lustres à résoudre cette quadrature du cercle bien française : comment être à la fois de gauche et anticommuniste.

La sanction pour la direction du PCF est sans appel, puisque celle-ci, la plus stupide du mouvement communiste international, a réussi l'exploit d'être humiliée par ses propres électeurs. C'est donc à genoux que le PCF va entrer dans le deuxième gouvernement Mauroy.

Le 21 juin, les pleins pouvoirs

La Ve République est investie, du sous-sol au grenier : après les cantons, les municipalités, les socialistes viennent coup sur coup de s'emparer de l'Élysée et du parlement. Toutes les représentations électives, à l'exception de celles du Sénat, ont majoritairement basculé à gauche.

En un mois, de la mi-mai à la mi-juin, les électeurs sont allés voter quatre fois. Deux tours pour les présidentielles, deux tours pour les législatives. Et, en quatre tours, pas le moindre coup de vent, mais au contraire une même volonté électorale de changer le bestiaire politique français.

Mais plus encore, l'électorat semble avoir eu à cœur de réunir toutes les conditions pour que les vainqueurs puissent se mettre au travail en ayant les mains libres. Ce sont en fait les pleins pouvoirs républicains que les électeurs ont confiés aux socialistes, à leur parti et à leur leader.

Les socialistes détiennent désormais la majorité absolue à l'Assemblée nationale, sans le PCF, qui perd au passage la moitié de ses sièges. A compter de ce jour, le Président a tous les atouts constitutionnels en main. Et, dans ce régime semi-présidentiel, il suffit que la majorité parlementaire recoupe la majorité présidentielle pour qu'il devienne totalement présidentiel. Tout va donc dépendre du nouveau monarque républicain, de sa capacité à accueillir la contradiction comme de ses difficultés à l'admettre.

Le 24 septembre, la réinvention du radicalisme

Il y a une école française de la conférence de presse. Académique comme l'enseignement magistral du début du siècle, long monologue rythmé par le jeu de béquilles des questions. Le général de Gaulle en avait fait une messe régulière où il officiait comme le pape incontesté de la religion française d'État. Mais, pour chérir le solennel, le Général n'en oubliait pas pour autant que celui-ci a des effets soporifiques. C'est pourquoi il choisissait le moment où, par excellence, le chef de l'État condescend à juger de toutes choses, pour faire l'événement. Par un coup de fouet sémantique ou par une initiative totalement inattendue. Bref, cet homme d'un autre temps avait comme personne le sens des médias.

A défaut de pouvoir cuisiner le Président, les journalistes avaient au moins la satisfaction d'avoir vu la statue du Commandeur faire des niches au destin.

Giscard, quant à lui, ne pouvait décemment pas croiser le verbe avec l'Histoire, aussi, profitant de ses qualités pédagogiques, il avait transformé la traditionnelle conférence de presse en émission de télé-enseignement à destination des Français qui n'avaient pas très bien compris les lois de l'économie de marché.

Mitterrand n'a pas fait l'événement, il n'a pas annoncé d'initiative bouleversante, et on chercherait en vain l'invention d'un mot meurtrier destiné à fleurir notre vocabulaire pour une bonne dizaine d'années. Mais il faut vraiment que les institutions de la Vᵉ République lui conviennent à ce point parfaitement pour qu'il n'ait pas cherché à modifier le style de cette allocution « au pays » travestie en conférence de presse. Le moule Vᵉ République se porte apparemment aussi bien que le président de la République. Et ce n'est pas peu dire. Car, au-delà du message mitterrandiste sur la pérennité de la Vᵉ République jusque dans sa liturgie, il est apparu comme un homme transfiguré par le pouvoir, rajeuni par la magistrature suprême, ce qui confirme ainsi ses qualités d'eau de jouvence pour les hommes vieillissants.

Et si le message, c'était simplement cette santé triomphante? Car enfin, dans cette première conférence de presse d'un Président « socialiste », on chercherait en vain un message social qui aille au-delà de la mobilisation des patrons de PME, devenus, dans les quatre premiers mois du septennat, les enfants chéris du régime, ceux pour lesquels Président, Premier ministre et ministres ne manquent jamais d'avoir un mot sympathique, un encouragement, et d'offrir la protection de l'État, pour autant qu'ils acceptent de réinvestir leurs bénéfices. Mais les salariés... Bien sûr, le chômage, bien sûr, l'accent mis sur « la primauté de l'arbitrage sur le recours à la force », bien sûr, la défense d'une « meilleure répartition des revenus et du temps de travail ». Normal. Mais où est passé ce grand projet social capable de mobiliser les énergies des salariés et les imaginations de tous les squatters des interstices de notre société?

On sera reconnaissant, dans cette perspective, au président de la République de ne pas avoir scandé le mot « socialisme » à tort et à travers. François Mitterrand a, semble-t-il, été libéré par sa victoire d'un abus de langage : nous avons retrouvé un radical mâtiné de gaullisme, fondant sa légitimité historique, et non électorale bien sûr, sur le respect de son programme électoral, tout en mettant à profit les grands espaces que lui procure la Constitution pour caracoler seul là où il juge bon d'aller.

Grand radical habité par l'État comme d'autres le sont par la littérature ou le cinéma, François Mitterrand est en train de réinventer le radicalisme.

Sait-on que l'expression même de « contrat de solidarité », dont l'actuel Président et son gouvernement font grand cas et qui paraît constituer la clef de voûte de l'engagement social du nouveau régime, sait-on que cette expression est de Léon Bourgeois, idéologue du radicalisme de la IIIᵉ République, qui l'avait longuement développée dans son ouvrage paru en 1897 : *la Solidarité*? Et encore cette notion ne prend-elle un sens pour cet auteur que par l'intervention de l'État, seul en mesure de la garantir, tout comme il garantit l'égalité et la liberté.

Solidarité, instruction laïque et progrès, telles sont les bases de la pensée radicale née sous IIIe République et qui s'efforça d'articuler dans une pratique gouvernementale les droits démocratiques fondamentaux et un État omniprésent.

Alors, à quoi doit-on cette résurgence de l'humanisme républicain? Au mariage circonstanciel d'un État hypercentralisé – légué par le gaullisme, après lequel, d'ailleurs, les radicaux n'ont cessé de courir et qui a tant manqué à Mendès – et d'une petite bourgeoisie pléthorique, sociologiquement dominante, qui aspire à la paix des familles et à la tranquillité sociale. C'est sans doute à cela que l'on doit le nationalisme économique et culturel de Mitterrand et sa campagne de séduction en direction des PME, qui, d'une certaine manière, ont la chance aujourd'hui de n'être pas parvenues à constituer des entreprises trop importantes...

Le 18 novembre, déjà les ordonnances!

On se doutait bien que le langage de petit chef adopté par les leaders socialistes au congrès de Valence en octobre 1981, le premier après la « victoire », cachait un sentiment diffus d'impuissance, que l'éloge du caporalisme masquait une boîte de vitesses gouvernementale qui n'embrayait plus et que les petites hystéries des hussards du Président servaient d'ersatz à une véritable efficacité gouvernementale. D'autant que le généralissime de la bataille de la Marne sociale, Pierre Mauroy, en six mois n'est pas parvenu à convaincre un patronat dont les divisions devaient jouer un rôle essentiel dans la stratégie présidentielle. Encore fallait-il qu'il parvienne à en enrôler certains derrière la bannière des « contrats de solidarité ». Mauroy a battu en vain la campagne française : pas une seule entreprise n'a entendu le son du cor socialiste. Au contraire, ce qui devait être une levée en masse s'est traduit par une fronde antigouvernementale de la part des PME. Et les armées socialistes ont fini par s'enliser dans les marais du chômage. Il convenait donc de changer de tactique de toute urgence.

Mitterrand a fait très naturellement ce que font, sous la Ve République, tous les Présidents lorsqu'ils ont besoin de faire preuve d'efficacité : il a eu recours aux ordonnances.

Mais les bonnes raisons ne font pas forcément les bonnes décisions. En six mois, les socialistes ont réussi le prodige de gaspiller l' « état de grâce » et de perdre à peu près toute marge de manœuvre.

Et si le parlement est engorgé, saturé de débats interminables, c'est à la suite d'une programmation dont le gouvernement est seul responsable. Ce choix a été fait en juillet, un mois après le triomphe des législatives : le parlement se chargeait des réformes de structures et le gouvernement de la mobilisation nationale sur l'emploi. En juillet, Pierre Mauroy avait deux possibilités : soit convoquer un « Grenelle » social pour la rentrée, soit organiser une session du parlement consacrée exclusivement aux problèmes sociaux.

Il n'a fait ni l'un ni l'autre.

Mais le temps a passé et l'arithmétique millionnaire du chômage a rattrapé le gouvernement.

A force de répéter que le chômage, c'est « le cancer des cancers de la Nation », il fallait bien que l'équipe de Pierre Mauroy donne l'impression d'être active. La mise en scène des ordonnances est destinée à masquer une erreur gouvernementale grave, sinon son échec. D'autant que cette procédure signifie que c'est désormais le chef de l'État qui hérite du problème. Ça commençait bien ! Six mois après le 10 mai, cinq mois après le raz de marée électoral de juin, il fallait court-circuiter la majorité absolue de l'Assemblée et le gouvernement pour donner à croire qu'on allait enfin passer aux choses sérieuses.

Le 13 décembre, passions franco-polonaises

La France est le seul pays occidental à ce point malade de la Pologne. L'ampleur de l'affection est telle que les médias étrangers viennent ausculter fébrilement notre polonophilie.

Chicago est la deuxième ville polonaise du monde, ils n'étaient pourtant que quatre mille à manifester en faveur de Solidarité. Les quotidiens britanniques ont relégué depuis longtemps la Pologne militarisée en bas de page. Et en République fédérale, le pourtant libéral hebdomadaire *Der Spiegel* a pris quasiment position en faveur de la junte du général Jaruzelski. Alors, pourquoi la France ?

D'abord, la « normalisation » militaire du 13 décembre n'est pas une affaire intérieure polonaise, ni intérieure au bloc soviétique. Mais c'est à l'évidence une affaire intérieure européenne, au même titre que le déploiement des SS 20 et l'installation des fusées Pershing et enfin les manifestations du national-neutralisme. L'Europe s'est mise à tourner sur elle-même de manière de plus en plus incontrôlable, de telle sorte que les Polonais doivent pour une bonne part aux pacifistes européens et à l'enjeu européen que constitue pour les soviétiques l'affaire des fusées d'avoir échappé aux armadas de chars du pacte de Varsovie.

Les centaines de milliers de manifestants allemands qui, tout au long de l'année 1981, ont scandé qu'ils préféraient être « rouges que morts » n'ont pas accordé beaucoup d'importance à la mouture polonaise du socialisme blindé. Ce qui les rendait doublement précieux aux yeux de l'URSS. Une intervention directe en Pologne aurait été fatale à cette utopie sinistre de survivant « rouge » à laquelle les pacifistes s'étaient résignés. Et la colonne pacifiste se serait alors éparpillée dans la nature. D'où ce putsch « auto-limité » des militaires soviéto-polonais, sans doute le premier putsch informatisé, chirurgical dans la précision et le dosage répressifs.

Si la stratégie soviétique est tout entière obsédée par l'Europe, Solidarnosc l'est tout autant. Cette gestation maîtrisée de la société civile face à un État communiste, à travers de nombreuses épreuves de force pacifiques, fut une manifestation particulièrement sophistiquée de la culture démocratique européenne face au totalitarisme de la bêtise statufiée par le communisme russe. Si l'opinion française s'est ainsi passionnée pour ce mouvement, c'est d'abord parce que, quoi qu'on en dise, les Français sont dans la partie occidentale du vieux continent les plus européens de tous.

Et puis ce mouvement qui a opposé comme arme la démocratie au totalitarisme a rencontré en France un anticommunisme de masse, régénéré par l'effondrement du gauchisme dans les années soixante-dix. Cet anticommunisme de gauche, pas plus en France qu'en Pologne, n'est tombé du ciel. Il a été produit et il se reproduit grâce à la crise immobile de l'un des plus puissants partis communistes d'Occident, qui en durant a permis une prise de conscience particulièrement aiguë du phénomène totalitaire.

Pour beaucoup d'intellectuels en rupture avec le système de pensée communiste, ces retrouvailles franco-polonaises ont pris la forme d'un coup de foudre réciproque.

Il est probable que si l'épopée civile polonaise et le golpe communiste de décembre s'étaïent produits sous le septennat précédent, ils n'auraient peut-être pas suscité, en France, une telle émotion.

Il n'est pas sans importance en effet que ces événements interviennent alors que des ministres communistes français sont au pouvoir. Le gouvernement socialiste qui les héberge est mis au défi par l'opinion publique de prouver qu'il n'est pas, même idéologiquement, ni de près, ni de loin, l'otage des communistes. Mitterrand aurait aimé ne rien faire afin de ne pas troubler la clarté de son engagement dans la bataille des Euromissiles. Mais comme Claude Cheysson a pris l'habitude de dire tout haut ce que pense parfois tout bas le Président : en répondant qu'il allait « ne rien faire », il a carrément mis le feu aux poudres. Dès lors, il fallait « faire » semblant de « faire », mais, qui plus est, de manière ostentatoire :

C'est ainsi que la solidarité avec la Pologne est devenue une affaire d'État. C'est le ministre de la Culture qui organise à l'Opéra de Paris une soirée avec Solidarnosc qui évoque les grands meetings antifascistes de Pleyel des années trente autour de Gide et de Malraux. Ce sont surtout les grands médias audiovisuels qui se jettent de manière parfois militante dans l'action émotionnelle.

Enfin, un facteur spécifiquement français a joué dans ce coup de cœur, le souvenir traumatique du 3 septembre 1939. Ce jour-là, les gouvernements français et britannique décidèrent, en raison des conventions franco-polonaises d'assistance mutuelle, qu'il était temps d'aller « mourir pour Dantzig ». Ce ne fut vraiment pas l'enthousiasme. Mais Hitler avait envahi la Pologne le 1er septembre. Et le 7, les troupes françaises prirent donc le chemin de l'Est et entrèrent en Sarre. La Seconde Guerre mondiale s'embrasait.

Souvenir qu'un peuple n'oublie pas. Tout comme on n'oublie pas que la France alors était profondément pacifiste. Après une année passée à soupeser les arsenaux nucléaires tactiques respectifs, à jongler avec les SS 20 et les Pershing, devant une toile peinte représentant une nouvelle guerre mondiale ayant, comme de bien entendu, l'Europe pour avant-scène, on comprend que la menace soviétique sur la Pologne ramène du fin fond de la mémoire collective des souvenirs honteux. De telle sorte que la mobilisation française en faveur de Solidarité fait alors paradoxalement pendant aux gigantesques manifestations du pacifisme allemand.

2

Le rappel de Guy Lux

De mars à octobre 1982

Le 14 mars 1982, les déçus du socialisme

En moins de dix mois, l'opposition, laissée KO par le choc de l'alternance, sans programme, sans la moindre idée de rechange et sans leader rassembleur, allant mendier aux portes du pouvoir quelques gaffes gouvernementales à ronger en attendant des jours meilleurs, cette opposition vient de remporter sa première victoire : à l'occasion des cantonales elle a renversé la vapeur.

Ce ne sont évidemment pas ses cris d'orfraie ni les souvenirs qu'elle a laissés qui ont de nouveau forcé la sympathie de l'électorat. Même si, depuis mai 1981, on a assisté à la fin du combat fratricide entre le RPR et l'UDF, même si le RPR, qui s'essaie au centrisme, paraît s'imposer face à une UDF dévorée d'incertitudes, l'opposition n'est pas responsable de ce résultat.

L'ensemble PS-MRG-extrême gauche fait, par rapport aux élections cantonales de 1976, un score en légère progression : plus de 32 %, alors que le PC réalisait un chiffre de 22,8 %, ce qui permettait à ladite « union » en 1976 d'être majoritaire en voix dans les cantons. Avec 15,2 % des voix, le Parti communiste transforme la majorité en minorité. Par contre, par rapport à 1981, le PCF est stable. Encore que cette stabilité dans la défaite ne soit qu'apparente. En effet, la sociologie électorale française révèle une constante dans les résultats communistes aux cantonales : présentant des candidats dans tous les cantons et captant des voix d'extrême gauche non représentées dans ce genre de scrutin, les communistes obtiennent généralement deux ou trois points de plus lors des cantonales qu'aux élections législatives, municipales ou présidentielles. Le Parti communiste s'est encore effrité en dix mois, malgré l'activisme de la CGT, malgré la présence au gouvernement de ministres communistes particulièrement « consciencieux ».

Il ne suffit pas au Parti socialiste de garder le titre de « premier parti de France » pour conserver le contrôle des événements. Il a besoin de se rallier des électorats en délicatesse avec leurs origines idéologiques. Même si l'on observe une relative prudence sur la valeur du « sondage » cantonal, l'union socialo-communiste est aujourd'hui minoritaire en voix : l'union PS-PC, essentielle pour conquérir le pouvoir, n'est-elle pas devenue un obstacle pour s'y maintenir?

Dix mois après le raz de marée électoral du printemps 1981, c'est le retour à la case départ : les socialistes vont devoir enfin prendre en compte le fait que leur victoire de mai était principalement due à un concours de circonstances dans lequel ils n'étaient qu'un facteur parmi d'autres. Victoire à base négative, il leur appartenait de lui donner des fondements positifs. Ils avaient pris l'état de grâce pour de l'enthousiasme : moralité, ils ne sont toujours pas parvenus à enthousiasmer leurs troupes électorales.

Le processus de désenchantement est forcément complexe, aussi complexe que le fourre-tout que constituait avant le 10 mai le Parti socialiste, engrangeant les électorats sectoriels et émotifs et par conséquent des désirs hétérogènes de changement. Le gouvernement Mauroy pouvait difficilement satisfaire toutes ces facettes du « changement ». Certains n'ont rien vu changer du tout, là où d'autres s'effrayaient d'un langage soudain radical, quand ailleurs « le changement » en question laissait parfois indifférents tous les électorats majoritaires confondus.

Le gouvernement s'est exclusivement concentré sur des objectifs institutionnels : deux lois ont mobilisé l'ensemble de ses énergies, les nationalisations et la loi de décentralisation. Deux batailles dont les électeurs ont le sentiment confus qu'elles sont plus destinées à nourrir les livres d'Histoire qu'à modifier leur vie quotidienne. Les socialistes ont voulu prouver qu'ils étaient effectivement de gauche en « osant » nationaliser et décentraliser; cela reste pour tout un chacun une opération purement symbolique. Le paradoxe, c'est que les électeurs se sont refusés à la gauche alors qu'il s'agissait, somme toute, de mettre en pratique l'une de ses principales réformes, à savoir la loi de décentralisation. Le fait que les présidents de conseils généraux aillent désormais vivre à la préfecture du département n'a pas ému outre mesure l'électorat de gauche.

Au centre, les socialistes ont également perdu tous ceux que l'arrogance cégétiste finissait par effrayer : le spectre d'une syndicalisation des administrations fait frissonner la structure sociale française. La chose est plus fantasmée que vraiment réelle : Mitterrand n'a passé aucun compromis historique avec la CGT, mais celle-ci donne de la voix et sait se faire entendre; la capitulation sur les trente-neuf heures avait valeur de test et l'affaire Lucet a donné des angoisses à des électeurs qui n'étaient pas toujours des opposants au socialisme de Mitterrand, tels les militants de Force ouvrière. Nul n'ignore à Marseille que la bataille qui faisait rage dans la fameuse caisse de Sécurité sociale prenait pour de nombreux militants valeur de symbole du changement : le gouvernement serait-il capable ou non de faire pièce à l' « opposition administrative »? Oui, devait répondre le gouvernement par la voix de Nicole Questiaux, son ministre de la Solidarité, qui, en démissionnant René Lucet, croyait sans doute satisfaire une opinion locale chauffée par la CGT cherchant ouvertement une redistribution des cartes en sa faveur dans les conseils d'administration de la Sécurité sociale. En se suicidant, René Lucet a donné du crédit à ces peurs et à ces fantasmes.

Enfin, il est vraisemblable que l'attitude gouvernementale et socialiste tant vis-à-vis de la CGT que du PCF (sur la Pologne en particulier), visant à *ralentir* l'effondrement historique du PCF de telle sorte qu'il n'handicape pas, pour l'instant du moins, l'entreprise mitterrandiste, a été mal comprise par des fractions fraîchement ralliées à l'électorat. Le malentendu prenant parfois des allures plus cruelles encore par les excès de langage de dirigeants socialistes prônant une « rupture radicale », une « accélération » des réformes, que les « têtes » tombent...

Les ambiguïtés de la gestion gouvernementale ont rapidement ruiné le crédit de la majorité nouvelle. Sans politique claire, l'enthousiasme est resté en rade. Le Parti socialiste et le MRG ont passé certes la barre des 30 %. C'est la marque d'une confiance qui reste importante, mais cette confiance ne saurait se suffire à elle-même pour maintenir un quelconque cap.

Cet échec relatif et « indicatif » est celui d'un projet dont le creux l'emporte toujours sur le plein; où les arêtes saillantes, parfois positives, contrastent avec les zones obscures où tout semble possible, y compris le pire.

Heureusement, Mitterrand a tiré la leçon de ce scrutin : par la voix d'André Harris, directeur des programmes de TF 1, il a rappelé Guy Lux à la télévision, après que l'alternance de 1981 l'en eut chassé.

Le 21 mars, la perte de sang-froid

Les faiseurs d'images et les démiurges du marketing s'arrachent les cheveux. Les socialistes ont pris tous les centres nerveux du pouvoir, la ville basse – le parlement – comme la ville haute – l'Élysée –, portés par un raz de marée électoral qui semblait inaugurer une nouvelle époque. Et pourtant, ils donnent chaque jour le sentiment qu'ils éprouvent une difficulté à gouverner. A tel point que les électeurs commencent à se demander s'ils n'ont pas affaire à une bande de naïfs en quête d'un projet historique quelconque. Des « affaires » administratives sont incontestablement à l'origine du climat incertain qui s'est dégradé au fil de ces semaines, à mesure que les dirigeants socialistes paraissaient alors impuissants à y répondre.

Certes ces affaires n'en étaient pas au sens où ce mot a éclairé les dernières années du giscardisme. C'est pourtant ce qui se disait quotidiennement. Les leaders socialistes ont d'abord laissé dire, craignant sans doute en intervenant de donner du crédit à ce qui leur paraissait futile. Pour le parti pris moral, il n'y a pas de petite ou de grande cause. Deuxième erreur, quatre jours avant le premier tour des cantonales, ils décident de contre-attaquer, et ils se prennent carrément les pieds dans le tapis, ce qui permet à la chambre correctionnelle d'épingler le ministre de l'Intérieur pour des propos diffamatoires. Les socialistes ne trouvent rien de mieux à faire que de ressortir un vieux gadget, le « complot » : c'est la faute à l'opposition, qui devient subversive! Autrement dit, le gouvernement panique : il dit n'importe quoi! Jean-Pierre Chevènement a une formule cinglante pour expliquer les bévues de ses camarades socialistes : leur « côté bucolique ».

Ainsi l'affaire Lucet n'est en définitive qu'une incroyable succession de passivité, de décisions désordonnées, de peur d'agir et de contretemps. Ce qui est scandaleux à tout prendre dans cette affaire, c'est que le gouvernement a paru complètement déboussolé, inefficace, irrespecté. Quand on mise sur la carte institutionnelle, c'est évidemment ce qui peut arriver de pire. Une somme de petits riens qui, en fin de compte, aboutit à créer une fêlure dans la confiance.

Toute l'attitude gouvernementale fut en partie jugée sur sa capacité à traiter l'opposition administrative. Un substitut au procureur de Charleville-Mézières fait une conférence de presse pour dénoncer l'ingérence du garde des Sceaux dans une affaire : cela laisse les Français pantois, ils croyaient tous que c'était le garde des Sceaux qui donnait des ordres aux procureurs. On attend en vain une réaction – administrative et non bucolique – dudit garde des Sceaux. Ministres et sous-ministres donnent une prime dans les nominations administratives aux détenteurs des cartes d'adhérents aux partis de la gauche. Les précautions prises par François Mitterrand pour les postes de P-DG dans les grandes entreprises nationalisées ne sont pas de mise dans la routine quotidienne des nominations. D'où le sentiment d'une appropriation partisane de l'État : quelques cas suffisent à donner le *la* dans une ville ou dans une région.

Les socialistes ont cru au mirage de l' « état de grâce ». La droite s'effondrait avec le PCF : les socialistes auraient donc la paix. Ils ne l'ont plus : la CGT joue les spectres dans les allées du pouvoir et la droite se donne des allures de petite jeunesse.

La droite usée, vieillie par vingt ans de pouvoir, avait besoin d'une cure d'opposition. C'était le diagnostic de Jacques Chirac. Traversée nécessaire selon lui pour retrouver une âme, pour retrouver une force. Et rien de tel que l'opposition pour se refaire les dents. Il suffit de mordre de temps en temps, de tirer sur un pantalon mal taillé et dont l'ourlet traîne à terre. Donc l'opposition s'oppose. Rien de plus normal et cela n'a rien à voir avec un complot. En criant au loup toutes les cinq minutes, Pierre Mauroy et ses ministres ont manifesté tout simplement leur perte de sang-froid. Ce n'est pas la droite qui inquiète l'électorat socialiste, c'est la manière dont les dirigeants socialistes répondent à la droite. Cela n'empêche pas, au contraire, la droite de se mobiliser, de renouveler ses rangs, de s'inventer de nouveaux leaders locaux, de repartir en quête d'elle-même. Elle est agressive, mordante : elle renaît.

Si la télévision a eu cet effet révélateur, c'est justement parce qu'elle catalysait toutes les données du problème. Les téléspectateurs attendaient leur émancipation avec la fin du monopole et l'abondance des médias ; à l'inverse, ils ont eu droit à une rétention et à un gouvernement qui jette un regard tellement concupiscent sur cet instrument qu'il a désiré pendant tant d'années qu'il ne paraît pas vouloir l'abandonner de sitôt. Pire encore, il s'encombre, là, d'une cogestion avec les syndicats alors qu'il tente de l'éviter partout ailleurs. Mais là, cela se voit. La télévision a été un piège pour le nouveau régime : elle a donné une image grossissante des incertitudes, des hésitations et des incohérences socialistes. Un grossissement qui ne correspond pas toujours à la réalité. Mais c'est justement cela, la télévision, lorsqu'elle reste « la voix de la France ».

Le 16 avril, la « pause » est décrétée

Merveilleuse Constitution gaulliste qui permet aux socialistes de se succéder à eux-mêmes, là où Mendès France par exemple dut se retirer défait, après quelques mois seulement d'exercice du pouvoir. Sous la IVe, Mauroy serait tombé aussitôt après l'échec de sa majorité aux cantonales.

Cette gauche que l'on croyait définitivement débarrassée du complexe de l'échec, de ses angoisses relatives au temps qui lui manquait systématiquement pour durer, cette gauche a cédé dès son arrivée aux commandes de l'État, en mai dernier, au péché de la précipitation. Elle a voulu trop en faire.

Qui trop embrasse mal étreint; l'électorat a eu, c'est le moins qu'on puisse dire, la jouissance discrète aux cantonales. Le revers électoral a eu l'effet d'un *coitus interruptus* : désarroi et inquiétude sur l'avenir. Et dans les esprits socialistes comme dans de larges fractions de l'opinion, ce fut comme si le gouvernement Mauroy venait de tomber.

Miracle de la chirurgie constitutionnelle : il survit, mais il a changé de visage. Le 16 avril 1982, Mauroy est toujours Premier ministre, mais il ne parle plus comme Mauroy, il ne raisonne plus comme Mauroy. Il parle et il raisonne comme Delors. La France vient de changer de Premier ministre sans le dire. Le chirurgien responsable de cette opération a préféré ne pas être présent au moment où l'on enlevait les bandages pour ne pas dramatiser la révélation et pour sauver, si l'on peut dire, la « face » de Pierre Mauroy. C'est ce que l'on appelle le changement dans la continuité. Ni Mitterrand ni Delors ne sont là pour prendre la « pause » aux côtés du Premier ministre transformé. Celui-ci, tout « endolori », fait face seul, et, grâce à cette mise en scène, il peut toujours parler en tant que Premier ministre.

Mitterrand a donc tranché, avant de s'envoler au Japon, en faveur d'une « pause », dans le changement, pour ce que Jacques Delors a décrit comme le « double compromis » fondamental entre le capital et le travail d'une part, et l'État et le marché d'autre part.

Désormais le changement prendra son temps; il ira piano, avec Jacques Delors en sourdine au synthétiseur. C'est l'ébauche du premier grand tournant du septennat.

Le 10 mai, un an déjà

Ce fut le suspense de l'année 1981-1982 : comment la société française, qui pendant vingt-trois ans avait été contrainte, comme le pied d'une Chinoise au début du siècle, à marcher d'une certaine manière, allait-elle réussir à marcher autrement sans se casser la gueule?

Les plus réalistes au sein même de l'ancienne majorité n'ignoraient pas que les institutions de la Ve République avaient besoin d'être aérées, qu'elles commençaient à sentir le renfermé, pour cette simple raison que tout le métabolisme du système était bloqué.

Pour provoquer un courant d'air, il faut ouvrir au moins deux portes et en fermer quelques autres. C'est parce qu'il fermait celles de Giscard et de Marchais et qu'il ouvrait l'État français à de nouvelles générations d'hommes, à un afflux de sensibilités et d'optiques différentes, que François Mitterrand devint président de la République. Un an après, le corps social français s'est remis à respirer, ses membres se sont détendus, comme au sortir d'une longue ankylose, pour certains même il s'agissait d'un coma.

Avant d'être le premier Président socialiste, Mitterrand fut d'abord pour les Français le « grand aérateur » du début des années quatre-vingt. Une partie de la déception ressentie en 1982 et qui s'est traduite électoralement aux cantonales de mars tient de l'étonnement. Les électeurs ont été à la fois rassurés par l'absence d'audaces véritables, mais, paradoxalement, cela a fini par les inquiéter.

Pourquoi diable, par exemple, François Mitterrand n'a-t-il pas osé instaurer la séparation de l'audiovisuel et de l'État ? Cela ressemblait pourtant aux audaces dont la gauche au pouvoir pouvait être capable. C'était ça ou de substantielles augmentations salariales. Comme celles-ci n'étaient pas raisonnables parce que l'appareil productif ne pouvait pas suivre, il fallait libérer l'audiovisuel. Alors que les nationalisations ne concernaient que les communistes, qu'elles n'avaient pas d'autre fonction en fin de compte que de témoigner de la fidélité de Mitterrand au contrat signé avec le PCF en 1972, le nouveau régime aurait pu trouver là une grande œuvre « pour tous ». Cette timidité gouvernementale a lourdement pesé tout au long de la première année. D'autant qu'elle s'est aggravée d'une timidité similaire sur le plan économique. Les sondages priment les ministres partisans de la rigueur et des sacrifices aux dépens des accrocs de la défense sociale. Ce paradoxe aurait dû donner des ailes au gouvernement Mauroy, lui donner du cœur pour affronter l'impopularité d'une certaine austérité, accompagnée de véritables réformes financières. Tous les électeurs savent que gouverner en temps de crise rime avec impopularité. Alors ils attendaient patiemment, sagement, avec un zeste de fatalisme : rien n'est venu. La surprise puis la déception furent donc totales.

Le 19 mai, le tango argentin du couple Thatcher-Mitterrand

Quelques heures à peine après le débarquement des forces argentines sur les îles Malouines, le vendredi 2 avril, le représentant de la France au Conseil de sécurité, M. Luc de La Barre de Nanteuil, sur ordre du gouvernement français, condamnait « sévèrement » l'invasion et déclarait : « Le Conseil de sécurité doit exiger [...] le retrait immédiat de toutes les forces argentines des îles Falkland. »

La rapidité de la réaction française, sa fermeté, son ton, les mesures d'embargo qui l'ont accompagnée, la répétition à de nombreuses reprises d'une solidarité sans faille avec les Britanniques, la volonté affichée de ne pas marchander ce soutien avec les problèmes de l'Europe verte ont surpris de la part d'un gouvernement qui semblait faire des rapports Nord-Sud la clef de voûte de sa diplomatie.

Il est remarquable que tout au long de cette crise, le gouvernement français ait pris soin de ne pas se prononcer sur le fond, c'est-à-dire sur la propriété des îles Malouines. Il s'en est tenu de manière très rigoureuse à la forme : au recours de la force pour modifier un tracé de frontière.

Pour Mitterrand, la méthode argentine n'est pas acceptable : entérinée, elle ferait école à travers le monde, elle ferait le lit d'une multitude de nouvelles guerres. « Le respect du droit est une valeur essentielle, l'une des seules même sur lesquelles sont fondées nos sociétés. Ce serait les mettre en péril que de se voiler la face sur l'agression militaire argentine », dit alors Jacques Attali.

La France partage avec la Grande-Bretagne le « privilège » ambigu de posséder ou d'administrer à travers tous les océans du globe une multitude d'îles de tous calibres. Ce n'est ni le cas de la République fédérale allemande, ni celui du Japon, ni, a fortiori, celui de l'Italie ou du Canada, pour ne prendre que les pays qui seront représentés au sommet des sept pays les plus industrialisés à Versailles, en juin.

Toute tolérance accordée à l'Argentine créerait inévitablement un précédent pour Clipperton, pour Mayotte, pour l'archipel polynésien, pour la Réunion, qui n'est pas plus éloignée de Madagascar que ne le sont les Falkland de l'Argentine, et pour la Nouvelle-Calédonie. Le message mitterrandiste, en exprimant sans ambages sa solidarité avec Londres, revenait à dire que la France dans la même situation ferait la même chose que la Grande-Bretagne.

On ne manque pas de faire remarquer à l'Élysée que lors des événements de Djibouti la flotte française était déjà au large. Et que le Président avait demandé au ministère de la Défense de faire faire à la marine des exercices à blanc pour vérifier si la flotte était en état de faire face à une situation analogue.

Mitterrand n'est pas un technocrate. Il ne déduit pas du déclin économique de la Grande-Bretagne le déclin de la puissance britannique. Ce que Giscard d'Estaing, par exemple, avait fait malgré sa proximité idéologique avec Margaret Thatcher.

Dès le début du septennat, le nouveau Président a multiplié les gestes à l'égard du gouvernement britannique : il s'est fait particulièrement discret sur le sort des grévistes de la faim irlandais, il a même tenu à assister au mariage du prince Charles entre deux agonies de républicains irlandais dans les prisons britanniques, il a rendu visite à Margaret Thatcher à deux autres reprises. Enfin, en pleine guerre des Malouines, il se rendait une nouvelle fois à Londres pour bavarder avec le Premier ministre.

La détermination britannique dans l'affaire des Malouines a conforté Mitterrand dans son point de vue : malgré ses trois millions de chômeurs, sa crise économique, son déclin, la Grande-Bretagne a trouvé dans son histoire, dans son orgueil de grande puissance diminuée et promise à une nouvelle humiliation l'énergie suffisante pour se lancer dans une guerre à l'autre bout du monde, avec une flotte manifestement mal préparée pour une telle entreprise. La Grande-Bretagne, pour l'Élysée, reste une grande puissance et doit être traitée comme telle.

Mitterrand, ce faisant, entend faire preuve de réalisme et jette sur la Grande-Bretagne un regard sans illusions : Margaret Thatcher n'a pas de successeur et les travaillistes ne sont pas en état d'assurer l'alternance. Lors des émeutes de l'été 1981 dans les villes anglaises, Mitterrand craignait, dit-on, le pire : on évoquait même alors le spectre d'une crise de régime débouchant sur une solution autoritaire.

« Toute communauté historique a son endroit et son envers et il faut savoir venir au secours de ses partenaires quand ils connaissent des difficultés », poursuit Jacques Attali ; François Mitterrand, au cours du Conseil des ministres du mardi 18 mai, à son retour de Londres, a évoqué longuement les « devoirs d'une alliance ». Le raisonnement se résume à dire : « C'est un test pour l'Europe. » Elle ne saurait être seulement verte ou monétaire. Elle doit être en mesure de réagir communautairement dans une crise internationale. A fortiori, si elle implique l'un de ses membres. Et un proche du Président d'ajouter : « C'est justement parce que la Grande-Bretagne n'est toujours pas persuadée de la nécessité de la communauté européenne que les Neuf doivent par leur solidarité sans faille profiter de cette occasion pour prouver l'utilité de l'Europe aux Britanniques. »

Depuis le début de la crise, l'attitude française s'est tendanciellement durcie. La raison invoquée, c'est l'échec de la médiation de Ronald Reagan et de son secrétaire d'État, Alexander Haig. La Maison-Blanche, selon les conseillers de Mitterrand, a cumulé toutes les erreurs : non seulement les États-Unis n'ont pas immédiatement manifesté leur solidarité avec les Britanniques, mais ils ne sont pas parvenus à imposer un compromis à deux de leurs principaux alliés. Raison de plus pour jouer l'Europe à fond et démontrer à la Grande-Bretagne que celle-ci est en définitive un allié plus fidèle, plus automatique que ne le sont les États-Unis.

Le 6 juin, Begin et les Versaillais

Il y a quelques années encore, on avait coutume de dire que la RFA était un géant économique mais un nain politique. Depuis, les Allemands ont fait école, les nains sont désormais au nombre de sept, les sept pays les plus riches du monde, ceux qui manipulent les trois cinquièmes de la richesse produite mais qui se révèlent incapables de faire respecter le moindre droit parmi leurs alliés les plus proches.

Pourtant, lorsqu'ils sont entrés en conclave pour leur sommet annuel, le château de Louis XIV, qui n'était pas vraiment un modeste, paraissait trop petit pour accueillir ces sept Rois-Soleil venus se concerter sur les manières d'affronter la crise économique mondiale. Las, il faut déchanter, et François Mitterrand doit remballer ses rêves de grandeur : le sommet des pays industrialisés, c'est tout simplement la réunion annuelle des sept nains.

La richesse redondante de Versailles n'a pas suffi pour étourdir la planète, ni même pour étourdir les participants. Les Argentins n'ont pas évacué Port Stanley et Margaret Thatcher profitait de ses temps libres pour ajuster le tir sur la capitale des Malouines. Ronald Reagan n'a évidemment rien cédé sur le marché monétaire et Menahem Begin n'a pas jugé bon de différer sa nouvelle guerre.

Menahem Begin et Margaret Thatcher partagent avec quelques autres un secret terrible : ils savent que les grands sont des nains, faciles à faire tourner en bourriques.

Dans ce domaine, le Premier ministre israélien est d'ailleurs devenu un maître.

Quatre principes guident la politique israélienne. D'abord le principe des miroirs aveuglants selon lequel une guerre sert toujours à en cacher une autre. Dès qu'une tension internationale, dès qu'une guerre éclate dans un point de la planète, il faut immédiatement braquer ses jumelles sur le Proche-Orient : Begin va frapper. Et l'attente n'est jamais déçue : il frappe effectivement. Pour s'en tenir aux derniers mois, le coup militaire polonais a servi de paravent à l'annexion du Golan, le déclenchement de la guerre des Malouines a été utilisé pour masquer la répression « annexionnisante » de la Cisjordanie et le siège de Port Stanley conjugué avec le sommet des sept pays les plus riches a constitué l'occasion rêvée pour une invasion du Liban.

Deuxième principe : la survie d'Israël dépend de la capacité du gouvernement hébreu à entretenir au Proche et au Moyen-Orient une guerre de cent ans. Selon les stratèges de Tel Aviv, un seul État existe véritablement dans cette région du monde : l'Égypte. Tous les autres ne seraient que des conglomérats explosifs de communautés. D'où la nécessité de faire la paix avec le seul État et de rendre instables tous les « faux États » de la région, au besoin en alimentant l'une des factions en matériel militaire.

C'est ainsi qu'Israël a donné à son ennemi mortel, le très antisémite imam Khomeyni, les moyens de résister à l'offensive irakienne, comme demain il donnera aux Frères musulmans ou à d'autres les munitions nécessaires pour entretenir un foyer de guerre défaillant. Et quand les communautés libanaises retrouvent un semblant de nationalisme, l'invasion du territoire libanais devient une exigence militaire.

Troisième principe : moins il y aura de Palestiniens au Proche-Orient et mieux les Israéliens se porteront. La guerre au sud du fleuve Zahrani présentait de nombreux « avantages », si l'on peut dire, pour les Israéliens : elle permettait d'éliminer un certain nombre de Palestiniens, d'en disperser beaucoup d'autres en dehors du Liban, enfin de faire refluer le restant vers Beyrouth où ils se rendraient vite insupportables aux autres communautés. Israël, vis-à-vis des Palestiniens, a une seule politique : les forcer à se « diasporiser », à se disperser dans le golfe Persique, en Égypte, aux États-Unis, et, pour ce faire, Israël déploie tous ses efforts pour empêcher par tous les moyens que les Palestiniens puissent se regrouper et prétendre alors à une identité nationale.

La mise en œuvre combinée de ces principes n'est évidemment possible que dans la mesure où Israël dispose de tous les passe-droits internationaux. Le droit international vaut pour tous les États en principe sauf pour Israël. Ce passe-droit est naturellement validé par les grandes puissances.

Ainsi Mitterrand, qui se targue, un peu rapidement d'ailleurs, de tenir le même langage moral et juridique à Tel Aviv et à Alger, ne parle plus du tout le même langage lorsqu'il s'agit du Golan et des Malouines. Bon nombre d'ambassadeurs latino-américains en poste à Paris n'ont d'ailleurs pas manqué de le lui faire remarquer à propos de son engagement aux côtés de la Grande-Bretagne.

La réalité s'est acharnée sur les discours de Mitterrand : le discours de Cancun pulvérisé par la guerre des Malouines, le nouvel ordre international oublié par le sommet de Versailles et son voyage en Israël bafoué par l'invasion du Sud-Liban. Le prêche dans le désert est un genre qui sied mal aux chefs d'État : ils ne peuvent pas éternellement faire l'impasse sur l'efficacité de leurs actions.

Le 18 octobre, la mort de Mendès

Comment gouverner moralement tout en exerçant une influence effective sur les événements? C'est pour avoir répondu à cette question toujours très actuelle que Pierre Mendès France s'est décliné en mendésisme pour plusieurs générations d'hommes et de femmes lancés dans l'action sociale et politique.

Une phrase le résume tout entier et on comprend pourquoi Jean Lacouture, son biographe, en a fait l'exergue du livre qu'il lui a consacré : « Je crois que si l'Histoire a un sens, elle n'en est pas moins, dans une certaine mesure, malléable. Il y a des possibilités de fluctuation, d'accélération, de ralentissement des circonstances favorables qui permettent d'anticiper certains progrès; des circonstances défavorables qui retardent certaines maturations. Si les hommes auxquels le pouvoir est confié interprètent convenablement la réalité historique à laquelle ils sont confrontés, ils peuvent favoriser des accouchements, les rendre moins pénibles, moins douloureux; ou, tout au contraire, freiner tel ou tel progrès. »

Cet homme solitaire, dont la porte fut toujours ouverte, a eu l'ambition de faire des classes moyennes le nouveau Tiers État qui devait « révolutionner » les mœurs et les techniques politiques françaises et favoriser l'instauration d'un nouvel ordre économique où on ne substitue jamais « la facilité à la rigueur ». Et s'il a échoué à mener lui-même cette entreprise, il a contribué à convaincre une partie – sinon la meilleure part – des décideurs d'aujourd'hui de l'impérieuse nécessité de cette tâche qu'il qualifiait lui-même d'historique. La veille de sa mort, il était sans doute encore le plus « moderne » de nos politiques, celui dont les conseils discrets et modestes nourrissaient et nourrissent encore bon nombre de cabinets ministériels.

A soixante-quinze ans, Mendès était un maître qui ne cessait d'enseigner de manière vivante comment un démocrate de gauche, pris entre une inflation à deux chiffres et tous les corporatismes sociaux, doit gouverner, c'est-à-dire agir.

Pour Mendès, le pouvoir est d'abord et avant tout un exercice. Et par conséquent tout se joue sur l'art et la manière de l'exercer.

La morale, pour Mendès, c'est d'abord le « respect du réel ». De là découle cet impératif catégorique : l'exercice du pouvoir commence avec celui de la vérité.

Lorsqu'il rompt avec le général de Gaulle en 1945, il lance au chef du gouvernement : « Distribuer de l'argent à tout le monde, sans en reprendre à personne, c'est entretenir un mirage. » Ou encore, phrase d'une terrible actualité : « Le choix est entre le coup d'arrêt volontairement donné et l'acceptation d'une dévaluation indéfinie du franc. » Pendant toute une journée, Mendès essaie de convaincre le Général. Plus tard, de Gaulle confiera à Louis Vallon : « Je ne permettrai plus jamais à personne de me parler trois heures durant d'économie. » Ce qui n'a pas empêché le Général de publier dans ses Mémoires la lettre de démission de Mendès.

L'exercice du pouvoir, c'est encore la confiance dans la démocratie. Les urnes certes, le parlement évidemment. Mais surtout les citoyens. Pierre Mendès France fut l'un des très rares hommes politiques français à avoir traité ses contemporains en personnes adultes à qui l'on devait impérativement tenir le langage des faits et de la réalité. Les corporatismes sociaux eurent raison de lui par deux fois, en 1945 puis en 1954. Il est vrai qu'ils régnaient alors en maîtres sur la République.

Dès 1944, dans son rapport sur l'économie, il conseille la restriction de la consommation, le freinage des augmentations de prix et de salaires, il préconise le blocage des comptes bancaires et une forte rétraction monétaire. Il défend alors le principe des nationalisations, mais en spécifiant que ces entreprises ne devraient jouir d'aucun privilège particulier... C'est à croire que Mendès, au bout de quarante ans, n'était toujours pas parvenu à convaincre les gouvernants de sa morale économique!

L'exercice du pouvoir, enfin, c'est le risque. Il le prend en 1954 pour mettre fin à la guerre d'Indochine, en refusant d'abord les voix communistes et surtout en faisant ce que l'on a appelé le « pari de Genève » : le Viêt-minh a un mois pour traiter avec Mendès, sinon la guerre reprend de plus belle. Mendès gagne son pari. A force de raison, à force de conviction. A force de ne pas céder aux facilités du verbe.

Mendès France s'est aussi trompé. A plusieurs reprises. Mais il n'a jamais menti aux Français. C'est cette sincérité, y compris dans l'échec politique personnel, qui définit le style Mendès.

Ce fut sa force et la matrice de sa légende. Ce fut aussi sa limite : ce prophète d'une social-démocratie du risque qui reste à inventer faisait peur à tous les égoïsmes organisés de droite et de gauche.

Avec lui la politique avait cessé d'être monstrueuse, confisquée ou cynique.

De Gaulle, Mendès, Mitterrand : vraisemblablement, les trois monstres sacrés des décennies d'après guerre. Trois hommes en délicatesse, qui n'ont cessé de se croiser, de se méfier, parfois même de se combattre; trois susceptibilités orgueilleuses et sûres d'elles-mêmes qui ne pouvaient pas durablement s'entendre. L'ironie cruelle de l'Histoire, c'est que Mitterrand se trouve en situation d'hériter des deux hommes. De l'un il a reçu une Constitution qui garantit cette durée qui a justement fait défaut à Mendès, de l'autre une morale de la gestion des finances publiques. PMF est mort alors que les élites gouvernementales se disputaient sur la nécessité d'une plus grande rigueur financière et sur la politique à mener pour sauver la gauche de ses traditionnels démons étatiques : c'est plus qu'un symbole. La mort de Mendès libère psychologiquement Mitterrand du regard sévère que l'ancien président du Conseil jetait sur la gestion de la gauche depuis 1981 : sans Mendès, il lui devient en effet possible de se rallier au mendésisme économique et réconcilier ainsi outre-tombe ces deux génies ennemis que furent de Gaulle et Mendès.

3

La rupture

De janvier à mars 1983

Le 3 janvier 1983, les habits neufs du Président

Le Premier de l'An est traditionnellement le jour où les signes sont rois. Une grue fantomatique immatriculée en Grande-Bretagne et conduite par Georges Courteline a court-circuité le président de la République, accréditant confusément le sentiment chez les téléspectateurs que François Mitterrand avait bel et bien des problèmes de communication. Pis : qu'il avait encore des démêlés avec cette « baraka » sans laquelle l'Histoire reste boudeuse à l'égard des grands hommes. Il n'y est, en l'occurrence, pour rien : qu'importe, nul n'est censé ignorer que les signes ont une vie autonome. Et longtemps dans les mémoires, cet entretien en lever de rideau de 1983 restera marqué par l'épisode du Président qui faisait le pied de grue dans sa bergerie basque en attendant le droit d'accéder à un faisceau hertzien.

Il parle comme il marche : lentement, également, craignant plus les haltes que les recherchant. Cela se traduit à l'antenne par le spectacle d'un homme qui tourne soixante-dix-sept fois sa langue dans sa bouche avant de parler. A la télévision, ça fait soixante-seize fois de trop.

Pendant que le lobe gauche de son cerveau travaille à cette recherche, le lobe droit surveille le visage : comment vais-je disposer ma lèvre inférieure? Faut-il la remonter, et à quelle vitesse? Latché sans le décorum et la pompe républicaine de l'Élysée faisait l'effet d'une loupe grossissante.

Mais Latché et la grue ne sont que des épiphénomènes. Si Mitterrand ressemble à un moteur de grosse cylindrée en cours de réglage, c'est tout simplement parce qu'il est en train d'opérer une transformation à peu près radicale de son image, de la sienne propre et plus largement de celle de son équipe. Depuis le discours de Figeac à l'automne 1982, les mises au point succèdent aux mises au point.

Cette transformation est l'une des plus exceptionnelles qui soient : un personnage s'estompe, l'homme de l'épopée socialiste, une rose à la main, tandis qu'un autre est en train de lui succéder : le gestionnaire « efficace » aux préoccupations progressistes, avec un pied dans les entreprises et l'autre dans l'an 2000.

De l'amphigouri socialiste, il ne reste plus que la « justice sociale ». Un point c'est tout. Le mot « socialiste » lui-même a disparu du lexique présidentiel. L'informatique, la technologie de pointe et la futurologie côtoient désormais l'entreprise et la pédagogie avancée : les enfants peuvent aujourd'hui apprendre à leurs parents. Les habits neufs du mitterrandisme sont taillés sur des modèles culturels qui jurent avec ceux d'hier. Et, comme ils sont trop neufs, Mitterrand n'est pas encore à l'aise dedans.

Dix-huit mois après la victoire élyséenne, on touche enfin au degré zéro du socialisme incantatoire. La fiction idéologique des années soixante-dix rassemblée dans le « projet socialiste » a mal supporté le choc du pouvoir : rien n'est plus réel que l'exercice du pouvoir. En politique c'est l'épreuve de vérité, la seule qui compte et la seule qui laisse des traces.

Avant même que Mitterrand n'entre en fonction, son discours sonnait faux, comme importé d'un autre temps. Mais les électeurs d'une présidentielle n'élisent jamais (ne lisent jamais) un programme : la seule chose qui les intéresse, c'est l'homme. Et, de toute évidence, le désir de changer d'homme l'emportait sur le contenu de l'alternance.

Si la politique économique engagée en juin 1982 par le blocage des prix et des salaires constitue alors la seule improvisation possible, elle n'en reste pas moins une improvisation, un pansement d'urgence. Depuis l'été 1982, pourtant, l'Élysée et Matignon turbinent en sourdine sur la production d'une « politique » qui permette à la gauche de retomber sur ses pieds tout en restant elle-même.

Le 24 janvier, la chèvre gestionnaire et le chou socialiste

Mitterrand hésite entre deux tactiques, entre deux discours.

Tantôt il campe sur des positions gestionnaires : la lutte contre le chômage voisine désormais à parité avec la lutte contre l'inflation. L'obsession anti-inflationniste est en train de prendre le pas sur l'angoisse du chômage. Dans cet esprit, la décision d'abaisser le taux de l'épargne est enfin prise; les dirigeants socialistes minimisent la portée d'un échec relatif aux municipales et ne mobilisent pas l'électorat majoritaire de peur de ruiner les efforts gestionnaires qui sont courageusement déployés par le gouvernement.

Et puis, simultanément, à mesure que court le calendrier préélectoral, c'est la peur de la dégelée. La majorité, après les mesures de juin 1982, a perdu dix points dans les indices de popularité en quelques mois. Alors les vieux réflexes reprennent le dessus. A mesure que le Parti socialiste revient en première ligne. Mitterrand et Mauroy remballent vite fait plusieurs mesures de rigueur financière.

Il faut savoir ce qu'on veut. C'est l'un ou l'autre. Mais Mitterrand voudrait à la fois l'un et l'autre. La logique gouvernementale – le principe de réalité – pousse au discours du réalisme gestionnaire. La logique du Parti socialiste l'entraîne vers la nostalgie de 1981. Ces deux logiques sont contradictoires.

Mitterrand veut pourtant croire à un compromis possible : la gauche jouera donc profil bas. Mais l'opposition, qui connaît la musique, a vu le trou dans le dispositif de la majorité et elle s'y engouffre. Elle martèle cette idée dévastatrice : la gauche au pouvoir a aggravé les effets de la crise.

L'opinion majoritaire dérape : elle ne s'y retrouve plus. La confusion est à son comble. D'où le changement de tactique : fini le compromis, il faut repolitiser vite fait : Bonjour le peuple de gauche, les acteurs du changement, c'est vous, et on a vraiment besoin de vous. Mauroy en première ligne et en avant la fanfare du changement !

Le 6 mars, les chances d'une défaite

Depuis le message de Latché du 2 janvier 1983, Mitterrand était resté officiellement en arrière-plan, comme s'il cherchait à se mettre à l'abri d'un éventuel orage électoral. A sa manière, Mitterrand est satisfait : son flair ne l'a pas trahi et peut reluire de la sûreté de sa prévision. Le premier tour des municipales, plus qu'un gros orage, fut presque un cyclone. Encore quelques jours et, au lendemain du second tour, il pourra enfin faire sa rentrée politique et jouer banco sur l'avenir.

Le Président pourtant n'aime pas les bancos : ils sont sans recours et ça l'oppresse. Pourtant il n'ignore pas que tout changement de stratégie en cours de mandat présidentiel est un banco : on ne peut le tenter qu'une seule fois. Et c'est nécessairement quitte ou double.

Si l'ampleur du désaveu électoral fut une surprise totale pour les dirigeants socialistes qui se berçaient de sondages confidentiels apaisants – sondages qui se sont révélés faux –, dès avant le premier tour on prêtait à Mitterrand un noir pronostic : la défaite serait sévère.

La sécheresse de la défaite excite Mitterrand comme un défi métaphysique lancé au destin : il n'est jamais autant lui-même que lorsqu'il peut contrarier cette ligne de plus grande pente personnelle. C'est son orgueil et sa gloire de réussir à avoir raison contre son ombre.

Cette défaite, c'est sa chance : elle lui ouvre une nouvelle liberté d'action. Cela fait des mois que, paradoxalement, il attendait cette occasion. Et c'est pourquoi, depuis septembre 1982, il reculait sans cesse l'annonce d'un plan de rigueur systématique entièrement centré sur la lutte contre l'inflation, promue priorité nationale.

Alors que le gouvernement et le Parti socialiste sont tout entiers immergés dans la campagne du deuxième tour, il peut librement se projeter dans l'après-municipales et ruminer ses nouveaux atouts.

La défaite est d'abord celle du Premier ministre, du style de l'action gouvernementale et celle de la direction du Parti socialiste. La défaite fait de lui l'ultime recours de la majorité, des ministres socialistes, du PS et même du PC, qui, s'il veut rester au gouvernement malgré ses contre-performances, devra en passer par les fourches caudines de sa volonté.

La majorité touche le fond : l'impopularité des mesures économiques et financières qui s'imposaient ne sera plus de même nature après la défaite : elle passera plus facilement. Le climat ne saurait être pire que celui créé par la défaite. Après, le gouvernement aura tout loisir de remonter lentement la pente. Une douche froide qui suit une première douche froide n'est jamais ressentie aussi durement.

L'atout moral reste alors l'atout décisif du Président. Il est décisif pour lui de rétablir le contact avec l'opinion. Cela passe par un langage clair, par un constat sans concessions à l'égard de quiconque et en particulier du PS et des communistes. Pour jouer son va-tout moral, Mitterrand doit mettre fin aux ambiguïtés.

C'est coûteux. D'une part une rupture avec la pratique gouvernementale, de l'autre avec le Parti socialiste, l'une et l'autre prématurément usés par les deux premières années du septennat. Pour le solitaire élyséen, il ne pouvait pas en être autrement. La victoire de 1981 l'obligeait – c'est son point de vue – à mettre en place un gouvernement calqué sur le comité directeur du parti, avec ses courants, ses tendances et ses ambitions vedettes. Avec, à la tête de ce gouvernement-reflet, un homme qui devait avoir la stature d'un dirigeant reconnu du Parti socialiste. Un seul homme répondait à ces critères : Pierre Mauroy. Le leader lillois était plus que parfait : un tempérament de boxeur poids lourd, vaillant sous les coups, généreux comme autrefois, tout en affichant des convictions ouvertement social-démocrates qui avaient été condamnées comme droitières par le congrès socialiste de Metz en 1979.

Pierre Mauroy présentait un avantage supplémentaire : il était en effet minoritaire dans le parti, ce qui lui interdisait toute prétention à vouloir diriger le parti majoritaire depuis l'Hôtel Matignon. Il ne pouvait pas s'opposer au Président, avec la majorité derrière lui : il était condamné à composer avec le Président et avec la majorité parlementaire. De la sorte, Mitterrand restait l'arbitre incontesté, le recours en cas de conflit entre le Premier ministre et le premier secrétaire du PS. Il faut avoir la méfiance chevillée au corps pour imaginer de tels dispositifs dont les inconvénients paraissent évidents. Pierre Mauroy s'est usé, s'est décomposé – au sens où son identité sincèrement social-démocrate en a souffert – dans une guérilla incessante avec la direction du Parti socialiste mise en situation d'aboyer inlassablement contre Matignon.

Dans ces conditions, le mandat confié à Pierre Mauroy tenait de l'impossible : déjouer les traquenards des apparatchiks socialistes, faire une équipe gouvernementale avec des chefs de tendance concurrents, transformer des tribuns de congrès en ministres compétents, gérer l'union conflictuelle avec le PC, assurer la paix sociale, faire une réforme structurelle par jour et apprendre le métier le plus difficile de France : celui de Premier ministre.

Enfin, cet écrémage représentatif du PS a eu pour effet de vider la direction du parti majoritaire de la diversité confuse qui lui donnait finalement une âme. Il n'est resté que le squelette : le parti ne pouvait que se raidir dans la pose d'autrefois, tandis que le gouvernement devenait une sorte de super-comité directeur où se poursuivait sous d'autres formes l'affrontement des courants.

En arrivant au pouvoir en 1981, les socialistes ont inventé un nouveau sport gouvernemental : la course aux réformes. Chaque Conseil des ministres crachait hebdomadairement sa fournée de projets de lois, les uns importants, les autres totalement mineurs. Mais la surenchère entre excellences ministérielles était si importante qu'il fallait traiter tous ces projets à égalité. Naturellement, l'encombrement était tel que les réformes devaient faire la queue devant les micros. Cette inflation fut fatale à beaucoup de réformes sérieuses. Noyées dans le flot, elles passaient à peu près inaperçues.

Le septennat précédent aurait fait ses choux gras du dixième des réformes socialistes. Avec la retraite à soixante ans, qui commençait d'ailleurs à être pratiquée dans de nombreuses entreprises, Barre aurait vécu six mois en en matraquant l'annonce jour après jour sur les médias. Giscard avec presque rien en faisait souvent trop. Ce septennat, victime du trop-plein, n'en fait finalement pas assez.

Cette bataille des réformes au sein du gouvernement a donné lieu à des affrontements publics entre ministres. Pierre Mauroy avait eu la maladresse de justifier ces débats internes dans un article publié par le journal *le Monde,* qui s'intitulait sans la moindre ironie : « Gouverner autrement. » L'effet fut dramatique : le gouvernement était devenu, au fil des mois, une machine à produire de la confusion.

La défaite a permis de faire « mûrir » la situation : pour Mitterrand il devient possible de se séparer de Pierre Mauroy et de constituer une nouvelle équipe gouvernementale. D'abord, il s'agit de rendre le débat au Parti socialiste en remettant un certain nombre de vedettes encombrantes à la disposition de la direction du PS. A ce titre, on voit très bien à l'Élysée comment Pierre Mauroy pourrait utilement « gouverner autrement » mieux le PS que l'équipe Jospin-Poperen-Quilès. Dès lors, il serait possible de constituer une équipe réduite, entre quinze et vingt ministres, en privilégiant la compétence technique. On cite alors volontiers, dans l'entourage de Mitterrand, le précédent du premier gouvernement Pompidou, lorsque de Gaulle appela auprès de lui pour succéder à Michel Debré l'un des stratèges de la Banque Rothschild.

Un tel dispositif n'a de sens que s'il accompagne et traduit dans la pratique gouvernementale une rupture politique avec la première époque du septennat.

Le 13 mars, le débat souterrain

Mitterrand depuis des mois s'est préparé à ce lundi 14 mars, à ce lendemain du second tour des municipales. Il va recevoir Pierre Mauroy et lui faire part de la stratégie économique qu'il a choisie. L'effet de surprise doit être total dans l'opinion, pour assurer le caractère churchillien de sa décision, qui tranchera plusieurs mois de débats semi-clandestins au sein de son entourage immédiat, officiel et privé. C'est ce débat souterrain que révèle *Libération,* le lundi 14 mars, dans une enquête achevée le jour même du scrutin, alors qu'on ne connaît pas encore le sort de plusieurs ministres en difficulté. Cet article va contribuer à perturber le cours présidentiel des choses.

Le lundi matin, en effet, Mitterrand avait tranché en faveur d'une politique, mais le soir même, cette décision était remise en cause. Commence alors la plus longue semaine de la législature : celle au cours de laquelle Mitterrand va involontairement croiser l'Histoire, la vraie.

Depuis des mois donc, Mitterrand consulte de manière ininterrompue des hommes aux expériences et aux horizons très différents, il lit et relit des notes et des rapports préparés à cette intention en multipliant les croisements, les sources et les éclairages différents. Depuis une semaine, les consultations, les auditions se sont accélérées, selon un rituel à peu près immuable. Mitterrand écoute et écoute encore ceux que Pierre Mauroy appelle les « visiteurs du soir »; de temps en temps, il pose une question mais cela ne va jamais au-delà. De telle sorte que personne n'est en mesure d'affirmer avec certitude ce que le Président a décidé. Son ami Jean Riboud dit de lui : « Il a tellement peur qu'on devine sur son visage ce qu'il a décidé qu'il hésite à se confier à lui-même la totalité de ce qu'il pense... » Mais la nature même des entretiens avec ces quelques personnes privilégiées tend alors à indiquer que le Président a tranché et qu'il annoncera rapidement la nomination d'un nouveau Premier ministre, et la mise en place d'un nouveau dispositif gouvernemental chargé d'appliquer une nouvelle politique économique, sociale et financière formant un tout cohérent pour les trois années à venir.

Le premier tour des municipales a « confirmé, dit-on à l'Élysée, l'essentiel de l'analyse ». Le second, dit-on également, ne devrait ajouter que des transformations de détail, quelle que soit l'ampleur de la remobilisation de l'électorat de gauche au second tour. Celle-ci facilitera éventuellement l'option la plus ferme, alors qu'une confirmation de la défaite du premier tour irait plutôt dans le sens d'une relativisation des mesures.

Comment en est-on arrivé là?

Ce rendez-vous de la mi-mars, François Mitterrand en a fixé la date lui-même depuis le début de l'été 1982. A tous ceux qui lui conseillaient d'intervenir dans les affaires économiques et sociales, de trancher dans les débats en cours au sein même du gouvernement, d'intervenir à 20 heures sur les écrans de télévision pour dramatiser la situation, il répondait inlassablement : « Je ne ferai rien avant les municipales... Tout ce que je pourrais faire de positif risquerait d'être dévalué par un éventuel revers électoral... Il faut attendre. » Cet homme qui pratique le temps comme une discipline ascétique s'est interdit pendant des mois de trancher sur le fond. Il intervenait ponctuellement sur telle ou telle mesure, mais différait tous les choix stratégiques. Il a tenu bon : il a pris le temps qu'il s'était donné.

Mitterrand redoutait par-dessus tout de perdre la maîtrise des événements, d'être dans la situation de se voir imposer des choix faits par d'autres. Et il est de fait qu'en procédant ainsi il est parvenu à se donner tous les moyens de décider seul, sans avoir à négocier sous la pression de ses propres amis et de ses alliés. Même si cela devait coûter de nombreuses mairies et plusieurs ministres, dont certains chers à son cœur.

Ce calcul élyséen n'avait pas échappé au Premier ministre. Averti sans doute du rendez-vous stratégique de mars 1983, Pierre Mauroy « prépare sa sortie » depuis le mois d'octobre 1982. Plusieurs ministres avaient d'ailleurs remarqué que, depuis cette date, Matignon et l'Élysée étaient totalement déconnectés, que le Président et le Premier ministre ne s'écoutaient plus vraiment, sinon par habitude et par estime réciproque. Dès le début de l'année 1983, Mauroy s'est employé à recaser la plupart de ses collaborateurs dans l'administration ou dans la fonction publique et, par un jeu habile de petites phrases, il s'est positionné comme potentiel « patron du PS », tant vis-à-vis des leaders du parti que vis-à-vis de la CGT et du PCF. Là encore, le débranchement présidentiel a entraîné celui de Pierre Mauroy; la campagne électorale s'est ressentie de cette descente en roue libre.

De là à en déduire que le Président et son Premier ministre ont accepté très froidement la perspective d'une défaite électorale aux municipales pour aller plus facilement de l'avant, il n'y a qu'un pas.

Il le dit et le répète : il n'y a qu'une seule légitimité en démocratie, celle conférée par le suffrage universel. A cet égard, il est remarquable que ses principaux ministres du gouvernement aient été contraints de subir l'épreuve des urnes, y compris et surtout tous les premier-ministrables : Bérégovoy, Delors, Rocard, Chevènement et Fabius.

Dans la pensée de Mitterrand, on ne modifie pas profondément une politique sans en référer aux urnes. A ses visiteurs de l'hiver 1982 qui s'affolaient devant lui de l'ampleur prise par le déficit extérieur, des effets négatifs de la politique de relance pratiquée en 1981, il avait coutume de répondre : « J'ai fait la politique pour laquelle les Français m'avaient élu en 1981. Ils voulaient la relance. Ils l'ont eue. On ne force pas les Français : c'est à eux de comprendre. Maintenant ils ont compris par eux-mêmes que ce n'était plus possible. » C'est, semble-t-il, la signification qu'il entend donner aux votes des 6 et 13 mars.

Il se sent désormais légitimé à modifier sa politique.

Le noviciat gouvernemental est terminé. « Noviciat » : la formule est de Robert Badinter. La cacophonie, l'amateurisme gouvernemental ont également été sanctionnés par l'électorat. Concordance des temps oblige, il paraît possible aujourd'hui d'y mettre un terme, de tirer un trait sur les qualités et les défauts, de juger des compétences de chacun.

Après le temps de l'amateurisme ministériel, voici venu celui des « professionnels ». Pourquoi était-il nécessaire d'attendre si longtemps? Parce qu'il n'est pas possible de changer de gouvernement tous les six mois, parce que, dit-on alors dans l'entourage du Président : « Il n'est jamais utile de griller d'un seul coup toutes ses cartouches. »

Enfin l'endettement français sur les marchés internationaux a sa logique propre. Les coups de poker de Jacques Delors ont permis de tenir le franc, mais dopé, celui-ci ne pouvait espérer se maintenir au-delà de quelques jours. La confiance ébranlée à l'intérieur l'est aussi sur les marchés financiers internationaux, d'autant plus facilement qu'elle n'a jamais été très grande. « Au train où vont le déficit extérieur et notre différentiel d'inflation avec nos partenaires, dans deux mois, la France sera une colonie du mark allemand, et en janvier 1984, c'est le FMI qui fera la loi à Paris », ont dit en substance plusieurs des conseillers officiels et officieux de Mitterrand.

Les dieux avec lesquels nos « héros » socialistes doivent jouer et donc ruser ne badinent ni avec le temps, ni avec les abstractions, ni avec les constructions politiques même les plus sophistiquées. Comme les dieux d'autrefois, le dollar et le mark et le marché financier international transforment toute passivité, tout échec en destin. Même si Mitterrand décidait de prendre encore quelques semaines pour réfléchir, les dieux modernes se dépêcheraient de le rappeler à la réalité.

Mitterrand doit, le mardi 15 ou le mercredi 16 mars, s'adresser aux téléspectateurs avec le ton de De Gaulle leur annonçant autrefois le référendum sur l'autodétermination de l'Algérie, après être venu au pouvoir pour la garder française. De Gaulle était seul en mesure d'imposer ce sacrifice à la droite, comme Mitterrand est aujourd'hui le seul en situation d'imposer cette rupture économique à la gauche, et, ce faisant, à la société française.

Le samedi 26 février, Mitterrand visitait le Centre mondial de l'informatique. Il prononça alors un discours – le dernier avant les municipales – que la présidence ne jugea pas utile de diffuser. Cette discrétion, compte tenu de la qualité du texte, ne peut s'expliquer que par la proximité des élections. En le relisant, on y trouve trois indications tout à fait essentielles.

« Serait-ce l'appareil politique qui serait trop lourd et qui, suivant mal les progrès de la création, ne serait pas capable d'adapter les structures de la société pour qu'il ne soit pas source de malheur, de misère, de rupture? Ce serait prêter beaucoup d'importance aux responsables que de croire en leur pouvoir d'ordonner à chaque part du corps social. Si d'ailleurs cela était dans leurs moyens, on en apercevrait aussitôt les dangers. »

Deuxième phrase: « L'on n'a ainsi encore rien dit, si l'on ne comprend pas que, finalement, c'est l'inadaptation des hommes qui représente le principal obstacle. » Cela définit aussi bien son « idée fixe » sur la formation des hommes qu'un constat sur le gouvernement de Pierre Mauroy...

Troisième phrase : construire une industrie moderne. « C'est ce que nous devons faire aujourd'hui sans attendre. En sachant que si l'on prépare la France dans les conditions voulues de courage et d'intelligence, on lui permettra, au bout de deux ou trois années, d'accéder à une situation parfaitement compétitive avec les meilleurs. » En d'autres termes : il faut inventer une nouvelle politique économique en marchant.

Deux références sont couramment utilisées dans son entourage pour définir l'amplitude de ses choix : la référence gaulliste sur l'Algérie et une autre, qui a plus à voir qu'elle n'en a l'air de prime abord avec la situation de mars 1983 : le conflit Mendès France-Edgar Faure en février 1955. Cette évocation n'est pas fortuite, même si Jacques Delors, par exemple, ne saurait être identifié au président du Conseil qui régla la décolonisation de l'Indochine, et si Pierre Bérégovoy, malgré des rondeurs cardinalices approchantes, ne saurait être assimilé à Edgar Faure. Jacques Delors et Pierre Bérégovoy sont alors les deux hommes qui incarnent les politiques en balance dans la solitude présidentielle.

La prémisse de base est la suivante : plus de cinquante pour cent de la rigueur nécessaire ont déjà été accomplis depuis juin 1982. Selon Jacques Delors et plusieurs conseillers élyséens, il faut impérativement accomplir le reste, tout le reste, alors que, selon Pierre Bérégovoy et d'autres conseillers, seuls vingt autres pour cent, pour schématiser, seront nécessaires, à condition de s'y prendre autrement. Auquel cas, disent les partisans des « vingt pour cent », il serait possible de biaiser avec le mot tabou, le mot douloureux entre tous, le mot « rigueur ».

Deuxième prémisse : la relance de la consommation sur un appareil productif vieilli et des différentiels d'inflation importants avec nos principaux partenaires commerciaux ont eu des effets économiques et financiers négatifs qui ont été en partie contrebalancés la dernière année par le blocage et les premières mesures d'austérité budgétaires. Il importe de rétablir les grands équilibres financiers; deux priorités : faire chuter l'inflation à quatre pour cent en 1984 et réduire drastiquement le déficit du commerce extérieur.

L'équation est simple : la France produit 100 et consomme 103. Ou on produit 103, ce qui paraît impossible avec l'appareil productif dans l'état où il se trouve en 1983, ou on ne consomme plus que 100. De quelque manière qu'on la prenne, la nouvelle politique économique doit donc se traduire par une réduction de la consommation. Tout le monde est d'accord pour une opération vérité sur les prix des tarifs publics à court terme et sur la nécessité d'agir sur les importations. Tous les consultants du Président sont également d'accord pour engager au plus vite une grande négociation avec l'ensemble des syndicats et des partenaires sociaux pour les associer à la nouvelle politique. Ce serait une sorte de Grenelle (la négociation de mai-juin 1968) à l'envers, où l'on s'accorderait sur les termes du « partage de la rigueur », expression couramment utilisée tout au long de cette semaine.

Cette négociation porterait sur le maintien du pouvoir d'achat de cinquante pour cent du salariat (tous ceux qui gagnent entre le SMIC et deux fois le SMIC) et, naturellement, des chômeurs, sur « la qualité du travail » et le développement des nouvelles responsabilités dans l'entreprise (le nouveau gouvernement veillerait à l'application des lois Auroux partout où cela est possible). De nouvelles responsabilités seraient accordées aux cadres pour mobiliser leurs compétences et leur capacité à entraîner le reste de la société industrielle. En échange d'une plus grande productivité, de la modernisation de l'appareil industriel, de la réduction des inégalités, jusques et y compris la remise en cause des privilèges de situation des secteurs protégés (deux tiers du salariat). Si on peut supposer que la pression des deux dernières années ne sera pas accentuée outre mesure par l'encadrement, il est vraisemblable que plusieurs catégories d'agriculteurs et de fonctionnaires devraient subir en partie le poids du repartage nécessaire.

Des grèves sont envisagées, et le gouvernement recevra mission de les affronter avec lucidité et inventivité. Sans rien céder sur le fond de la politique gouvernementale.

Sur la politique industrielle, les violons semblent également accordés – on fabriquera en France, mais on ne fabriquera pas forcément français. Les ministres compétents feront appel aux licences étrangères, américaines ou nippones, afin que les produits nécessaires à la consommation nationale soient fabriqués sur le territoire national. C'est essentiel, disent les conseillers du Président, pour rattraper le retard industriel : « On ne fait qu'appliquer la méthode américaine, m'a-t-on dit; les Américains avaient tout à fait les moyens scientifiques de rattraper les Japonais dans certains domaines, ils n'ont pas perdu de temps, ils ont acheté les licences japonaises. »

Dernier volet : un effort considéré comme central sur l'enseignement. Sans charger le ministre actuel, on considère unanimement qu'il a cédé à la pression des corporatismes enseignants, qu'il a été grosso modo « à côté de la plaque ».

L'enseignement sera mis en avant comme l'une des clés du changement : il sera mobilisé au service de la résolution de la crise économique. Chaque fermeture d'usine envisagée et jugée nécessaire ne se fera que lorsque les salariés auront profité d'une formation à des techniques de pointe, en particulier aux métiers liés à l'informatique.

A partir d'une base identique, les deux politiques qui s'affrontent divergent assez notablement.

Pour ceux qui partagent les thèses de Jacques Delors, l'effort doit être mené jusqu'à son terme. Pour eux, loin d'éviter l'usage du mot « rigueur », il faut que le gouvernement l'assume intégralement. Cela implique une attitude plus ferme vis-à-vis des corporatismes qui travaillent et structurent la société française.

Les partisans de Pierre Bérégovoy, à l'inverse, seraient favorables à une attitude plus souple, en jouant sur le flottement du franc, sur des mesures plus « volontaristes » en ce qui concerne les importations et en relançant l'investissement industriel par une baisse importante des taux d'intérêt.

Face à ces mesures visant à maintenir le pouvoir d'achat coûte que coûte, les conseillers d'une « superrigueur » menée jusqu'à son terme plaident a contrario que cette « rigueur tempérée » ne permettra pas de nettoyer l'appareil productif et les services des privilèges financiers et de statuts qui empêchent son redéploiement, sa modernisation, et que « cette rigueur tempérée » ne permettra pas de vaincre la résistance des corporatismes.

Force est de constater qu'on retrouve là les termes mêmes du débat de février 1955. Si tous ces hommes, de Jacques Delors à Pierre Bérégovoy, partagent le triple principe du choix, de l'action et de la communication entre le gouvernement et l'opinion qui est à la base même de ce que l'on a appelé le « système PMF », ils diffèrent non pas sur des points de doctrines – elles ne sont pas en cause ici – mais sur la nature de l'état d'esprit à mettre en branle en mars 1983, dans des conditions sociales et politiques déterminées.

Quels que soient les choix faits par le Président dans la nuit du dimanche 13 au lundi 14 mars, c'est évidemment avec des hommes partageant ces deux états d'esprit qu'il envisage de constituer les équipes qui seront chargées de mener à bien la nouvelle politique. Les uns et les autres sonnent le glas d'une domination du Parti socialiste en tant que tel sur l'appareil de l'État : le débat stratégique n'a pas lieu au PS, mais à l'Élysée. Sans lui.

Le choix du Premier ministre, dans cette perspective, est capital. Mitterrand a confié à ses interlocuteurs les plus proches qu'il allait choisir entre trois possibilités.

Le portrait-robot du futur locataire de Matignon devrait réunir cinq qualités jugées fondamentales : être un professionnel de la gestion gouvernementale et économique : être un politique sans par ailleurs être assimilable à un courant trop marqué du PS; être populaire dans les sondages et donc dans l'opinion; être enfin capable d'animer une véritable politique sociale en y associant les syndicats.

Dernière qualité qui va sans dire : avoir la confiance totale du Président.

L'anthropométrie politique ferait apparaître trois hommes, très clairement, sur les écrans contrôles de l'Élysée : Pierre Bérégovoy, Jacques Delors et Pierre Mauroy.

Quatrième challenger, mais déjà distancé aux yeux du Président : Michel Rocard. C'est assurément un professionnel, il est le plus populaire d'entre tous et, s'il peut prétendre animer une politique sociale, il suscitera inévitablement l'hostilité de la CGT et du PCF. Il est marqué au sein du PS et son évocation suscite à elle seule des haines tenaces. Enfin, les rapports entre le Président et lui risquent d'être proprement explosifs tant l'antipathie est grande entre les deux hommes. La délectation avec laquelle le ministre du Plan parle de la « rigueur » déclenche chez le Président des états de tension difficilement supportables.

Le Premier ministre sortant n'est pas alors éliminé des possibles : cela dépendra du score communiste.

Le futur Premier ministre s'entourerait d'une petite équipe : au maximum une quinzaine de membres, tous « professionnels » acceptant de se plier à la même ascèse gouvernementale faite de silence et de pugnacité face aux épreuves qui ne manqueront pas dans les deux années à venir. Cette équipe se réunirait deux ou trois fois par semaine en présence du Président qui trancherait alors toutes les questions clefs, le Premier ministre et ses équipiers se chargeant de gérer l'exécution des décisions. Cela définit un Premier ministre capable de jouer auprès du Président le rôle d'un chef d'état-major coordonnant des chefs opérationnels.

Généralement, on définit les futurs membres de cette équipe comme « des gens énergiques qui inspirent confiance ». Parmi eux, il y a inévitablement, s'ils ne sont pas Premier ministre, Jacques Delors et Pierre Bérégovoy, mais à coup sûr Laurent Fabius, Michel Rocard et Jean Auroux, dont on apprécie unanimement les qualités. Un seul communiste, très vraisemblablement Charles Fiterman. Éventuellement Jean-Pierre Chevènement, s'il n'échoue pas électoralement à Belfort. Enfin des noms de professionnels des affaires sont communément cités : Jean Riboud, P-DG du groupe Schlumberger, Georges Plescoff, qui fut P-DG de la Compagnie financière de Suez, et Bernard Vernier-Palliez, ancien P-DG de Renault et alors ambassadeur de France à Washington.

Dernier élément de cette réorganisation de l'exécutif : la direction du Parti socialiste. Elle serait confiée à Pierre Mauroy, dont un des conseillers officieux du Président nous disait : « Avec lui à la tête, les dirigeants du parti ne vont pas rigoler tous les jours. C'est comme un boxeur qui n'arrête pas de prendre des coups. A la fin de la huitième reprise, on le croit sonné et, à la neuvième, il cogne comme à l'entraînement. » L'actuel Premier ministre serait chargé de la reprise en main du parti. Enfin, pour éviter que le parti ait la moindre tentation d'imposer ses vues au gouvernement, plusieurs ministres du gouvernement entreraient au bureau exécutif du parti, selon un schéma qui n'a rien à envier à celui mis en place par le général de Gaulle après le tournant de sa politique algérienne.

Le 14 mars, les surprises du lundi

Dans la nuit du dimanche 13 au lundi 14 mars, Mitterrand avait tranché : la France, en sortant du SME (Système monétaire européen), allait tenter de trouver dans l'isolement du protectionnisme la voie d'un développement original, et d'une rigueur presque socialiste. En quelques heures, tout l'édifice va vaciller. C'est ainsi que dans la journée de lundi on démonte précipitamment la mise en scène prévue pour « l'appel » que le Président devait lancer au pays, le mardi 15 à 20 heures.

En ce lundi 14 mars, l'Élysée est en panne. Comme un vaisseau amiral le jour de la déclaration de guerre. Le doute dévore le Président. Il n'est plus sûr de rien. Il a perdu l'avantage de l'effet de surprise, puisque les termes mêmes du choix ont été révélés publiquement, ce qui n'a fait que renforcer les oppositions à sa politique protectionniste. Même Pierre Mauroy, au cours de leur entretien de ce lundi, s'est prononcé très fermement contre les projets présidentiels : ce serait sans lui.

On imagine le Président étouffant sous cette pression multiforme. Impossible de sauter le pas dans ces conditions, il lui faut reprendre de l'élan. Mitterrand va se donner dix jours. Le désarroi présidentiel s'exprime dans le communiqué rendu public par l'Élysée, dans la soirée de ce lundi : « A aucun moment n'a été évoquée l'hypothèse d'un changement de gouvernement, ni d'une intervention à la télévision. Toutefois, le Président est attentif à ce qu'écrivent ou disent les journalistes et retient l'idée de s'adresser aux Français sous une forme qu'il lui appartient de définir. »

Le communiqué s'achève sur une date : Mitterrand parlera le 23 mars. Dix jours plus tard.

Écrit dans la précipitation, ce texte pauvrement ironique a la valeur d'un aveu. Le principe même d'un changement de gouvernement est remis en cause. Autrement dit, le non-choix se profile déjà à l'horizon.

Dans la coulisse élyséenne, on met en avant le succès inespéré, imprévisible de Gaston Defferre, qui, en vieux lion blessé, a réussi à garder sa mairie dans un dernier sursaut. Un conseiller du Président, partisan d'une rigueur renforcée, se scandalise de cette interférence phocéenne : « Quel rapport y a-t-il entre la victoire inespérée et in extremis de Gaston Defferre et le chiffre du déficit extérieur ? Il n'y en a aucun ? Depuis dimanche soir, il faut admettre qu'il y a un rapport ! »

Il n'en est pas moins vrai que les résultats du second tour ont surpris le Président. Mitterrand, au cours de sa longue méditation stratégique, s'est mis dans la pire des hypothèses : une déroute ravageuse pour la gauche. Et c'est dans ce contexte qu'il se voyait apparaître sur les petits écrans, le lundi ou le mardi suivant le deuxième tour, et souffler à l'opposition le bénéfice de la victoire en prenant tout de suite, à chaud, l'initiative. Il s'est laissé en partie gagner par l'atmosphère émolliente du dimanche soir, par le triomphe de Gaston revenant contre toute attente des oubliettes électorales. Certes aucun de ses ministres n'a finalement été battu. La politique du gouvernement est critiquée, elle n'est pas rejetée. Alors que dimanche après-midi Mitterrand en privé parlait encore de « choix qui engagent la France pour vingt ans, et dont dépend le sort du socialisme », une vieille rengaine fait retour : ce n'est pas la politique qui est en cause, c'est sa communication.

L'échec limité des municipales a brusquement dédramatisé l'atmosphère élyséenne. L'urgence peut attendre.

Mais un autre résultat a surpris le Président : la défaite communiste. Les sacrifices consentis par les socialistes lors des désignations de têtes de liste unique n'auront pas suffi : le PC s'effondre à nouveau, victime de l'abstentionnisme de gauche. Le bureau politique est apoplectique et pose ses conditions : il demande ouvertement le maintien de Mauroy et qu'on ne lui parle surtout pas de rigueur. Mauroy reconduit, avec un cache-sexe sur les projets de réduction de la demande intérieure, le tout emballé dans des clauses de sauvegarde pour les importations et le PC autorise Mitterrand à reconduire l'union libre du couple infernal socialo-communiste.

Le PC a profité de l'hésitation présidentielle pour dicter ses conditions : cela suffit pour que Mitterrand prenne le large. D'où, selon ses conseillers, la nécessité du report de date. Reste que ce sont les communistes qui ont parlé les premiers. Pis : le maintien de l'union de la gauche est conditionné par celui de Pierre Mauroy à Matignon. Tout autre Premier ministre entraînerait ipso facto le départ des communistes. Dans la stratégie mitterrandienne du « baiser qui tue » entre lui et le PC, il est décisif qu'il n'apparaisse jamais comme le responsable de la rupture de l'union, que les communistes soient contraints d'en prendre l'initiative, à leurs risques et périls. Or c'est ce que vient de réussir le PC : il a réussi à mettre Mitterrand sur la défensive.

Un troisième facteur explique le report de l'annonce du grand choix stratégique : contre toute attente, la négociation Mitterrand-Mauroy n'a pas abouti. Décidément, tout au long de la nuit du dimanche au lundi et toute la journée du lundi, le Président aura été de surprise en surprise. L'entretien entre les deux hommes se passe mal. Mauroy est hostile aux choix économiques du Président et, dans ces conditions, il n'est pas prêt à constituer un nouveau gouvernement. Mitterrand, comme à l'accoutumée, s'était laissé une porte de sortie – la sortie de secours – en ce qui concerne le gouvernement. Il tranchait en faveur de la politique Bérégovoy-Riboud-Chevènement, ce qui lui laissait le choix entre deux Premiers ministres possibles : Bérégovoy d'une part et Mauroy d'autre part. Dans cette hypothèse, Pierre Mauroy endossait la nouvelle politique pendant une période de transition de neuf mois (le temps d'enfanter le nouveau socialisme!), condition sine qua non pour que les communistes avalent le breuvage. Au cours de son entretien du lundi avec Pierre Mauroy, c'est cette hypothèse qu'il privilégie. Las, le taureau lillois n'est pas partant. Depuis dimanche en effet, Pierre Mauroy a la tentation de se mettre « en réserve de la République » avant d'être contraint de se renier.

Enfin, un dernier facteur brouille le plan initial du Président : l'évolution du dossier monétaire. Mitterrand attendait « un geste à la Adenauer », comme on dit à l'Élysée, et, rue de Rivoli, on pensait que le chancelier Kohl privilégierait la construction européenne en acceptant de réévaluer le mark de six ou sept points, la France se limitant à une soustraction de la valeur de sa monnaie de l'ordre de deux ou trois points, de telle sorte qu'on ne puisse pas parler d'une réelle dévaluation du franc. Or les chrétiens-démocrates, contre toute attente, éprouvent eux aussi beaucoup de difficultés à constituer leur gouvernement. On évoque même alors la possibilité que Kohl se donne jusqu'au 3 avril, date limite fixée par la Constitution fédérale. En attendant, le gouvernement ouest-allemand serait donc dans l'impossibilité de prendre la moindre initiative monétaire. De telle sorte que la France se retrouve Gros-Jean comme devant. Les coups de poker financiers de Jacques Delors et la petite remontée de la gauche au second tour ont donné quelques jours de répit. L'urgence a perdu là aussi de sa gravité. « Mieux vaut attendre, dit alors Jacques Attali, que les Allemands finissent par comprendre que c'est dans leur intérêt. »

Cela fait au moins quatre bonnes raisons pour reporter la date de la décision. Une seule aurait suffi à Mitterrand. Quatre, c'est ce qui pouvait lui arriver de pire. Désormais, il n'est plus maître des événements et il va devoir composer sous les regards de la presse et de l'opinion publique. En se donnant dix jours, il espère reprendre le contrôle de la situation et du choix, mais déjà il en doute lui-même.

Le 17 mars, le souffle coupé

Un homme seul fait les cent pas dans le bureau du général de Gaulle; il jongle avec le détail des mesures de la politique économique, financière et sociale. Oui à telle mesure, non à telle autre, puis il reprend tout et recommence, mesure par mesure, puis il élague à nouveau, puis il rajoute, soustrait : voilà pour la première hypothèse; même chose pour la deuxième, et, comme le président de la République ne saurait être prisonnier d'une simple alternative, il est impératif de disposer d'une troisième hypothèse. La solitude est totale : quelques hommes seulement accèdent à l'une ou l'autre de ses oreilles. Il fait circuler les propositions des mesures qu'il envisage de prendre selon des circuits complexes de conseillers, d'amis et de relations connus de lui seul. Personne ne se rencontre, tous les entretiens sont bilatéraux, au mieux trilatéraux. S'il y a débat, il est entièrement médiatisé par ce Président qui depuis des mois se prépare à prendre en charge directement le dossier économique. Depuis la semaine d'entre les deux tours, c'est fait : c'est lui qui entend fixer et diriger en personne la stratégie et la tactique économiques.

Lui et personne d'autre. Ni le Parti socialiste, ni le gouvernement ne sont parties prenantes du débat qui mobilise les deux hémisphères cérébraux du Président. Même les ministres directement concernés participent à cette étrange cérémonie qui consiste à alimenter en permanence le cerveau présidentiel, et ce plusieurs fois par jour pour certains.

Cette simplification institutionnelle est pour le moins paradoxale. Lors des « municipales », les électeurs de Mitterrand exprimaient sans nuance leur jugement sur la politique gouvernementale : incohérente, incompréhensible et, partant, inquiétante.

Le sentiment qu'une cassure s'était produite entre eux et le gouvernement était aisément détectable. Les porte-parole socialistes rappelaient à l'encan que l'avertissement avait bien été entendu. Moralité : un débat jugé « historique » par la plupart de tous ceux que consulte le Président est proprement confisqué, mis sous clef à double tour.

Certes ce n'est pas très conforme à la tradition socialiste de l'affrontement des idées, du débat, du tricotage des divergences...

Mais nul n'est censé ignorer la nature de la Constitution gaulliste : plus les événements sont graves et se font pressants, plus la décision selon le principe d'Archimède modernisé par les pères de la Ve remonte jusqu'à l'usine présidentielle d'où elle descendra, par l'intermédiaire d'une caméra de télévision et d'une multitude d'écrans cathodiques, jusqu'aux citoyens. Et comme le pouvoir suprême commence avec la maîtrise du temps, Mitterrand a pris le large, laissant tout le monde, électeurs, journalistes, classe politique, majorité et ministres, dans l'expectative. Suspense garanti jusqu'au 23 mars. Au lendemain du sommet européen et de l'anniversaire du déclenchement du mouvement de Mai 68...

Mais le temps n'est pas une matière neutre, élastique, malléable à souhait. C'est une denrée rare, un fil d'or sur lequel glissent des pierres précieuses. En s'offrant un délai supplémentaire, le Président a fait monter ses propres enchères. Il a dramatisé l'attente. En faisant le vide dans l'opinion pendant une très longue semaine, il a appâté, il a suspendu toute vie politique. On voit même l'opposition faire les cent pas dans l'attente de l'événement : fausse couche, monstre difforme ou naissance rayonnante d'un bébé naturellement rose de bonheur...

Le 20 mars, dans l'œil du cyclone

Le sursis ne réussit pas à Mitterrand. A mesure que les jours passent, les certitudes présidentielles construites durant plusieurs mois, avant les municipales, s'effritent, en particulier depuis ce « maudit » lundi 14 mars où, pour la première fois depuis 1981, Mauroy a vraiment dit non au Président.

Le samedi 12 mars, la veille du deuxième tour, Mitterrand se promène avec Maurice Faure, son vieil ami radical, l'un des politiciens les plus fins produits par la IVe République, mais qu'un formidable appétit des jouissances de la vie détourne des plus hautes responsabilités. Entre lui et le Président, une vieille connivence. Mitterrand sur le ton de la confidence teste ses hypothèses. C'est ainsi qu'il lui annonce son intention de garder encore Mauroy jusqu'en décembre 1983, mais pour faire la politique qu'il a décidée. La confidence atteindra rapidement Matignon : la mise en place du troisième gouvernement Mauroy commence. Le Premier ministre n'est pas sans connaître les pressions qu'exercent sur Mitterrand les partisans d'une sortie du SME. Aussi désire-t-il constituer « une équipe cohérente, articulée autour de la ligne Delors », c'est-à-dire d'une rigueur renforcée. C'est ce qu'il déclare à Mitterrand le lundi, lorsque le Président l'informe du choix qu'il a fait en faveur d'une sortie du SME. Formellement, Mauroy dicte ses conditions même si la chose est enrobée de phrases neutres. Retour à Matignon, c'est la rechignade dans l'entourage du leader lillois. Beaucoup sont hostiles à ce qu'il reste à Matignon, cela ruinerait, disent-ils, « l'image du grand réformateur des deux premières années ». La rumeur revient aux oreilles de Mitterrand. Et mardi soir, le Président se met en colère contre Mauroy : il évoque alors la possibilité de changer effectivement de Premier ministre.

Dans les milieux financiers internationaux, se développe l'idée d'une mise en scène particulièrement retorse : Mitterrand et Delors brandissent à dessein l'épouvantail d'une sortie du SME pour forcer leurs partenaires européens à leur accorder des concessions. C'est ainsi que l'on interprète sur les places boursières le rôle occulte occupé soudain par le président de la société Schlumberger, Jean Riboud. La France menace de rompre avec l'Europe et de se tourner vers les États-Unis et le Japon pour reconstruire son appareil productif et rétablir ses équilibres financiers. Qu'un homme au crédit financier et industriel aussi incontestable que Jean Riboud défende cette thèse auprès de Mitterrand accrédite celle de la menace dans les chancelleries.

Et il est de fait que Jacques Delors dans ses négociations monétaires va utiliser cette menace pour assouplir les positions allemandes. Mais nul n'ignore que Jacques Delors est justement le contradicteur, l'opposant le plus résolu à cette politique de rupture avec l'Europe. Il va donc demander aux Allemands de l'aider à la combattre, et le meilleur moyen de l'aider, ce serait encore de faire des concessions au franc.

Car, à l'Élysée, l'affrontement entre les deux politiques a pris un tour dramatique. Le mercredi 16, dans la soirée, Laurent Fabius, alors ministre du Budget, qui, depuis le début de ce débat stratégique, se rangeait évidemment du côté du Président, amène à Mitterrand deux chiffres. Celui des réserves de la Banque de France et celui du montant des dettes à court terme. Et les consultations sont reparties pour un tour. Mitterrand demande des certitudes aux partisans de la cure de protectionnisme. Peuvent-ils s'engager sur l'effet que va provoquer la flottaison sur la valeur du franc? Les chiffres de Fabius refroidissent les ardeurs. Seuls Pierre Bérégovoy et Gaston Defferre restent sur leurs positions.

Les économistes du Président, Attali, Bianco, Christian Sauter, François Xavier Stasse et Élisabeth Guigou, font bloc contre la tentation présidentielle. Même l'économiste Jean Denizet, l'un des visiteurs du soir du Président, longtemps partisan de cette politique, conseille à Mitterrand au vu des chiffres de renoncer : « On ne peut plus choisir entre rester dans le SME et en sortir. Il faut y rester. »

Même Jean Riboud, qui alors voit Mitterrand tous les jours, semble soudain moins ferme, moins affirmatif. Quant à Laurent Fabius et Jean Auroux, qui hier encore étaient favorables à cette politique, ils ont rejoint les positions Delors-Attali. Le carré des partisans de la rupture avec le SME s'est singulièrement rétréci. Aux côtés de Bérégovoy et de Defferre, il ne reste guère que l'ineffable Jean-Jacques Servan-Schreiber, revenu en grâce dans l'entourage présidentiel par le biais de l'informatique.

Mitterrand sait que les faits sont en train de trancher pour lui. Quelques heures auparavant, il évoquait encore avec délices la figure de Roosevelt, qu'il se promettait de citer dans son allocution présidentielle. La France va devenir un énorme chantier industriel grâce à la mobilisation de l'épargne et aux protections douanières.

Mitterrand est tellement convaincu que c'est le bon choix qu'il s'insurge contre les contraintes que lui impose le SME : « On ne maîtrise pas notre politique. En restant dans ce système, nous sommes de fait condamnés à la politique du chien crevé au fil de l'eau. Au seul profit de l'Allemagne. » Et ce cri du cœur où l'on perçoit parfaitement ce qui le séduisait dans cette politique : « Puisqu'il en va ainsi, je reprends ma liberté ! »

Après la douche froide du mercredi après-midi et du mercredi soir, Mitterrand a ce propos désabusé : « Il n'est pas possible de sortir de la tranchée, tout nu, sans fusil et, qui plus est, sans capitaine. » Tout est dit. Sonné, désabusé, Mitterrand tente de se convaincre que la situation n'était pas « mûre pour une telle rupture, qu'il faut refaire les réserves de la Banque de France. On verra plus tard ». Déjà il met en place psychologiquement une décision de non-choix. Entre-temps à Bruxelles, la bataille du franc se passe mal. Alors il « recharge Delors », selon l'expression du ministre des Finances lui-même. Il le rassure évasivement sur la politique qui sera suivie et l'envoie à la télévision le jeudi soir pour s'y adresser de manière très ferme aux Allemands.

Le vendredi, le ministre des Finances allemand vient incognito à Paris préparer avec Jacques Delors la réunion des ministres des Finances de l'Europe des Dix qui doit se tenir à Bruxelles, le samedi 19 mars.

Mais la négociation va échouer. Le chancelier Kohl, dont le gouvernement exécute les affaires courantes tout comme son homologue français, veut imposer à la France une politique de rigueur. Il a donné à sa délégation des instructions très fermes.

La RFA veut bien réévaluer de six points, à la condition que la France dévalue de deux points et que la marge de flottaison au sein du SME soit portée de 2,25 % à 4 %. Au total la dévaluation du franc par rapport au mark sera de 12 %. Et comme le mark ne veut absolument pas changer sa parité par rapport au dollar, cela signifiera une dévaluation similaire du franc par rapport au dollar.

Les Allemands sont venus à Bruxelles avec ce qu'ils appellent eux-mêmes la « proposition de solution ». Outre le dispositif monétaire décrit plus haut, cette proposition est assortie de conditions particulièrement draconiennes pour le gouvernement français : augmentation des cotisations sociales pour les salariés, emprunt forcé et réduction de vingt milliards de francs du déficit budgétaire.

Ce n'est pas encore le FMI, comme disait Philippe Lagayette, directeur de cabinet de Jacques Delors, « c'est la version douce du FMI, la zone mark! ». En d'autres termes, les Allemands ne réévalueront de six points leur monnaie que si les Français s'imposent une cure d'austérité *made in Germany.*

Dimanche 20 mars, lorsque ces conditions sont connues et analysées à l'Élysée, elles jettent la consternation. « C'est un diktat inacceptable », déclare le secrétaire général de l'Élysée, Pierre Bérégovoy.

Parallèlement, dans les cabinets ministériels en cale sèche depuis plus d'une semaine, la rumeur annonce que la formation du gouvernement aura lieu ce dimanche. Dimanche matin, Delors prend les devants et annonce à ses collègues européens qu'il doit absolument en finir avant midi, parce que « des choses importantes » se préparent à Paris. Aussi sec, Michel Jobert, ministre d'État et ministre du Commerce extérieur, donne sa démission et la rend publique. Se sentant menacé de licenciement, il préfère, à tout prendre, les honneurs de la démission. Pour Jacques Delors, c'est la preuve que le processus de changement de gouvernement est engagé : la démission de Jobert accrédite la rumeur, il importe donc de se découvrir au plus vite et de foncer à Paris. En fait les deux excellences se sont réciproquement intoxiquées.

Mitterrand prend fort mal ce ballet des ambitions. Il a le sentiment qu'on veut une fois encore lui forcer la main, que Jacques Delors, non content de triompher sur le fond de la politique économique, veut l'humilier en s'imposant à lui comme Premier ministre. Pourtant Mitterrand semble bien s'être résolu à l'investiture de Jacques Delors. Logiquement, c'est la meilleure solution. Du moins sur le papier. Mais est-ce que le tandem Mitterrand-Delors va vraiment fonctionner? Certes, il a de l'estime pour l'homme, mais il n'est pas du sérail socialiste et au sein du PS, c'est un marginal contre lequel, depuis juin 1982, les hussards du mitterrandisme historique s'acharnent en dénonçant son néo-barrisme. Et puis, l'ancien conseiller de Chaban a le don de l'énerver, avec ses menaces de démission à répétition. En fait, Mitterrand redoute une absence de complicité avec lui : or cette harmonie de tous les instants, même dans le traitement des désaccords, est la clef de voûte du système institutionnel. Alors qu'il attend l'arrivée de Jacques Delors, en ce dimanche après-midi, Mitterrand s'interroge à nouveau sur l'opportunité de miser sur ce dernier.

Le ministre des Finances verra deux fois le Président au cours de cet après-midi du 20 mars. Mitterrand se trouve alors dans la pire des dispositions psychologiques. Il est coincé de toute part et il doit subir les événements. Il est couleur de muraille, son verbe est craquant. Et naturellement cela se passe très mal. Jacques Delors est reçu comme un chien dans un jeu de quilles. Le Président cantonne la discussion exclusivement aux problèmes de la négociation. Et Jacques Delors est renvoyé fissa à Bruxelles. A la sortie du deuxième des entretiens de ce dimanche après-midi, Jacques Delors déclare officiellement qu'il « prépare les mesures économiques et sociales qui doivent permettre d'améliorer les performances françaises et diminuer de manière très significative le déficit du commerce extérieur ».

Ce qui devait être une décision historique tourne à la confusion générale. L'opinion, qui devait être ressaisie par un discours de guerre économique, est plongée dans une inquiétude corrosive, tant il est impossible de masquer que c'est le Président lui-même qui est en crise.

Le 23 mars, le choix du non-choix

Pendant dix jours, la France était restée bouche bée devant le spectacle élyséen. Elle considérait avoir dit l'essentiel dans ces porte-voix paradoxaux que furent les urnes municipales. Elle attendait la réponse du Président, l'ouverture de l'acte II du septennat, la rupture avec la cacophonie, le choix d'une politique claire.

Elle attendait la fermeté d'un homme d'action parlant à la fois le langage de Roosevelt, de Churchill et de Mendès France, tranchant enfin tous les liens qui entravaient sa marche en avant. Ce fut, à l'inverse, une crise au sommet sur fond de tourmente monétaire et de déchirements européens.

Elle attendait un choix stratégique décisif, un tournant capital, un électrochoc politique, un bond en avant dans la communication, ce fut la victoire du compromis économique et du choix politicien.

Car Mitterrand, prisonnier de la date du 23 mars, a fini par parler. La politique de rigueur sera poursuivie et même accentuée. Pierre Mauroy est reconduit comme Premier ministre.

Mitterrand a refusé de trancher en faveur d'une rigueur « rigoureuse et qui aille jusqu'au bout », pour reprendre la formule d'un conseiller élyséen. En réalité, il n'accepte pas le fait de s'être laissé enfermer. Il confiera à un de ses amis qu'il « donne quelques mois à Delors pour remplir les caisses de la Banque de France, et alors il sera peut-être enfin possible de sortir du SME ». Car il n'est pas convaincu. Et comme il ne l'est pas, il ne sera pas convaincant à la télévision et se refusera à prendre toutes les mesures qui s'imposent pour que la rigueur à la Delors soit effectivement payante.

Le lundi 21, alors que Jacques Delors arrachait à Bruxelles un cessez-le-feu monétaire qui consacrait de fait la victoire de sa ligne économique, certains espéraient encore que le Président s'y engagerait à fond. Pierre Bérégovoy, pourtant l'un des partisans de « l'autre politique », reconnaissait le lundi soir que « si le Président veut tirer un bénéfice de la dévaluation du franc, il doit provoquer un sursaut dans l'opinion, lui proposer un projet politique, nommer un gouvernement de combat et jouer cette politique quelle qu'elle soit, mais à cent pour cent ». Mais cette logique n'est pas celle de Mitterrand.

Triomphant à Bruxelles, Delors ne pouvait l'être à Paris : Mitterrand ne pouvait pas laisser croire qu'il avait pu céder à des pressions étrangères, que sa politique économique et le choix de ses ministres lui étaient dictés par le chancelier Kohl. En fait, comme le confie Jean Riboud le soir même : « La négociation de Bruxelles a mis le Président hors de lui. Il l'a ressentie comme une humiliation. L'accord monétaire de lundi n'est vraiment pas une victoire pour lui. Ses préférences allaient vers une sortie du SME, mais c'était à tous les sens du terme le saut dans l'inconnu et personne n'a été en mesure de le rassurer là-dessus. Cet accord de Bruxelles ne lui plaît pas, c'est évident. »

Contraint de faire la politique préconisée par Delors et les conseillers économiques de l'Élysée, il était prévisible qu'il lui répugne de s'y engager personnellement : son orgueil de stratège vaincu l'en empêchait. C'est ce que n'a pas compris Delors.

Le mardi midi, il est convié à déjeuner à l'Élysée avec Laurent Fabius et Pierre Bérégovoy. Mitterrand leur explique de manière insistante que c'est sur eux qu'il compte car ils formeront la base du prochain gouvernement. « Mais nous ne sommes pas d'accord entre nous ! » s'exclame Jacques Delors. Un froid. Mitterrand a encore le fol espoir de ne pas compromettre l'avenir et il importe dans son esprit que les hommes qui incarnent les deux politiques hier encore en conflit puissent cohabiter, ne serait-ce que pour limiter la rigueur préconisée par Delors et ses partisans. A la fin du repas, Mitterrand s'entretient séparément avec chacun de ses convives. A Jacques Delors, le Président propose Matignon. Le ministre pose alors ses conditions : il demande comme Barre en 1976 les pleins pouvoirs sur la politique économique et financière. L'entretien est terminé. Delors dira en sortant qu'il avait compris à ce moment-là qu'il venait de commettre « un crime de lèse-Constitution. On ne dicte pas ses conditions au Président sous la Ve République. »

Exit Delors. Ce sera donc une nouvelle fois l'increvable Pierre Mauroy.

Ceux qui pratiquaient Mitterrand depuis la IVe République étaient sans illusions et pariaient depuis le premier jour de la crise pour le maintien de Mauroy. L'un d'eux faisait même cette prédiction qui s'est révélée exacte : « C'est une question de tempérament. Je le connais depuis très longtemps et je sais comment il réagit dans une situation de ce type. Lorsqu'il se trouve pris dans un tourbillon, il calme le jeu en changeant le moins de choses possible à son dispositif. »

La reconduction de Pierre Mauroy, c'est à ses yeux un nouveau sursis qu'il s'accorde. Il va pouvoir, espère-t-il alors, temporiser à nouveau. Bien qu'il ait discrètement soutenu les thèses de Jacques Delors, qu'il se soit opposé dans un premier temps à conduire la politique protectionniste comme le lui demandait le Président, le maire de Lille, après réflexion, avait fini par s'y résoudre. Si Mitterrand lui demandait de sortir du SME, eh bien lui, Mauroy, il irait au charbon malgré ses convictions. Pierre Mauroy est par nature un homme de compromis, capable de marier les contraires, et de les faire cohabiter dans un même gouvernement. Il est loin, le temps où Mitterrand, au cours d'un déjeuner de travail à l'Élysée, déclarait au Premier ministre : « S'il doit y avoir une troisième dévaluation, Mauroy, je serai obligé de me séparer de vous. » Comme le disait l'un des convives de ce déjeuner : « Il y a eu une troisième dévaluation et il n'a vidé personne. C'est ça le drame. »

Mission confiée à Mauroy : faire du Delors tempéré. Pour justifier le choix du Premier ministre, Mitterrand dit à ses interlocuteurs : « Mauroy, c'est le héros du peuple de gauche. » Et de citer un sondage BVA-*Paris Match* qui donnait 40 % d'opinions favorables au maire de Lille : sur ces 40 %, remarque le Président, 66 % d'entre eux se recrutent parmi les électeurs de gauche.

En d'autres termes, Mauroy devra s'arc-bouter sur « ces soldats du deuxième tour qui sont venus éviter à la gauche une défaite électorale ». Pendant que Delors, maintenu aux Finances, resserrera la rigueur, Mauroy devra veiller sur le « peuple de gauche ». Delors sera le Premier ministre bis de la rigueur et Mauroy le Premier ministre de la « gauche profonde ».

Le choix de Mauroy signifie la limite même de l'engagement de Mitterrand. Le leader lillois est en réalité le grand vaincu des municipales. Sa nomination revient à ignorer les « déçus du socialisme », les boudeurs de gauche du premier tour, tous ceux pour qui Mauroy était devenu l'incarnation de la « vieille gauche », celle qui prétendait gouverner autrement dans la cacophonie et l'amateurisme, qui à la veille des élections pouvait déclarer démagogiquement : « Les gros problèmes sont derrière nous », et : « Il n'y aura pas de plan de rigueur après les municipales », et cependant être reconduit au poste de Premier ministre. Car cet homme généreux, ce « soldat » du mitterrandisme, ce bourreau de travail, s'est mis à parler « la gauche » comme le Mallet et Isaac de nos anciens collèges. Enfin, c'est évidemment une erreur de penser que si 66 % de ceux qui lui font confiance sont des électeurs de gauche, c'est la preuve qu'ils approuvent la politique suivie depuis 1981. Simplement, les inquiétudes provoquées par les valses-hésitations de la gauche au pouvoir provoquent dans le salariat un réflexe défensif : Pierre Mauroy passe pour être le mieux à même de préserver, autant que faire se peut, ce qui reste d'union de la gauche.

4

L'incubation

De mars à septembre 1983

Le 25 mars, ou le plan Delors mutilé

La mission confiée à Jacques Delors est strictement limitée : il doit purger les finances françaises, ni plus ni moins. Le plan Delors ne doit pas être autre chose qu'un plan financier. Et défense pour le ministre de chercher à sortir de ces limites. D'ailleurs Pierre Bérégovoy veillera sur le social et Laurent Fabius sur l'industrie : on ne saurait être plus dissuasif quand on connaît les rapports crispés existant entre les trois hommes.

Financièrement, le plan Delors est d'une architecture classique : croissance zéro, réduction du pouvoir d'achat allant décroissant pour les plus « défavorisés » et chômeurs en plus. Les sociétés occidentales connaissent cette technique par cœur : c'est la purge. Durée de la cure d'amaigrissement : deux ans. Les risques sont connus : tempête sociale d'un côté, tétanisation industrielle de l'autre. Et au surplus on nous prie très fermement de vivre « français », y compris pendant les vacances. Raymond Barre prend rétrospectivement des allures de brute timide qui n'osait pas aller jusqu'au bout de la méthode. En réalité, il n'était plus possible de faire autre chose.

La France a un appareil de production souvent désuet dont Georges Besse, alors P-DG de Péchiney, dit qu'il « meurt à crédit ». Conséquence : fort déficit du commerce extérieur, aggravé par une monnaie qui ne cesse de se déprécier.

Il faut donc remettre de l'ordre dans la gestion de la maison France. Si le Président a eu la tentation de sortir du SME au cours de la semaine folle qui a suivi le deuxième tour des municipales, il en a justement été empêché par l'état des finances françaises qui ne permettait aucune aventure solitaire. C'est ce que les négociateurs allemands ont parfaitement compris lors de la négociation de Bruxelles, les 19, 20 et 21 mars : la France avait le dos au mur et elle ne pouvait pas faire autrement que de rester dans le SME. Dès lors, les diplomates du chancelier Kohl pouvaient poser leurs conditions à un cessez-le-feu monétaire : emprunt forcé, réduction de vingt milliards des crédits budgétaires, augmentation des cotisations sociales pour les salariés. Ces trois mesures sont en bonne place dans le plan de redressement adopté par le Conseil des ministres de ce vendredi, à cette nuance près : les cotisations sociales des salariés ne sont pas augmentées, Pierre Bérégovoy s'y étant, le jeudi 24 mars, formellement opposé. Jacques Delors a dû trouver une alternative financière équivalente : ce sera le prélèvement proportionnel de 1 % sur tous les revenus imposables. Que de telles conditions aient existé a été formellement démenti de part et d'autre, malgré les propos imprudents du ministre Stoltenberg sur les « concessions » de ses partenaires.

Dès lors, la ligne Delors pouvait se mettre en place sans pour autant triompher. Il avait déjà réclamé « la pause » à l'automne 1981 et s'était fait rembarrer. En 1983, après des déficits records, la « pause », finalement adoptée en juin 1982, ne suffit plus : désormais il faut une cure, un virage à cent quatre-vingts degrés sur les chapeaux de roue. Et arrivé là, on reste pantois.

Un tel changement de cap, un tel effort a besoin d'être soutenu par tous ceux qui vont devoir en subir les conséquences. L'austérité peut-elle être de gauche? Question restée sans réponse.

Jacques Delors dira que son plan prévoyait un volet social. N'étant ni Premier ministre, ni ministre des Affaires sociales, il ne sera pas autorisé à en faire mention. Il pourra également plaider que l'absence de tout véritable plan industriel compromet sérieusement la réussite de son dispositif.

Aucun volet social, aucun volet industriel ne viendront étayer l'annonce de cette rupture économique. Simplement un emplâtre politicien qui consiste à échanger les mesures d'austérité et leur acceptation par le PCF et le PS avec les symboles de la continuité socialiste incarnée par Mauroy et son équipe.

La rupture, en langage mitterrandien, devient la continuité. Abondamment matraqué par tous les porte-parole de la majorité, le thème de la continuité va devenir le cache-sexe de l'union de la gauche. Derrière ce paravent hypocrite et dans des limites données, Jacques Delors est autorisé à faire un certain nombre de cochonneries financières.

Le 7 juin 1983, la rigueur sans lui

Si Mitterrand pouvait intervenir sur la scène internationale sans être perpétuellement rappelé d'urgence en France pour gérer ce pays impossible, il serait de toute évidence le plus heureux des hommes. Il pourrait s'employer à convaincre Ronald Reagan de ses errements et même aider Andropov à renoncer à certains de ses calculs erronés. La vie présidentielle est mal faite, qui l'oblige à subir les désagréments de l'intendance hexagonale.

A mesure que le septennat s'écoule, les rapports du Président et de l'opinion publique, y compris de l'opinion majoritaire, prennent l'allure de rendez-vous manqués. Mitterrand était attendu en juin 1982, à l'automne 1982 et en mars 1983.

En fin de compte, c'est pour lui que les électeurs s'étaient prononcés. Il allait de soi pour eux qu'il serait normalement le recours aux défaillances de la majorité de gauche. Il a existé un mythe du recours mitterrandiste : ce mythe depuis mars 1983 est en train de s'éroder au fil des sondages. Car il y a bien eu un appel du 10 mars comme on parle de l'appel du 18 Juin. Mais, à la différence de l'initiative gaulliste de juin 1940, cet appel venait des électeurs et s'adressait à Mitterrand. Naturellement, l'attente a fait place au doute, puis à l'inquiétude, puis à la déception. On attendait Mitterrand chaque fois qu'il revenait en France et qu'il rencontrait une caméra de télévision. Trois mois ont passé depuis la semaine folle du printemps et l'appel de l'électorat est resté sans écho. Ceci explique cela : depuis mars 1983 la chute de popularité de Mitterrand s'est poursuivie alors même que celle de Pierre Mauroy s'est stabilisée et que Jacques Delors – pourtant le père de la rigueur – et Michel Rocard restent les deux stars de l'applaudimètre des sondages.

Paradoxalement, plus Mitterrand parle pour se paraphraser sur la renaissance industrielle et l'effort économique, sans définir la politique globale qu'implique le plan de rigueur, plus ses interventions contribuent à précipiter sa chute dans les sondages. A chaque fois, une nouvelle déception s'ajoute aux précédentes, et c'est la crise majoritaire qui s'aggrave.

Depuis le premier plan de rigueur en juin 1982, Mitterrand ne s'est pas départi de sa position de départ : « La rigueur c'est une parenthèse nécessaire » plus ou moins longue, dès qu'elle sera refermée, on continuera sur la voie royale du socialisme inaugurée en 1981. C'est ce que les sémanticiens du régime ont appelé « la continuité ». Ce parti pris de communication a encore été aggravé par le deuxième plan de rigueur de mars 1983, présenté comme une sorte de prothèse financière imposée au socialisme français par une maladie du franc héritée de Giscard. Jacques Delors, autrefois ministre très politique, est cantonné dans un rôle officiellement technique : en supertechnicien, il est chargé de surveiller le bon fonctionnement de la prothèse. Et comme il faut prouver à l'opinion qu'il s'agit bien d'une parenthèse-prothèse temporaire, le plan de mesures ne sera habillé d'aucun discours politique ou social qui risquerait de laisser croire que la rigueur version Delors puisse être l'embryon d'un tournant du régime.

C'est délibérément que, pendant trois mois, Mitterrand s'est interdit de « politiser » la rigueur financière pratiquée par Jacques Delors, espérant toujours se ménager une porte de sortie. Il ne voulait surtout pas paraître engagé par cette stratégie économique de peur d'être obligé de se contredire au cas où il pourrait enfin mettre en œuvre la politique protectionniste qui avait sa préférence en mars 1983 et qui, intellectuellement, avait pour elle le mérite de la cohérence avec les deux premières années du septennat. Et puis le temps a passé et la rigueur s'est installée de manière irréversible : il ne fait alors plus de doute pour personne en juin que le plan Delors a été un tournant du septennat, que le président de la République a décidé de changer de politique. C'est évident pour une majorité de Français. Seuls Mitterrand, l'état-major socialiste, la direction communiste, et, naturellement, le chef du gouvernement affectent de croire le contraire.

Les Français se trompent pourtant. Il y a bien eu changement de politique en mars 1983, mais, paradoxalement, le Président n'y est pas pour grand-chose. Simplement l'opinion, en plébiscitant Delors à coups de sondage, semaine après semaine, a fini par imposer ce tournant historique au Président. Tout ce qu'il redoutait en s'engageant dans la politique de rigueur s'est finalement produit a contrario. Mitterrand doit en subir tous les inconvénients sans en tirer le moindre bénéfice. Il est pris à son propre piège : en plaidant la thèse rocambolesque de la « continuité », il se retrouve au bout du compte prisonnier de cette formule qu'il est condamné à traîner.

Le Président est maintenant sans illusions sur le recours à une « autre politique ». L'opinion en a décidé ainsi : les jeux sont faits.

A charge pour lui de rattraper la politique de rigueur, d'en assumer la paternité, de remplir les blancs laissés manquants depuis le printemps, tout en répétant inlassablement qu'il s'agit évidemment de la même politique qui continue.

De toute façon, une fois encore il n'a plus le choix. Son autorité politique finit par être mise en cause par la mise en œuvre de cette politique de rigueur qui s'impose à l'opinion contre sa volonté. Et cela se traduit dans l'efficacité relative du dispositif financier mis en place par Delors. Car l'absence de mobilisation gouvernementale et surtout présidentielle à son tour met en danger la politique de rigueur. A n'être qu'une prothèse, le dispositif technique du ministre des Finances risquait d'engendrer une véritable déflation de la création et de l'imagination. La rigueur, pour réussir, avait impérativement besoin d'une dynamique politique sans laquelle elle allait se caricaturer dans un remake du barrisme. Double instabilité, celle du Président et celle de la politique de rigueur. Mitterrand s'était donné une date limite pour faire enfin le choix qu'il différait depuis mars 1983 : il avait rendez-vous avec « la rigueur », le 8 juin, devant les caméras de télévision d'Antenne 2.

Le 8 juin, la rigueur, c'est moi!

« Il n'y a pas d'autre politique possible » : cette syntaxe a le mérite de la sincérité. En effet, il n'y a rien d'autre à faire : le Président n'aura pas eu à trancher ce nœud gordien, il l'aura laissé naturellement se dénouer tout seul.

Pourtant, il aura donné sa chance à « l'autre politique » défendue par Pierre Bérégovoy et Jean Riboud, en lui accordant un sursis de trois mois, pour acquérir la crédibilité technique qu'elle n'avait pas en mars 1983. Ce sursis a donné lieu à un scénario, celui de la parenthèse : pendant trois mois, Delors reconstitue les réserves en devises de la Banque de France et alors il sera possible de prendre la tangente du protectionnisme et de jouer en solo la partition économique de la France. Sans doute, Mitterrand s'est-il autoconvaincu de cette possibilité.

Mais à la fin mai 1983, la politique de rigueur, bien que délibérément bridée, avait fini par s'imposer dans les faits économiques eux-mêmes et plus encore dans l'opinion. Au fil des mois, elle avait gagné sa légitimité tandis que les partisans de « l'autre politique » avaient fait du surplace et n'avaient pas profité de cet invraisemblable sursis pour nourrir leur dossier. Le 8 juin, « la continuité » une nouvelle fois s'imposait, mais pour entériner la rupture de la rigueur.

En attendant, il aura fallu beaucoup de courage à Mauroy et à Delors pour résister à l'inertie manifestement hostile du Président et du parti. Aidés par les conseillers économiques de l'Élysée et par Jacques Attali, ils ont tenu bon face à la fronde socialo-communiste.

La séduction d'un raisonnement, la contrainte d'une situation ou l'urgence d'une décision ne suffisent pas à Mitterrand pour se lancer dans l'action. Encore faut-il qu'il soit intellectuellement convaincu de la pertinence de telle ou telle hypothèse. Manifestement, c'est le cas :

à preuve sa décision de courir les médias et de s'y faire enfin le propagandiste éclairé de la rigueur.

Restait à remettre les pendules à l'heure au PS et au PC. Le Président, au cours de son émission, a accompagné son engagement d'un avertissement aux responsables des partis de la majorité : il souhaitait en effet « qu'aucun responsable politique ne prenne le risque de couper l'élan national ». L'opinion est prise solennellement à témoin : toutes les déclarations hostiles au plan Delors seront considérées comme antifrançaises. Ce qui, dans sa bouche, a un sens très précis : ceux qui à gauche s'attaqueront à la rigueur seront coupables d'un crime de lèse-Président.

Le 8 juillet, la confession

Mitterrand cherche sa voix dans les médias. Il court d'une émission à l'autre, comme s'il tentait désespérément de rattraper le temps perdu. Car depuis le mois de juin 1983, il est soudain intarissable sur la politique de rigueur. Au printemps, le mot lui brûlait encore les lèvres, désormais, il le revendique afin que nul n'en ignore, exactement comme un père adoptif brandit fièrement sa brusque progéniture.

Il n'ignore évidemment pas l'effet désastreux produit par la semaine folle de mars 1983 et l'effet non moins désastreux de son long silence, après l'adoption du plan Delors. Pour convaincre après une aussi longue hésitation, il ne suffit pas d'argumenter, il faut donner des gages de sa sincérité.

Depuis deux mille ans, l'Occident pratique une méthode particulièrement efficace : le passage au confessionnal. Le vendredi 8 juillet, Philippe Bauchard, responsable économique à la rédaction d'Europe 1, collaborateur de *l'Expansion,* publie dans *Témoignage chrétien,* un hebdomadaire aux tirages discrets, le texte d'une conversation privée avec le Président. Ce journaliste a une réputation professionnelle éprouvée, qui ne le porte pas à abuser de la confiance de ceux qui se livrent à lui. Il ne s'agit pas d'une interview en bonne et due forme, mais son article est une longue succession de citations attribuées à Mitterrand et, selon le journaliste, clairement destinées à être « reproduites ». Philippe Bauchard, reçu par le Président – c'est loin d'être la première fois –, a ouvert son carnet de notes, a sorti son stylo, et le Président l'a laissé écrire sans faire la moindre remarque à ce propos.

Pour la première fois depuis 1981, mezza voce, Mitterrand reconnaît avoir commis plusieurs « erreurs ». Au moins cinq : « J'ai commis l'erreur de ne pas dévaluer en 1981. » « J'ai été porté par la victoire, nous avons été grisés. » « Nous avons, c'est vrai, peut-être rêvé en 1981. » « J'ai sous-estimé le rôle des lobbies, l'attachement de la France aux droits acquis, au corporatisme. » « Nous avons, c'est vrai, sous-estimé la durée de la crise internationale, comme j'ai surestimé la bonne volonté des Américains. Je n'attends plus rien de Reagan. »

« Faute avouée à demi pardonnée » : l'éducation chrétienne de Mitterrand et d'une grande partie de l'électorat est mobilisée pour redonner du crédit au verbe présidentiel.

En reconnaissant avoir commis plusieurs « erreurs », par ailleurs largement admises dans les cercles gouvernementaux, Mitterrand met en valeur sa capacité à comprendre la nature changeante des situations et donne de lui-même une image « lucide ».

Ces aveux calculés forcent le message : s'il reconnaît ses erreurs, cela signifie donc que son ralliement à la rigueur de Delors n'est pas de pure forme.

Mais cette confession cache en réalité une opération de chirurgie esthétique qui doit permettre à Mitterrand de changer enfin d'image, de rompre avec le style saint-sulpicien qu'il affectait depuis son arrivée à l'Élysée, un style qui, de toute évidence, jure avec le réalisme brutal de la rigueur.

L'aveu sur l'erreur de mai 1981 – la dévaluation jugée alors nécessaire – permet de révéler une qualité que les partisans de Mitterrand, et même ses amis, ne lui connaissaient pas : l'intuition économique. Et c'est cette « intuition » qui l'aurait conduit à se prononcer très tôt pour la rigueur : « Dès le printemps 1982, je voulais la politique de rigueur », de même qu'en mars 1983, « c'est moi qui ai imposé la rigueur à certains de mes ministres qui n'en voulaient pas ».

De toute évidence il s'agit d'un nouveau miracle de la chirurgie esthétique appliquée à l'Histoire. Non seulement Mitterrand n'avait jamais songé à faire une autre politique, à sortir du SME, comme le préconisaient Pierre Bérégovoy, Laurent Fabius et son ami Jean Riboud, mais il est l'inventeur véritable de la politique de rigueur. Et quand il répétait et répète encore que la politique gouvernementale se situait dans la « continuité » de la politique entreprise par les gouvernements précédents de Mauroy, il fallait évidemment comprendre qu'il s'agissait de la même politique depuis... juin 1982.

La plupart des grands hommes d'État ont passé l'essentiel de leur vie à s'attribuer des décisions qu'ils n'avaient pas prises, ou qui parfois l'avaient été contre eux. Mais en mobilisant toute leur autorité et leur énergie, tout leur savoir-faire, ils sont souvent parvenus à en faire des décisions historiques grâce à eux. C'est le cas.

Le 14 juillet, la grande mue

Au cours de sa traditionnelle conversation du 14 Juillet, cette année-là sous les arbres du jardin de l'Élysée, avec les animateurs du journal télévisé, Mitterrand évoque « la grande césure d'aujourd'hui ».

Certes, il lui était difficile d'user du mot « rupture », qui aurait été diversement apprécié dans les parties les plus crispées de sa majorité, malgré l'ampleur qu'il donne aux changements intervenus dans le premier semestre : à défaut de rupture, c'est bien d'une coupure dont il s'agit. Tout un arrière-plan douloureux dans ce mot que sa connotation poétique ne parvient pas à masquer. Même l'aisance déliée avec laquelle il se promène dans les médias contraste trop avec les propos incertains et les prestations parfois pathétiques du printemps pour qu'on n'y décèle pas la trace d'une crise intellectuelle profonde.

On ne passe pas d'un coup de baguette magique du projet socialiste de 1979 à la politique de rigueur et de modernisation – le mot fait alors plusieurs apparitions remarquées. Il ne suffit pas de changer de discours comme on change de costume : il faut trouver de nouveaux repères, exercer sa curiosité dans de nouveaux domaines, dans des sphères jusque-là délaissées de la connaissance, se frayer des raisonnements sans être certain de leur cohérence. Après, il faut turbiner cette nouvelle intelligence, la confronter ex abrupto à l'actualité.

Il n'est pas d'épreuve plus difficile pour un chef d'État que de changer de politique, c'est-à-dire de certitudes, et parfois même de valeurs. Nécessairement seul, face à la foule de ses partisans, de ses ennemis, et surtout de tous ceux qui sont passés de la déception à l'hostilité. Généralement, une telle opération se fait à la suite d'une alternance, dans l'atmosphère plus calme et moins stressante de l'opposition. Mais au pouvoir, il faut maîtriser des centaines de paramètres aussi décisifs les uns que les autres, défaire un édifice entier qui a pris des années parfois et le reconstruire selon de nouveaux plans qui intègrent toutes les données nouvelles. Il faut alors l'inspiration fulgurante de ces généraux qui, au cours de la bataille, sous le feu meurtrier des offensives ennemies, bouleversent sur-le-champ leur stratégie, en envoyant promener tous les manuels de guerre. Et qui, au bout du compte, remportent la victoire.

Mitterrand n'y est pas parvenu d'un seul coup. Il lui aura fallu près d'une année d'incubation (juin 1982-juillet 1983) pour mesurer l'ampleur du bouleversement en cours. Et une année surtout pour s'en assurer la maîtrise, à la fois stratégique – sur le moyen et le long terme – et tactique – sur le court terme.

Et, au sortir de cette longue crise, Mitterrand se voit contraint de multiplier les mises au point, de faire en urgence tous les réglages.

Au fil de ses propos champêtres, il est tout à fait extraordinaire que le Président ait tenu à dire qu'il avait changé d'avis sur la dissuasion : « J'ai moi-même, dans d'autres circonstances, il y a bien longtemps, estimé que d'autres stratégies seraient possibles. Mais c'est notre seul moyen de défense... »

Cette confidence publique visait tout particulièrement Georges Marchais, accusé de « se tromper de route », et qui de la sorte se met en dehors de cette « volonté largement majoritaire en France » pour laquelle il est impératif que « la France puisse disposer des moyens d'empêcher la guerre, de dissuader la guerre ». La bataille des Euromissiles se prête évidemment à ce genre de considérations. Mais le carton rouge dont hérite le chef communiste ne vise pas uniquement ses positions prosoviétiques sur les problèmes de défense : c'est sur le fond que les communistes « se trompent de route ».

Une nouvelle valeur – liée à la politique de rigueur et de modernisation – vient d'être introduite par le Président : « les vainqueurs ». Ce seront les nouveaux héros du septennat : industriels entreprenants, exportateurs pugnaces et imaginatifs, ceux qui « sont capables de montrer le chemin aux autres », ceux qui « ont la volonté de créativité, de compétence et d'efficacité ». Ce n'est pas la première fois qu'il fait l'éloge des chefs d'entreprise efficaces. Mais, dans ses précédents discours, cela avait la teinte d'une pièce rapportée. Désormais, il en parle à la première personne : il est directement concerné par cet axiome autour duquel il entend réorganiser tout son discours.

Pour Mitterrand, une crise s'achève : la sienne.

Le 15 septembre : à l'Enjeu *la crise en face*

Les émissions télévisées sont, avec ses voyages, les vrais repères du règne de Mitterrand. On va de l'une à l'autre comme dans un jeu de piste, car cet homme du verbe ne cesse de courir après son image. Comme si la prise précédente le laissait insatisfait, comme si l'image précédente n'avait pas voulu de lui, il revient à la charge à la recherche d'un reflet de lui-même qui enfin ne le trahisse pas. Curieusement, d'une émission à l'autre, Mitterrand n'est jamais le même : obsédé par son réglage idéologique, il ressemble à ces personnages de théâtre perpétuellement en quête d'auteur. L'étrange, ici, c'est que l'improvisateur, c'est lui!

L'émission économique de François de Closets : *l'Enjeu*, dont le Président est la vedette, sera une date clef dans l'année 1983 : c'est le point d'orgue d'une mutation politique profonde, le premier test positif d'une prise de conscience toute neuve.

Entre le Mitterrand de 1981 et celui de *l'Enjeu*, il n'y a que deux ans, mais en réalité l'abîme qui sépare deux époques qui ne se ressemblent pas, qui ne parlent plus la même langue et n'aiment pas les mêmes choses.

En 1981, le Président incarnait les valeurs dominantes de la société française, il était porteur d'une espérance qui n'était pas le socialisme, mais la croyance forcenée dans la possibilité de contourner la crise économique mondiale. La France avait peur de changer et c'est pourquoi elle avait élu Mitterrand.

Or, lorsque tout au long de cette année 1983 on regardait du côté de l'Élysée, on y apercevait un spectacle étrange : celui d'un chef d'État aux prises avec lui-même, affrontant, face à la foule télévisée et à l'opinion, ses propres illusions, hésitant à faire des choix drastiques, déchiré entre les mots d'hier et ceux d'aujourd'hui, prisonnier d'un système de pensée qui s'effritait sans pour autant pouvoir se raccrocher à un autre plus pertinent, cherchant ses repères comme un myope ses lunettes, se cognant à des réalités jusqu'ici inconnues ou pratiquement telles par l'essentiel de la classe politique. L'incapacité de communiquer qui fut celle de Mitterrand était bien la preuve de la profondeur de ce drame : le Président allait-il réussir enfin à gouverner cette mutation culturelle ?

L'Enjeu fut la première émission réussie de Mitterrand depuis le début de la longue crise présidentielle, en juin 1982.

Au cours de ce face-à-face avec « la crise » deux engagements ont été pris qui ont valeur de déclaration de guerre économique : la désindexation des salaires et des prix et la baisse des impôts à partir de 1985.

Il ne s'agissait plus de discours, mais d'une date historique : celle d'une rupture qui ne concerne pas simplement la gauche, mais toute la classe politique. La société française a vécu sur ces deux dogmes incontournables : l'indexation des salaires et des prix et la fuite en avant budgétaire. Or, ces deux manettes commandent le cours de l'économie française comme un aiguillage commande le trafic ferroviaire.

Avant 1981, une telle annonce aurait provoqué une émeute, dont le chef de l'opposition d'alors aurait naturellement pris la tête. Or il est devenu président de la République parce que les Français craignaient d'avoir à en passer par ce genre de mesures.

Il a imposé, comme seul un Président de gauche pouvait le faire, la rupture avec l'État providence, pensé et défendu comme l'assurance tous risques contre les accidents provoqués par la crise économique. Il est clair qu'en mars 1983, la France a rompu avec sa tradition politique. L'alternance politique a effectivement eu lieu en 1981, mais c'est en 1983 que la France a changé d'époque.

5.

La rechute

Hiver 1983-1984

Le 4 octobre, le poison constitutionnel

La Constitution de la Ve est-elle empoisonnée?

L'absence des dirigeants de la majorité aux cérémonies du vingt-cinquième anniversaire de la Constitution gaulliste, c'est tout un programme. L'opposition, en prenant cette initiative, mettait l'Antéchrist constitutionnel que fut Mitterrand en situation délicate. Les héritiers du Général vivent dans un sentiment de spoliation. Que l'homme qui a le plus combattu cette Constitution en soit aujourd'hui non seulement le gardien mais « l'esprit vivant » passe à leurs yeux pour une de ces facéties sinistres dont l'Histoire est coutumière. Pourtant, c'est bien l'alternance effectivement « tranquille » de 1981 qui a achevé de donner au texte républicain de 1958, modifié en 1962, l' « aura » démocratique qui en assurera l'avenir, à défaut d'une pérennité toujours plus aléatoire. La victoire socialiste de 1981 lave la Constitution de ce que Mendès France appelait en 1958 « le crime de mai » : elle cesse d'être suspecte dès lors qu'elle banalise l'alternance, que la France peut changer de majorité sans pour autant changer de Constitution.

Pour la Constitution de la Ve, la victoire socialiste de 1981 est une co-naissance. Et, à ce titre, il appartenait aux dirigeants socialistes de revendiquer leur attachement à ce texte et de le clamer bien haut.

Interrogé sur les raisons de cette absence, Lionel Jospin a eu cette phrase : « Je trouve agréable – en plus utile, parce que ça permet à la gauche d'avoir la durée – que cette Constitution faite contre nous finalement nous serve. » Ce qui caractérise le plus le premier secrétaire du PS, c'est son apparente candeur. Un texte constitutionnel peut-il être à la fois négatif par essence mais circonstanciellement bon? Répondre affirmativement à cette question, c'est admettre à rebours la nécessité de lois d'exception.

Comment s'étonner après ce genre de déclaration que les socialistes soient aussi facilement accusés par leurs adversaires de duplicité? La pratique du double langage est au cœur du système de pensée mitterrandien et à ce titre marque profondément le discours socialiste.

Il est évident que Mitterrand a épousé avec passion ce texte dont il connaît le moindre souterrain. Elle lui va d'ailleurs comme « un gant », cette Constitution qui instaure un véritable monopole de commandement et permet au chef de l'État d'être vraiment « souverain en toutes choses ». De Gaulle dans ses Mémoires répète à plusieurs reprises : « Je suis puissant et solitaire »; constat orgueilleusement amer auquel fait écho la litanie tout aussi orgueilleuse de Mitterrand : « Je suis tout seul. » La rencontre d'un tempérament volontariste comme de Gaulle ou Mitterrand, et d'un texte aussi pyramidal dans l'organisation des pouvoirs produit inévitablement cette solitude qui glace toute vie politique autour d'elle.

Ce raidissement de la vie politique et sociale est inhérent à la Ve République : le glacis tente de se reformer chaque fois. Plus Mitterrand présidentialise l'exercice de sa fonction, plus il se moule et moule ses partisans dans la Constitution et plus il contribue à dépolitiser la société française et, par voie de conséquence, sa majorité. Or cette majorité est naturellement plus souple, plus sensible aux mouvements sociaux et aux troubles culturels qui affectent une société en mutation que ne l'étaient les précédentes.

Il est logique que le Parti socialiste en souffre plus qu'un autre face à Mitterrand et à la « révolution de la rigueur », au point d'en devenir le parti de la crispation.

La préparation du congrès du Parti socialiste de Bourg-en-Bresse est à l'image du mouvement irrésistible qui dévore inlassablement la périphérie présidentielle et pousse ainsi à la transformation du parti majoritaire – pluraliste par essence – en parti mitterrandiste où tous les courants, toutes les sensibilités sont promis à une motion de synthèse générale qui fait du soutien au président de la République la pierre angulaire de l'orientation du parti.

La gauche non communiste est traditionnellement dominée par une culture faite de débats, de discussions, de confrontations et de partage des responsabilités. Le cœur de l'engagement de gauche, c'est cette philosophie du partage. C'est d'ailleurs au nom du partage des pouvoirs, donc des responsabilités, que Pierre Mendès France a pris position en 1958 contre une Constitution qui instaurait justement un régime présidentiel.

La majorité avait l'occasion, avec cet anniversaire, de prouver à la France entière que l'alternance n'était pas un accident mais une normalisation de la vie politique, telle que majorité et opposition partagent en fin de compte en commun au moins une chose sans laquelle il n'y a pas de vie démocratique possible : la référence à une même organisation de la vie en société.

Si les électeurs ont pris le risque de porter Mitterrand à l'Élysée en 1981, c'est parce qu'ils faisaient confiance à la Constitution qui lui assurait, y compris par rapport à ses alliés communistes, une certaine liberté. L'absence de la majorité socialiste aux cérémonies du vingt-cinquième anniversaire ne peut signifier qu'une chose : les socialistes ne veulent décidément rien partager avec l'opposition, même pas la Constitution. Ce faisant, ils laissent entendre de ce simple fait qu'ils n'auraient pas renoncé à une transformation *radicale* de la société.

Le malheur veut que cette célébration tombe en pleine préparation du congrès du Parti socialiste, alors que la contradiction va s'aggravant entre les partisans de la rigueur et ses adversaires. Au point que deux discours « socialistes », officiels mais divergents, coexistent dans les propos des principaux dirigeants de ce parti, malgré l'engagement du Président pour la politique de rigueur.

Or en vingt-cinq ans, les Français ont acquis une grande connaissance du fonctionnement de cette Constitution. Ils savent que le Président, s'il le désire, s'il le veut, peut mater une rébellion d'une partie de ses troupes. S'il ne le fait pas, c'est soit qu'il n'en a pas le courage, soit qu'il adhère secrètement aux thèses des « rebelles ». La troisième hypothèse est la pire, le Président joue sur les deux tableaux parce qu'il ne sait pas quoi faire et gère le pays au jour le jour, de crise en crise, sans savoir vers quel rivage politique « la rigueur » l'entraînera.

Le 30 octobre, le verrouillage du congrès de Bourg-en-Bresse

Le congrès de Bourg-en-Bresse fut conçu comme une machine de guerre dirigée contre le PCF. Elle s'est retournée dramatiquement contre le gouvernement.

Au départ cela ressemblait au réglage d'un mécanisme d'horlogerie : la grande roue PS avait plusieurs dents qui divergeaient de telle sorte que la pression qu'elle exerçait sur la petite roue communiste perdait de son efficacité. Résultat, la petite roue communiste flottant sur son axe déchirait allègrement des pans entiers de l'action gouvernementale. Aussi était-il nécessaire pour Mitterrand de renforcer au plus vite la roue socialiste afin qu'elle puisse « recentrer » le PCF. Cela passait, certes, par un alignement des leaders socialistes sur le soutien à la rigueur.

Comme certains dignitaires socialistes réunis à Bourg-en-Bresse n'avaient pas très bien compris le message élyséen, Mitterrand s'était donc transporté à Cluny, non loin de la capitale provisoire des socialistes, afin d'être mieux à même d'expliquer aux empêcheurs de synthétiser en rond que l'avenir était en jeu. Cette leçon de dernière minute a porté ses fruits, puisque tous les courants ont proclamé le front uni contre le PCF.

Les libertés prises par le PCF à l'égard du gouvernement et de Mitterrand avaient été rendues possibles grâce à la brèche ouverte au sein même du parti dominant par les adeptes d'une « autre politique », les vaincus de mars 1983, dont certains, tels des demi-solde, n'avaient toujours pas désarmé. Avant de mettre les dirigeants communistes au pied du mur de l'union « pour le meilleur et pour le pire », il convenait de verrouiller le PS autour d'une « seule » politique.

Pour enfermer le PC, Mitterrand et le PS disposaient d'un atout, un seul, le même depuis 1981 : l'impossibilité pour les communistes de prendre l'initiative de la rupture avec les socialistes. Et toute la stratégie du bureau politique consistait au contraire à rendre la vie insupportable à Mitterrand, de telle sorte que ce soit lui qui « craque » le premier et se sépare d'eux.

Pour avoir pris l'initiative de la désunion lors des réunions de réactualisation du Programme commun en 1977, le PCF a perdu, en 1981, des pans entiers de son électorat. La leçon a été retenue place du Colonel-Fabien : ce n'est pas le PCF qui prendra l'initiative de mettre fin à la fiction de l'union de la gauche. Depuis mars 1983, le PCF voit enfin le bout du tunnel : la gauche perdra les élections législatives de 1986, la responsabilité en incombera aux socialistes, et les communistes, qui, loyalement, auront multiplié les avertissements, pourront alors reprendre leur liberté et partir à la reconquête de leur fonds de commerce électoral.

De cette perspective une tactique s'est déduite : les ministres communistes avalaient les couleuvres tandis que la direction du PC ruait dans les brancards. Formellement, le PC reste fidèle à l'union : en réalité, il précipite l'échec. Ce double jeu a été facilité de manière imprévue par tous ces dignitaires mitterrandistes qui, depuis mars 1983, passaient leur temps à mettre des bâtons dans les roues de la rigueur sans que Pierre Mauroy parvienne jamais à imposer la moindre discipline dans les rangs socialistes.

Voilà pourquoi il importait d'aligner le PS sur la rigueur, de force au besoin. Tel était l'objectif du congrès de Bourg-en-Bresse.

Le Président ne désire pas la rupture avec le Parti communiste, qu'il souhaite alors entraîner, pieds et poings liés, par les fils de la solidarité gouvernementale jusqu'aux législatives de 1986. La rigueur n'était pas prévue au programme, c'est le moins qu'on puisse dire.

Son adoption par le gouvernement en mars 1983, l'engagement du Président au début de l'été qui a suivi ont fait l'effet d'une overdose de drogue dure aux dirigeants communistes. Le gouvernement de la gauche « unie » est devenu un calvaire pour le PCF, un chemin de croix que bon nombre de dirigeants communistes vivent comme mortel à terme. L'union de la gauche sous la houlette de Mitterrand, c'était déjà insupportable, mais le PCF piégé acceptait de subir en attendant l'échec socialiste; la rigueur, la désindexation des salaires et des prix, la baisse des impôts, tout à la fois c'est trop. D'autant que les dirigeants communistes sont suffisamment roués pour savoir que le pire pour eux est encore à venir.

Il ne suffit pas de cogner sur le PCF pour qu'il se couche : ce théorème mitterrandiste était dans toutes les têtes à Bourg-en-Bresse. Pour que les communistes acceptent d'avaler les couleuvres éléphantesques de la nouvelle politique économique, il fallait mettre de la vaseline idéologique. C'est ainsi que Mitterrand et Mauroy décidèrent de se lancer dans la « bataille des libertés ». C'est-à-dire de relancer les projets de loi sur l'école privée et sur la presse.

Pour faire passer la rigueur au PCF, comme au PS d'ailleurs, Mauroy préconise un regain d'union de la gauche sur les libertés, un terrain sur lequel le PS estime qu'il exerce un monopole. A défaut d'avoir le monopole du cœur, les socialistes sont convaincus qu'ils gardent le monopole exclusif du commerce des libertés dans l'Hexagone.

En clair, il s'agit de monnayer la rigueur contre une regauchisation de l'action gouvernementale. La gauche de 1983 reste la gauche de 1981, identique à elle-même; la preuve, elle va s'attaquer à l'école privée et à l'empire Hersant.

Cette décision illustre parfaitement le drame politique de Mitterrand. A Bourg-en-Bresse, par Jospin et Mauroy interposés, il rame pour réparer son « erreur » de mars 1983 et donner du contenu à la « continuité ». Et, à partir de là, tout s'enchaîne inexorablement.

Empêché de faire la politique économique pour laquelle il s'était prononcé personnellement – l'autre politique, celle de Pierre Bérégovoy, de Jean-Pierre Chevènement et de Jean Riboud –, Mitterrand doit subir la rigueur. Il ne s'y engage pas, limite Delors à un rôle technique, et conserve Mauroy, se réservant de rompre au début de l'été pour faire enfin « sa » politique. Les partisans de « l'autre politique » au sein du PS se sentent donc légitimés à multiplier les assauts contre Pierre Mauroy et Jacques Delors. Ils ne s'en privent pas. Pour la direction du PCF, c'est pain bénit, il suffit de coller aux Christian Goux, aux André Laignel et aux chevènementistes pour « cogner » contre la politique de « rigueur ».

Quand Mitterrand se résout enfin à la « rigueur » et qu'il comprend intimement que c'est la seule politique possible, trois mois ont passé et la situation s'est politiquement dégradée. Au regard de la rupture induite par la politique de rigueur, garder Mauroy était une erreur. Mitterrand peut revendiquer avoir fait le bon choix économique en mars mais à cause de cette hypothèque il ne peut capitaliser les bénéfices du sérieux de la gestion socialiste. A mesure que le temps passe, le Président acquiert la certitude que le « choix » de la rigueur restera comme un tournant capital dans l'histoire moderne de la France. Seulement voilà, il n'est pas encore en position d'en profiter. Il ne suffit pas de le proclamer pour qu'on l'en croie l'auteur.

En juin, lorsqu'il se fait le propagandiste de la rigueur, il aggrave le désarroi dans les rangs socialistes. C'est dans ce contexte que se prépare le congrès de Bourg-en-Bresse, rendez-vous obligé d'octobre. Mitterrand confie alors à ses proches qu'il se donne jusqu'à décembre pour changer de Premier ministre : « J'ai cru, dira Mitterrand peu avant le congrès, que le gouvernement reviendrait dans l'opinion. Manifestement il est usé, et je ne peux plus attendre encore trop longtemps. »

A aucun moment Mitterrand n'envisage de faire de ce congrès celui d'un quelconque aggiornamento. Ni le Président, ni les dirigeants socialistes ne sont prêts à tirer les conséquences « libéralisatrices » de la politique économique engagée en mars. Mais le voudraient-ils qu'ils ne le pourraient pas : ce serait faire la part trop belle aux communistes qui pourraient enfin reprendre leur liberté. Et comme Mitterrand a décidé de garder Mauroy, au moins jusqu'en décembre, il comprend que son Premier ministre, très affaibli, très contesté au sein même du Parti socialiste, veuille tenter de s'offrir auprès des militants une nouvelle légitimité de gauche. C'est le prix à payer pour son maintien à Matignon. Pour se refaire, Mauroy doit faire lui aussi de la surenchère idéologique.

Dans les sous-sols de la culture socialiste, il n'y avait que l'embarras du choix pour satisfaire ce besoin de réaffirmer la vieille identité, celle du Parti socialiste version 1981. Tout y pousse : Mitterrand comme Mauroy, déséquilibrés depuis mars 1983, ne peuvent plus échapper aux conséquences du non-choix de mars 1983. Et pour arrimer le PS et le PC à la rigueur, cette fois ils doivent payer le prix fort. Somme toute, la nationalisation de l'enseignement est inscrite dans les statuts du Parti socialiste, et on fera difficilement passer Hersant pour un démocrate. Une fois encore, avec ce dispositif, Mitterrand se convainc qu'il gagne du temps : il apaise le PS, enferme le PC, rassure « le cœur de l'électorat » de gauche, il peut désormais s'engager plus à fond dans la rigueur, passer à une vitesse supérieure, se consacrer entièrement à la modernisation industrielle et à l'Europe.

Le plus étrange chez Mitterrand, c'est la constance : chaque fois qu'il croit gagner du temps sur un plan, il en perd sur un autre sans s'en apercevoir; chaque fois qu'il met en place une machine infernale pour piéger ses adversaires, il semble superbement ignorer que ce piège, en fonctionnant, lui infligera des blessures douloureuses. Pourtant, tous les pièges mitterrandiens ont en commun de faire du Président un otage ou un appât; et cela ne va pas sans risques personnels. A chaque fois pourtant, il semble prendre le même plaisir masochiste à s'y résigner.

Le 7 novembre, les dimanches noirs de la fraude

Dans un système politique comme le nôtre, où la seule légitimité qui compte est celle conférée par le suffrage universel, les urnes sont sacrées.

Et il n'est de pire crime que la fraude électorale. Un empoisonnement criminel ou un kidnapping sont des actes atroces, mais ils n'attentent pas fondamentalement au contrat social qui est à la base de l'organisation générale de la société. La fraude électorale en revanche attaque la légitimité. Elle en ruine la représentation et jette la suspicion sur le contrat lui-même. Un kidnappeur est en général un malade, un fraudeur est un homme conscient qui veut truquer l'expression de la volonté générale. On ne comprendrait pas qu'un kidnappeur soit condamné à la réclusion criminelle à perpétuité et qu'un fraudeur soit absous.

D'autant que la croyance dans les vertus du système démocratique est devenue une valeur refuge en constante augmentation. Alors que nombre de valeurs sont étrillées par la grande mutation mondiale, la valeur démocratique s'envole. La manière paisible dont s'est produite l'alternance politique de 1981 n'a fait que conforter cette croyance.

Au surplus, les socialistes avaient sur leurs adversaires une sorte de bonus moral : ils allaient de toute évidence moraliser l'appareil d'État et la pratique gouvernementale. L'ancienne majorité était restée vingt-trois ans au pouvoir, c'était trop long et cela entraînait inévitablement des réflexes abusifs.

La fraude électorale pratiquée en grand, en mars 1983, par des élus communistes, en particulier dans la banlieue parisienne, a fait le même effet qu'une vague d'attentats criminels. De nombreuses élections ont été invalidées et les électeurs de ces communes doivent retourner aux urnes. Pendant l'hiver 1983-1984, il y aura ainsi une municipale partielle pratiquement chaque dimanche.

Elles seront toutes, ou presque, catastrophiques pour la majorité.

L'électorat, y compris l'électorat de gauche, a massivement voté contre les fraudeurs. Les électeurs mitterrandistes et modérés, qui dans certaines municipalités votaient communiste parce que, socialement, cela s'apparentait au vote utile, se sont abstenus ou ont reporté leurs voix sur des listes d'opposition.

L'attitude du PC s'explique, à défaut de se comprendre : les candidats suspectés ont été maintenus coûte que coûte afin de ne pas accréditer la thèse du complot de la fraude. Par contre, l'attitude du gouvernement socialiste et du PS a jeté la consternation dans son propre électorat. Que « le parti de la moralisation de l'appareil d'État et de la vie politique » adopte un profil bas et se refuse à traîner les fraudeurs devant des tribunaux ou, à tout le moins, à exiger des explications publiques de la part de leur allié communiste en disait long sur l'attachement du PS à l'union de la gauche. Le PC était peut-être verrouillé à double tour dans le gouvernement de la rigueur, mais les geôliers socialistes ne pouvaient pas se désolidariser de leurs prisonniers. Je te tiens, tu me tiens pas la barbichette. L'union de la gauche avait un prix, on le savait, ce qu'on ignorait, c'est qu'il faudrait le payer en espèces « morales ».

Rien en effet ne contraignait le PS à passer l'éponge sur la fraude. C'était au contraire une occasion inespérée pour eux de montrer qu'ils ne dépendaient pas des communistes, qu'ils ne transigeaient pas sur le fond.

Il faut croire que Mitterrand et les siens redoutaient le départ des communistes au point d'avoir finalement accepté de couvrir les fraudeurs communistes, sans même exiger que les élus douteux soient au moins remplacés par d'autres moins soupçonnables. Ce calcul cynique et médiocre a été ressenti, notamment dans l'électorat de la gauche non communiste, comme un aveu de faiblesse, qui a terni l'image a priori « morale » des socialistes. Comme le gouvernement socialiste n'entendait pas poursuivre les fraudeurs, les électeurs s'en sont chargés par un vote explicitement « punitif », en dehors de toute autre considération relative à la rigueur ou à la xénophobie ambiante.

Même l'apparition parfois soudaine d'un électorat d'extrême droite dans les scrutins est due en partie à cette réaction antifraude. La fraude communiste a été un agent coagulant pour un électorat aigri.

Il faut ajouter que le Front national est apparu à beaucoup d'électeurs comme *le nouveau front du refus de la rigueur*, tandis que l'opposition parlementaire (RPR-UDF) était assimilée de fait à cette politique de rigueur. « Barre ou Delors, c'est bonnet blanc et blanc bonnet », ou : « La bande des quatre : tous pourris. » Les slogans du Front national ne font pas dans la dentelle. Autrefois, c'était le PC qui dans l'opposition animait ce front de refus. Prisonnier du gouvernement de la rigueur, qui plus est, accusé de fraude (un comble!), il en était doublement empêché, et c'est naturellement un autre parti antidémocratique qui pouvait seul ramasser une telle mise démagogique. Avec la gauche au pouvoir, alors que l'opposition digère toujours aussi difficilement sa défaite de 1981, il était logique que ce parti de l'opposition extrême du refus radical soit situé à l'extrême droite.

Le 14 décembre, hersantophobie

A la tête de ses troupes parlementaires, Pierre Mauroy est venu défendre son projet de loi sur la presse.

Il a prévu, comme tout général qui se respecte, une Blitzkrieg avec session extraordinaire du parlement en janvier pour arracher un vote dans les plus brefs délais, afin de faire bouillir la marmite de l'idéologie socialiste sans désemparer.

Mauroy est d'autant plus pressé qu'il ne sait pas encore le sort que lui réserve le Président. Il pense à sa sortie : il la veut pure, de gauche et triomphale, comme une embellie.

Le chef du gouvernement en l'occurrence se soucie fort peu de la presse quotidienne. Ce qu'il recherche, c'est une victoire idéologique facile et rapide sur un adversaire dont il voit mal alors qui pourrait bien prendre sa défense. Cet adversaire, c'est Robert Hersant. L'objectif est de limiter la croissance de son empire de quotidiens, alors que ceux-ci ne servent pas à l'opposition de machine de guerre électorale. Les méthodes utilisées par Robert Hersant sont, pour Pierre Mauroy, moralement indéfendables. La majorité a donc tous les atouts pour elle : la morale et la liberté, c'est-à-dire la défense du pluralisme de la presse.

Dès que les dispositions du projet de loi furent connues, il n'y avait plus d'ambiguïté possible : ce texte ignorait trop les réalités effectives du marché de la presse quotidienne pour être innocemment passable. Techniquement bâclé, il devait être retiré et repris après consultation systématique des professionnels. Comme le gouvernement ne l'entendait pas de cette oreille et qu'il ne jurait que par sa « bataille des libertés », il apparaissait alors évident que la finalité de ce texte n'était que politique. Il s'agissait de priver l'opposition d'un instrument de presse trop puissant, à tout le moins de raboter cette puissance pour la seule et unique raison que celle-ci était en faveur des thèses du RPR et de l'UDF. Il était aisé à l'ancienne majorité de montrer – grâce notamment à la presse de Robert Hersant – que le projet de loi voulait, non pas créer de nouvelles libertés comme Pierre Mauroy le disait, mais, au contraire, limiter la liberté de l'opposition et, à travers elle, la liberté de construire un groupe de presse.

Alors que le gouvernement était déjà suspect de vouloir s'attaquer à la liberté scolaire, le projet de loi sur la presse eut l'effet d'un catalyseur sur l'opposition. Libérée de tout complexe à l'égard des libertés, ses porte-parole purent opposer à cette occasion un libéralisme à peine redécouvert – la liberté par et pour le marché – à la conception, disons « étatique » des libertés que défendaient encore les socialistes.

L'opposition touchait là le point sensible : et pour cause, le grand absent de ce projet de loi, c'était justement le marché de la presse quotidienne. Non seulement la gauche faisait l'impasse sur la réalité d'un marché sur laquelle elle avait de toute évidence oublié de se pencher, mais en plus elle s'attaquait à Robert Hersant, c'est-à-dire à celui qui passait peu ou prou auprès des professionnels de la communication pour le seul vrai industriel de la presse quotidienne. Le gouvernement ne s'attaquait pas à un pithécanthrope du capitalisme, mais à un « moderne », le premier depuis longtemps qui traitait la presse aussi comme une industrie soumise, comme toute activité productive, à des normes de rentabilité. Bref, quelqu'un qui n'avait pas attendu la rigueur pour restructurer à sa manière le marché. Toutes choses que reconnaissait d'ailleurs le Président, au cours d'un entretien (2 novembre 1983). « J'ai connu Robert Hersant à la FGDS, il était d'un commerce agréable. Aujourd'hui, c'est un capitaine d'industrie audacieux, avec la brutalité de ses audaces. »

Ce projet de loi conçu pour faire reluire l'idéologie socialiste modèle 1979 (version congrès de Metz) se retourna contre le gouvernement en prenant à contrepied le discours sur la modernisation des entreprises, la restructuration des marchés et la nécessaire rigueur financière par laquelle l'État entendait montrer l'exemple. Une loi sur la transparence et sur le pluralisme était nécessaire, mais pas celle-là, qui ignorait la réalité : la presse quotidienne est sous-développée en France, à la différence de tous les grands pays industriels. A aucun moment les auteurs du projet ne se demandèrent pourquoi.

Quitte à s'attaquer aux monopoles dans la presse, il eût été plus logique de s'attaquer à ceux qui sont en partie la cause de l'archaïsme de ce marché : à commencer par celui de l'audiovisuel (monopole d'État), jusqu'aux monopoles de presse régionaux.

Dans la logique de sa politique de rigueur, il lui appartenait de se faire l'apôtre d'une libéralisation de l'économie et, puisqu'il était engagé sur la presse, il eût été bienvenu de faire un projet de loi qui aurait eu pour principale préoccupation de rétablir les conditions minimales de la concurrence.

Le 14 mars 1984, la course au compromis scolaire

Depuis la fin de 1982, lorsque le ministre Savary s'attaque à la question scolaire, le gouvernement n'a qu'une obsession : trouver un compromis avec la hiérarchie catholique. Cela passe par une négociation dont Mitterrand, dès le début de son septennat, avait dit à son ministre de l'Éducation nationale qu'elle serait marathonienne et prendrait sans doute des années. D'emblée, le Président avait choisi son interlocuteur : la hiérarchie catholique, et il allait de soi pour lui que l'objectif de la négociation était d'éviter à tout moment le dérapage dans la guerre scolaire. A l'époque, il redoutait plus l'ardeur des militants de la laïque que ceux des défenseurs de l'école privée. Alain Savary avait une consigne absolue : ne jamais rompre le fil de la négociation, éviter toute provocation inutile qui pût contraindre les dignitaires catholiques à rompre.

Au début du septennat, le rapport de forces était clairement en faveur de la gauche et il semblait au Président qu'il était préférable de faire durer la négociation afin de ne pas avoir à subir la pression de la gauche laïque. Il supposait alors que son rôle historique consistait à défendre les intérêts de l'enseignement privé face à sa majorité, qui risquait, surtout dans les premiers mois, d'abuser à tout moment de ses pouvoirs.

La laïque : tout un symbole. Mitterrand dira un jour de lassitude : « J'en ai hérité avec le Parti socialiste. » Finalement, pour lui comme pour Mauroy et la plupart des dirigeants socialistes, dans le fond, il n'y avait pas de problème scolaire, mais une vieille et venimeuse affaire française à laquelle il fallait mettre un terme. Il était entendu pour la plupart des leaders de la majorité que la hiérarchie catholique était assez lucide pour avoir elle aussi intérêt à un compromis scolaire rendu inévitable par l'alternance. Dès lors que les uns et les autres y avaient intérêt ce n'était plus qu'une affaire de temps et de doigté.

En 1982, la « lenteur » était même revendiquée comme la condition du succès.

Mais, à mesure que le temps passait, que le rapport de forces s'érodait, que l'exécutif perdait de son autorité, les termes mêmes du compromis changeaient et, sauf à perdre la face, les responsables de la hiérarchie catholique, Mgr Lustiger et Mgr Vilney eux-mêmes, ne pouvaient plus accepter cette « nationalisation symbolique » que leur proposait le gouvernement. Puis l'enseignement catholique a fini par descendre dans la rue, avec un bonheur grandissant, à la stupéfaction générale de la majorité.

Là encore, la gauche incantatoire à l'honneur au congrès de Bourg-en-Bresse a précipité les événements en flirtant avec le spectre de la guerre scolaire. A tel point que Mauroy, engagé au congrès socialiste dans l'opération « reconquête de l'opinion socialiste », envisageait même d'appeler à une « gigantesque » manifestation de rue pour soutenir l'action du gouvernement en faveur des libertés, pour défendre le projet Savary et le projet de loi sur la presse.

Il faudra toute la persuasion de Mitterrand pour que le chef du gouvernement renonce à un projet qui aurait rendu toute négociation avec la hiérarchie catholique impossible.

La majorité voit donc la rue lui échapper, et avec elle le monopole qu'elle exerçait sur les libertés. Le mouvement pour la défense de l'école privée, devenu au fil des mois et des manifestations le mouvement pour « l'école libre » (tout un symbole), a désormais l'initiative. C'est à la hiérarchie catholique qu'il appartient alors de tout faire pour sauver la face d'un gouvernement socialiste sous lequel le sol ne cesse de se dérober.

C'est le sens qu'il faut donner au compromis incertain auquel les négociateurs parviennent à la mi-mars 1984 : il s'agit pour les uns et les autres de se débarrasser au plus vite de cette machine infernale [1] en « priant le ciel » que personne n'aille la rechercher.

Il y avait un grand absent dans le projet de loi sur la presse : le marché de presse quotidienne. Cette fois, c'est la réalité scolaire qui fait défaut. Il a fallu les grandes manifestations du privé pour que le gouvernement et les socialistes commencent à comprendre que c'était finalement l'école elle-même qui était en jeu, et plus du tout le symbole qui, lui, avait cessé de faire recette depuis longtemps.

1. Le compromis sera finalement rejeté par l'enseignement catholique.

6

Le maître de la guerre

Des Euromissiles au Tchad
en passant par le Liban :
les embuscades de 1983

Le 24 août 1983... L'imbroglio tchadien

On se bat au Tchad depuis le mois de février 1983. Hissen Habré a repris son oasis nordique Faya Largeau le 30 juillet, avec un contingent de mercenaires recrutés par la DGSE. Et puis, sous la pression des bombes libyennes, ils ont battu tout de suite en retraite. Une semaine plus tard, le 10 août, Mitterrand déclenche l'opération Manta : l'envoi du contingent français au Tchad. On ne sait pas dans quel but, et surtout pourquoi si tard : comme d'habitude, c'est le Président qui tente au milieu du gué de donner une cohérence à une suite d'événements qui apparemment n'en ont pas.

La plupart des interventions officielles de Mitterrand n'ont souvent pas d'autre fonction que de répondre aux malentendus qu'il a lui-même suscités par son attitude.

C'est ainsi que le 25 août, Mitterrand donne une interview au journal *le Monde* sur l'affaire tchadienne. Dans ce texte ce n'est pas tant le Président qui parle que l'avocat qu'il fut. On a beaucoup ironisé sur la République des professeurs instaurée par les socialistes. Il est vrai que ceux-ci ont beaucoup d'influence sur le style et le verbe du parti majoritaire, mais, sur le fond, il serait plus juste de parler de la République des avocats, d'abord par respect de la profession d'origine du Président, par le fait que nombreux sont ceux qui viennent du barreau parmi ses proches, mais surtout parce que, face à une agression ou une invasion, le réflexe socialiste est d'abord juridique : ils envoient leurs avocats et leurs magistrats, comme d'autres envoient leurs témoins, à charge pour les gens de robe de faire rentrer la réalité rebelle dans les cadres juridiques existants. Ce juridisme est plus qu'une commodité diplomatique : c'est chez Mitterrand une conception du monde. Mais, loin de faire la lumière sur une situation inextricable où en général le droit n'a jamais été concerné, les explications de Mitterrand ne permettent pas de savoir qui est coupable ou victime, comment le crime a eu lieu et ce qui va se passer. On ne sait toujours pas si le Président envisage sérieusement une guerre avec la Libye...

En août 1983, on commence à apprendre que durant près de six mois les diplomates français chargés du dossier ont tenté d'arracher la négociation idéale que souhaite toujours Mitterrand, alors que celle-ci a échoué, mais sans qu'on sache pourquoi. Mais, en tout cas, le 1er août, l'aviation de Kadhafi bombardait Faya Largeau. On suppute donc que des erreurs d'appréciation ont dû être commises à Paris sur l'attitude libyenne et sur les chances d'une solution négociée. Où est l'erreur? Et qui l'a faite? Entre la réticence légitime à s'engager dans une guerre sur un territoire étranger et la prudence invoquée par le Président, il y a non seulement de la marge, mais un temps considérable qui s'est écoulé.

Au nom de quoi cette même politique qui a échoué devrait-elle finalement réussir? Rien dans l'interview ne permet de le deviner.

Reste que, fidèle à l'image qu'il veut donner de sa politique étrangère, Mitterrand fait une nouvelle fois le pari de la négociation. Il a d'ailleurs de bonnes raisons pour le faire : n'a-t-il pas obtenu, en novembre 1981 déjà, le départ des Libyens de N'Djaména, preuve selon lui que le colonel Kadhafi ne veut pas annexer le Tchad et qu'une solution pacifique reste possible? Mais pourquoi ce qui était vrai en novembre 1981 le serait-il toujours en août 1983? Et si, pour des raisons intérieures ou qui tiennent à l'avenir de son image dans le monde arabe, le colonel Kadhafi cherchait bel et bien une aventure militaire, qui lui permette de redorer son blason « anti-impérialiste »?...

C'est peut-être ce que Mitterrand a dû se dire lorsque, le jeudi matin, jour de la parution, il a relu les épreuves de son interview. Le texte est déjà composé, prêt à partir, lorsque le Président demande des corrections de dernière minute. La plupart sont minimes, sauf une qui, elle, est décisive. Mitterrand déclare dans la première version (non publiée) : « Mais le dispositif que la France a mis en place lui donne tous les moyens, s'il le faut, de répondre militairement à qui préférerait la guerre à la paix dans le respect du droit. » Version publiée après corrections : « Mais le dispositif que la France a installé lui donne les moyens, s'il le faut, de répondre militairement et *vite à une nouvelle offensive.* » La seconde version réintroduit une dimension explicitement guerrière et évoque sans ambiguïté la possibilité d'une nouvelle offensive libyenne. Simultanément, on apprenait que les Libyens accéléraient des préparatifs de type militaire au sud de Faya Largeau.

A travers cette correction, Mitterrand a voulu muscler sa position, donner de la crédibilité à sa menace et surtout ne pas laisser l'impression au colonel qu'il répugnerait à se lancer dans une opération guerrière. Bref, cet accent soudain trahit une inquiétude. Tant à l'Élysée qu'au ministère de la Coopération, ce jour-là, on la partageait : « Sur le terrain la situation est stable : elle peut être déstabilisée en dix minutes, je ne tiens pas à m'avancer... »

Si le consensus était ce que les sociologues aimeraient qu'il soit, une sorte de jackpot politique, nul doute que Mitterrand, à travers ses explications sur le dossier tchadien, aurait accompli un exploit en réalisant trois consensus simultanés : hexagonal, tchadien et quasiment international. Tout le monde est content, toutes les factions, toutes les familles, toutes les bandes tchadiennes approuvent, les Libyens et même les Américains.

Certes, le texte élyséen était millimétré de telle sorte que chacun puisse y trouver sa pitance sans pour autant manger la même chose que le voisin ou l'ennemi. Un dosage subtil comme Mitterrand, rêvant volontiers la diplomatie internationale comme une alchimie planétaire, aime les mitonner. Discours à multiples facettes, mais dont les reflets se croisent tous à un instant choisi par son architecte pour piéger celui qui tenterait d'y échapper. Personne n'approuve vraiment la même chose, mais toutes les parties approuvent en même temps ce qui les arrange.

Le 18 septembre, le bourbier libanais

La France a échoué au Liban.

Après l'invasion du pays par les troupes israéliennes en 1982, Mitterrand va tenter de forcer le destin dans cette région du monde et se faire le défenseur de cette nation qui n'arrive pas à coaguler, et qui rechute systématiquement dans la guerre à la moindre algarade. Malheureusement pour les Libanais, leurs deux voisins, les seuls vrais États de la région, les deux grandes puissances proche-orientales, Israël et la Syrie, s'accommodent très bien de cette décomposition.

La partition du Liban est-elle irréversible ? Elle l'est, répond Claude Cheysson comme on avoue une défaite. Car depuis un an, la diplomatie française n'a pas lésiné pour tenter de restaurer l'intégrité territoriale de ce pays de la guerre permanente.

Lorsque Charles Hernu déclare à l'AFP : « La France ne ménage pas ses efforts pour que la communauté internationale soit associée au rétablissement de l'intégrité et de la souveraineté du Liban, et il serait indéniablement utile qu'une force des Nations Unies – Finul et observateurs – soit l'élément moteur de cette entreprise », il avoue que le détachement français qui mobilise près de six mille hommes au large de Beyrouth et dans la capitale libanaise n'a plus sa raison d'être. En en appelant à l'ONU, il fait un constat d'impuissance. La France cherche une sortie pour ses troupes embourbées dans Beyrouth.

Mais comment quitter le Liban sans perdre la face? L'intervention de l'ONU dépend d'abord du bon vouloir et des États-Unis et de l'Union soviétique. Les tirs de la flotte américaine sur les positions syriennes dans la montagne libanaise ne semblent pas indiquer que Reagan soit très accessible à cette idée. L'impatience américaine est au contraire entièrement mobilisée par la perspective d'une démonstration de force dans cette région du monde. Même si les salves de l'artillerie de marine sont limitées en nombre et en puissance, ce sont quand même les premières tirées par les États-Unis sur un pays tiers depuis la fin de la guerre du Vietnam.

Claude Cheysson redoute une « provocation américaine ». « Les Américains, dit-il, veulent en découdre. Reagan veut montrer ses muscles. Il est déjà en campagne électorale. » Depuis, l'artillerie de l'US Navy est entrée en action, rendant plus intenable encore la position française, et illusoire le recours à l'ONU.

En envoyant des troupes au Liban, en août puis en septembre 1982, Mitterrand poursuivait deux objectifs : d'une part enrayer le processus de partition du Liban et d'autre part entraîner les États-Unis dans une politique qui visait justement à restaurer l'intégrité libanaise. Car les États-Unis n'ont finalement aucune politique au Proche-Orient autre que le soutien à Israël. Tantôt ils se désintéressent de la partition du Liban pour des raisons qui dépendent de l'état barométrique de leurs relations du moment avec Israël, tantôt ils jouent la carte d'un authentique État libanais. Or cette question est jugée décisive au Quai d'Orsay depuis le début de la guerre civile. C'est même un postulat de la politique française : le Liban, explique-t-on, est l'une des clefs de voûte de tout règlement proche-oriental. La question libanaise et la question palestinienne sont, dit-on, intrinsèquement liées : la disparition du Liban en tant qu'entité entraînerait ipso facto celle de toute perspective nationale palestinienne. Que le Liban s'effondre et c'est l'avenir de tout le Proche-Orient qui est alors hypothéqué pour une longue période.

La force d'interposition française a été conçue comme un moyen d'enrayer ce processus. C'était un pari. Claude Cheysson ne regrette rien : « Il était du devoir de la France de se saisir de toute occasion pour tenter l'impossible, si cela devait sauver le Liban. »

L'impossible consistait à desserrer l'étau de ce qu'un diplomate français en charge du dossier libanais appelle la « collusion israélosyrienne ». Et de citer en exemple l'armement des Druzes : « Ils ont été structurés, équipés en armement léger par les Israéliens et, dès que ceux-ci se sont retirés du Chouf, les Syriens leur ont fourni l'armement lourd. » D'ailleurs Moshe Aarens, le ministre de la Défense israélien, ne se cache pas d'avoir aidé les Druzes de Walid Joumblatt : les Israéliens, qui ont contribué à installer Amine Gemayel à la présidence du Liban, ont sans doute estimé qu'il ne présentait pas des garanties suffisantes pour Israël : quoi qu'il en soit, en armant les Druzes, ils ont précipité l'affaissement de l'ancien chef phalangiste.

La France, à travers la force d'interposition, a joué Amine Gemayel, espérant que celui-ci parviendrait à restaurer une autorité libanaise minimale. L'échec politique du président libanais, suivi et sanctionné par sa défaite militaire dans le Chouf, a définitivement sonné le glas des petites espérances françaises. Gemayel règne sur Beyrouth, son autorité dépend du garde-fou de la force internationale. Que celle-ci vienne à se retirer et la guerre civile peut reprendre dans la capitale à l'instant même. Et avec elle d'autres massacres.

D'autres facteurs ont contribué à l'échec de la tentative française. On juge très habile au Quai d'Orsay le jeu syrien : depuis un an, ils sont revenus au premier plan, ils ont démontré que rien au Liban ne se ferait sans eux et a fortiori contre eux. Jacques Attali, commentant la position syrienne, estimait que « Assad avait intérêt à calmer le jeu. Il était déjà gagnant sur toute la ligne ». C'est peu dire, le Président syrien s'est même payé le luxe d'enliser les Américains et les Français. Et les Soviétiques? Les responsables français craignent le pire, alors que le compte à rebours de l'installation des Pershing dans les pays de l'OTAN en décembre 1983 a commencé.

Coincée entre un mandat de la force multinationale désormais obsolète, un Président libanais défait et les États-Unis qui petit à petit s'engagent dans un affrontement avec les Syriens, la France est dans une impasse qui à tout moment peut devenir meurtrière.

Le 22 septembre, le diabolique docteur Assad

Un homme seul mène le jeu au Liban, c'est le Président syrien Assad. Utilisant la revendication des Druzes à reconquérir le Chouf, il a entraîné les milices de Walid Joumblatt jusqu'à Souk el Gharb, le verrou qui commande l'accès de Beyrouth, et l'on peut supposer que les batteries syriennes ont bombardé les positions françaises très sciemment. Assad voulait obliger Mitterrand à bombarder le Chouf druze, à engager l'aviation française contre les forces syro-druzes. Tout comme il avait obligé les Américains à entrer, malgré eux, dans la danse de mort libanaise.

Les bombes françaises larguées par les Super-Étendard ne servent malheureusement à rien. Elles sont simplement le prix à payer par la France pour stationner dans le jeu proche-oriental. Et la France paie le prix, cher. Sans le moindre bénéfice, en pure perte. En détruisant des positions syro-druzes, la France risque même de perdre la position de médiateur fragile qu'elle occupait entre les différentes communautés libanaises. Elle est contrainte de mettre en péril cette position et de prendre le risque d'apparaître aux yeux de l'opinion proche-orientale, et particulièrement musulmane, comme partie prenante aux côtés des chrétiens et des Américains. « La France ne se laissera pas piéger par la guerre civile », disait la veille encore Claude Cheysson. A son tour, la France est devenue l'otage de la guerre civile libanaise.

« Une lecture strictement Est-Ouest de tous les conflits ne nous semble pas réaliste », déclarait Pierre Mauroy deux jours auparavant devant l'Institut des hautes études de la Défense nationale. Or, c'est très précisément ce que Assad a voulu : transformer la force internationale d'interposition en « force occidentale », antiarabe.

En pilotant cette internationalisation, les Syriens cherchent évidemment à mettre les gouvernements occidentaux dans une situation particulièrement difficile, à les mettre en porte à faux avec leurs opinions publiques respectives, à les contraindre à coups de provocations meurtrières à une attitude belliciste aux surenchères désastreuses.

Dans cette partie extrêmement subtile, on peut supposer que les Soviétiques ne restent pas inactifs. Par le truchement syrien, ils prennent en quelque sorte leur revanche sur Camp David. Ils avaient été éliminés de la scène proche-orientale; ils assistent désormais en spectateurs passionnés aux désarrois des Occidentaux rejetés à la mer.

Le 2 octobre, le scénario de Manta

Nul n'ignore les vertus physiologiques des villes d'eaux. Il faut croire que l'action de ces eaux est également apaisante pour les esprits perturbés puisque, traditionnellement, la diplomatie française en use pour y traiter ses troubles les plus délicats. Vittel, cette fois, a été choisi pour éviter que le matériel militaire français ne finisse par rouiller dans les sables tchadiens. Mais, à tout prendre, une ville d'eaux, ce n'est jamais qu'une oasis à la française et l'attention n'aura sans doute pas échappé aux trente chefs d'État ou de gouvernement africains que Mitterrand a invités à venir palabrer avec lui sur la non-guerre tchadienne.

A la veille de cette cure franco-africaine, après deux mois de faux-fuyants, il fut enfin possible de palabrer aussi avec les responsables français : le Président, son ministre des Relations extérieures, Claude Cheysson, le conseiller pour les Affaires africaines, Guy Penne, et d'autres.

A défaut d'avoir forcé la négociation, l'opération Manta a neutralisé le rapport de forces sur le terrain. Elle a, selon Mitterrand, atteint ses objectifs : rassurer l'Afrique noire, stopper les Libyens et garantir le fonctionnement du gouvernement légal tchadien.

Rassurer l'Afrique noire : telle semble bien avoir été la préoccupation principale des dirigeants français tout au long de cette affaire. Selon Guy Penne : « Le Tchad en soi, c'est totalement secondaire, ce qui compte, c'est l'Afrique noire. » Dans les États modérés d'Afrique, l'évocation de Kadhafi déclenche une « véritable panique ». Selon Claude Cheysson, dès qu'une opposition prend corps, dès qu'une manifestation de rue est annoncée, la plupart des dirigeants africains modérés ont tendance à y voir « la main de Kadhafi ». A fortiori, dès qu'il s'agit des mouvements islamiques intégristes, qui cristallisent avec succès dans la plupart des pays de l'Afrique francophone.

Au Quai d'Orsay, on considère d'ailleurs qu'il y a actuellement trois points sensibles dans la région susceptibles d'être « envenimés » par les propagandistes du colonel Kadhafi : le Niger, le Mali et le sud du Sahara algérien à partir des nomades touaregs. On cite à cet égard l'exemple sarahoui : au départ ce n'était qu'une bande de nomades, aujourd'hui c'est une nation!

L'intervention militaire française devait signifier aux chefs d'État africains que la France avait conscience du problème. Cela supposait de « stopper les Libyens » et c'est la deuxième mission donnée à l'opération Manta.

Pour l'Élysée, le dispositif militaire français mis en place est tel que toute tentative libyenne serait « vouée à l'échec ». Il ne fallait pas laisser la moindre illusion sur ce point à Kadhafi : la force française se devait d'être réellement dissuasive.

Troisième mission : garantir le fonctionnement normal du gouvernement légal. La France assure la paie des fonctionnaires, boucle les fins de mois de l'État tchadien et empêche toute déstabilisation du gouvernement en place.

Trois missions. Trois mais pas quatre. « Il n'y a pas de quatrième mission. » Mitterrand, dans son bureau élyséen, défend sa politique : « Dès le début, j'ai dit que nous n'irions pas dans le Nord. »

Selon Guy Penne, étroitement mêlé à l'élaboration de la décision présidentielle, trois hypothèses avaient été retenues et étudiées dans le détail. « Les militaires faisaient pression sur Mitterrand : ils voulaient absolument faire le voyage. » Guy Penne le dit d'autant plus facilement qu'il était favorable à un scénario *hard.* Première hypothèse : le bombardement d'Aozou, la grande base libyenne, dans cette partie annexée purement et simplement par la Libye dans les années soixante-dix : destruction des pistes et des appareils au sol. Il fallait engager une trentaine de bombardiers, une puissante couverture aérienne, c'est-à-dire les Mirage et prévoir le ravitaillement en vol.

Deuxième hypothèse : le bombardement de Faya Largeau, l'oasis du Nord occupée par les rebelles de Goukouni appuyés par les troupes libyennes. « Inefficace », selon Guy Penne : la palmeraie s'étend sur quatre-vingts kilomètres et les Toubous, au lieu de s'enterrer comme le font les Occidentaux pour défendre une place forte, se dispersent.

L'un des arguments qui a prévalu, dit-on, contre ces deux hypothèses était d'ordre technique. Avant l'établissement de la base française de N'Djaména, l'un des objectifs de l'opération Manta, il n'était militairement pas concevable de prendre un tel risque. Avec un ravitaillement en vol, les Mirage en provenance de Bangui n'auraient disposé que de quinze minutes pour opérer dans le ciel de Faya Largeau. Un accrochage avec les forces aériennes libyennes aurait pu être fatal à plusieurs de nos avions : « Quinze minutes, c'est une marge trop courte s'il doit y avoir combat aérien », précise Mitterrand.

Restait la troisième hypothèse, c'est-à-dire le cordon sanitaire. Ce que ne dit pas le conseiller africain du Président, c'est le temps qui s'est écoulé entre le moment où l'État-Major a tiré la sonnette d'alarme et celui où la décision de Manta a été formellement prise. Un temps apparemment très long : le temps de la réflexion puis le temps de la décision...

Il faut en effet attendre le samedi 6 août pour que Mitterrand réunisse une sorte de « conseil de défense ». Autour de lui, dans sa bergerie landaise, Charles Hernu, le général Lacaze, l'amiral Lacoste, chef des services secrets (DGSE), et Guy Penne. C'est à cette occasion que les divers scénarios sont discutés. Mitterrand ne tranchera que quatre jours plus tard, le mardi 9 août. Et le samedi 13, les premiers éléments militaires français débarquent à N'Djaména.

Mitterrand se prononce donc pour la troisième hypothèse : « Mitterrand a dit, selon Guy Penne, nous allons geler la situation. » Deux autres facteurs motivaient le Président à privilégier cette solution : il répugnait à déclencher une guerre avec la Libye dont l'issue lui paraissait aléatoire, d'autant qu'il allait se retrouver en position d'« agresseur » : « Le poids du sentiment tiers-mondiste dans le PS était encore tel, dira Charles Hernu, que cela le gênait. Pour Mitterrand, ça ne passerait pas. »

Rétrospectivement, une autre question se pose : est-ce que les responsables français n'ont pas sous-estimé, en 1982, la menace que faisait peser l'entrée en rébellion d'Hissen Habré à partir du Soudan, alors que Goukouni, l'allié tchadien de Kadhafi, était encore à la tête du gouvernement légal? La question a son importance puisque, à l'époque, Hissen Habré était armé par les États-Unis, qui misaient ouvertement sur sa victoire. La question n'amène pas de réponse tranchée. Mais le Président consent à reconnaître qu'« il n'a pas assez aidé Goukouni contre Hissen Habré, ce qui a bouleversé l'équilibre ». Selon Guy Penne, Mitterrand est gêné dans cette affaire parce qu'il considère avoir « une dette à l'égard de Goukouni » : il lui a demandé de renvoyer les Libyens de N'Djaména en 1981 et ne l'a pas protégé contre la rébellion de Habré, après que le colonel libyen eut obtempéré. Mais quelle forme aurait pu prendre alors cette aide française?

On cite en exemple les livraisons d'armements lourds : « L'organisation militaire de Goukouni restait très marquée par celle du nomadisme et toutes les pièces d'artillerie étaient immédiatement réparties entre sept chefs de tribu... », explique Guy Penne. Pour Claude Cheysson, en fait il n'était pas impossible d'aider Goukouni plus que ne l'a fait la France : « Il ne faut pas oublier le désert et on n'aurait jamais pu empêcher Hissen Habré de prendre deux oasis... »

Comme Manta n'a pas été conçue pour résoudre le problème, mais pour se donner le temps de négocier sans que la France se retrouve piégée par une catastrophe tchadienne, rien ne prouve qu'on puisse trouver une solution qui « ne déplaise pas à la Libye tout en ayant l'assentiment de la France », comme le dit Claude Cheysson. Cela peut durer des mois, des années. Une histoire sans fin : Mitterrand aux prises avec le « désert des Tartares » où le pire, comme on le sait depuis le livre de Dino Buzzati, c'est qu'il ne s'y passe jamais rien.

Le 23 octobre, les chercheurs de guerre

Si le cours du monde ressemble à un cyclone, son œil est de toute évidence à Beyrouth.

Toutes les grandes puissances, de l'Ouest comme de l'Est, s'y cognent, s'y piègent, s'y font piéger par une multitude d'acteurs locaux qui parasitent pour leur compte les échafaudages les plus complexes. Et quand ces mêmes grandes puissances parviennent à s'éloigner au prix d'efforts coûteux de la capitale libanaise, elles finissent toujours par y revenir.

Le monde se manipule à Beyrouth. Cette capitale meurtrie,

toujours en guerre mais toujours survivante, est devenue le musée vivant d'une foule incalculable de machines infernales et d'hommes-machines à tuer dont on ne sait plus par qui, en dernière instance, ils sont actionnés. Celui qui déclenche la mise à feu est rarement celui qui en tire le bénéfice ultime.

Cette fois ce sont des camions piégés par des centaines de kilos d'explosif et par des hommes suicides qui sont entrés en action. Objectif : les immeubles où étaient cantonnées les forces américaines et les forces françaises.

Les patrons de ces transporteurs de la mort sont des orfèvres du terrorisme d'État. Ils donnent à leurs machines infernales de « l'effet » comme au billard ou au tennis, et cet effet est parfaitement maîtrisé. L'attentat meurtrier au jour le jour pouvait entraîner à plus ou moins brève échéance une exaspération des opinions publiques américaine et française, contraignant leurs gouvernements respectifs à rapatrier leurs troupes. Alors que ces centaines de soldats américains et français tués en même temps mettent au défi « l'honneur » de la plus grande puissance du monde et d'une autre qui, de moindre importance, n'en est pas moins toujours très orgueilleuse.

Impossible pour les États-Unis et la France de quitter le Liban après une telle blessure : ce serait perdre la face dans une région du monde où, par-dessus tout, c'est la seule chose qu'il importe de ne jamais perdre.

Cette surenchère au TNT est une incitation à l'escalade visant à pousser les États-Unis à s'engager plus profondément encore dans la crise libanaise, éventuellement à débarquer des troupes d'intervention et à risquer la guerre ouverte. Les Français également sont pris au même piège. Ou Mitterrand s'engage aux côtés des Américains, ce qui risque de faire exploser sa majorité politique dans l'Hexagone; ou il s'en dissocie et la force française peut se transformer en punching-ball tricolore sur lequel tous les artificiers de la région peuvent s'exercer : dans les deux cas, c'est une « sale guerre » qui menace de rattraper la politique étrangère de Mitterrand.

Le 24 octobre, aller et retour à Beyrouth

Qu'est-ce qu'un piège? C'est une situation dont on ne sort que déchiré, humilié, défait. Et le piège amorcé par les camions suicides de Beyrouth crée ce type de situation sur fond de catastrophe nationale.

Mitterrand a réagi cette fois à une vitesse inaccoutumée, comme s'il avait intégré depuis longtemps l'hypothèse d'un attentat meurtrier contre la force française au Liban.

En quelques heures il a décidé de se rendre à Beyrouth en Mystère 20, sur les lieux mêmes de l'attentat, auprès des blessés et des survivants. Démarche particulièrement efficace puisqu'elle se passe de mots et prend tous les acteurs du drame, les instigateurs de la tuerie, toutes les factions libanaises et l'opinion française par surprise. Cela provoque ce que les pompiers du pétrole appellent un effet de souffle. En allant au-devant des tueurs, en s'exposant, le Président mime une surenchère française, mime car il ne laisse pas le temps de réagir aux candidats prêts à relever un tel défi. Et puis, d'un geste, il signifie la volonté française de maintenir le contingent au Liban, envers et contre tous. Au passage, il rappelle à l'opinion hexagonale qu'il est constitutionnellement le chef des armées et qu'à ce titre sa place, dans un cas comme celui-ci, est en première ligne au milieu de « ses » troupes.

Le président de la République sous la Ve République est le maître de la guerre. C'est même l'essence de sa fonction. Il n'est le Président, avec tous ses pouvoirs, que dans la mesure où il est d'abord et fondamentalement le généralissime, pouvant user du feu nucléaire et des armées comme bon lui semble. Toutes les autres dispositions constitutionnelles définissant son rôle dans la conduite des affaires de la nation découlent de cette charge. Et, finalement, un Président ne l'est jamais vraiment tant qu'il n'a pas démontré à tous, aux puissances étrangères comme à son opinion publique, qu'il était capable d'assumer la guerre et ses inévitables décisions. Mitterrand est, après le général de Gaulle, celui qui, de tous les Présidents de la Ve, est le plus attentif à cette dimension de sa fonction. De l'affaire des Euromissiles aux expéditions libanaises ou tchadiennes, il entretient dans l'atmosphère des armes ce surcroît de légitimité que lui dispute systématiquement une partie de l'opposition. Contesté par les sondages depuis le début de l'année 1983, cette mise en scène « guerrière » vient rappeler à tous qu'il est pleinement et incontestablement « le Président ».

On attendait la réaction de Reagan. Elle fut reaganienne, c'est-à-dire musculaire. Remplacement des marines tués et blessés par un contingent égal en nombre et débarquement d'un autre contingent de trois cents marines, accompagnés par le général du corps des marines.

Le message est le même que celui de Mitterrand, mais plus martial : les Américains entendent rester au Liban. Mais les États-Unis sont aussi la première puissance du monde : Ronald Reagan a fait lui aussi de la surenchère en évoquant un « risque de guerre mondiale ». Dans le règlement non écrit de la gestion des crises

« régionales » par les deux surperpuissances, il est prévu que cette expression ne soit utilisée que de manière exceptionnelle, lorsque l'un des deux géants atomiques entend faire savoir à l'encan que « la coupe est pleine » et qu'au-delà de cette limite, on entre dans le compte à rebours nucléaire. Le message de Reagan était clairement destiné aux dirigeants soviétiques, non qu'ils soient soupçonnés d'être les instigateurs de cet attentat, mais à tout le moins d'avoir laissé faire leurs alliés syriens. A charge pour le Kremlin de rappeler à l'ordre Hafez el Assad, qui directement ou indirectement est tout à fait en mesure de « calmer » les ardeurs belliqueuses des terroristes libanais. Si les Soviétiques ne font rien, alors les États-Unis se chargent de placer la guerre libanaise sur l'avant-scène des rapports Est-Ouest et de prendre le risque de la crise. Ce langage appartient en propre aux deux supergrands. Il lui suffit d'être tenu pour être entendu à l'autre bout du monde. La France n'a pas le même poids : pour être entendue, elle a besoin de déplacer son Président en personne.

Le 16 novembre : du bon usage des Pershing

La politique étrangère constitue depuis de Gaulle un territoire sacré de la République. Le nucléaire militaire légitime la solitude de l'homme qui y a accès. Ses contemporains le voient comme un homme à part. C'est le pouvoir de l'apocalypse qui lui confère sa « majesté ».

Pour le Président la crise des Euromissiles est une crise grave, aussi grave que celle de Berlin en 1948 ou des fusées en 1962, mais il n'y a aucune raison de paniquer : la situation n'est pas désespérée, cette crise, comme les précédentes, peut être maîtrisée, à condition que les chefs d'État en charge du destin du monde gardent leur sang-froid. Tel était, selon Jacques Attali, le message que Mitterrand voulait « faire passer » à la télévision, au cours de l'émission *L'Heure de Vérité* consacrée aux problèmes géopolitiques.

Mitterrand est le seul chef d'État occidental à faire publiquement cette analyse. Même Ronald Reagan prend un soin méticuleux à éviter toute allusion sémantique à une « crise des missiles », qui l'enfermerait dans le champ clos d'une inévitable surenchère avec l'URSS. Tous les leaders occidentaux, s'ils se cramponnent à la double décision de l'OTAN (déploiement des fusées Pershing et des missiles de croisière américains), cherchent à la dédramatiser par tous les moyens. Notamment pour des raisons de politique intérieure. Tous sauf Mitterrand, qui s'est engagé dans une véritable croisade internationale en faveur du déploiement des Pershing et des missiles de croisière. Du Bundestag à la tribune des Nations Unies en passant par Bruxelles et Londres, Mitterrand va répétant depuis son arrivée au pouvoir que la décision soviétique d'installer des SS 20 braqués sur l'Europe occidentale vise à assurer au Kremlin une supériorité militaire, politique et finalement psychologique sur tout le continent européen. Comme il est le seul – indépendance nucléaire oblige – à pouvoir tenir ce langage sans contrecoups pacifistes, il apparaît peu ou prou comme le principal défenseur de l'Europe face aux menaces que fait peser la « persuasion nucléaire » soviétique.

Les dirigeants de Moscou, en réclamant l'intégration des forces nucléaires françaises et britanniques dans le décompte américain, en discussion à Genève, ont rendu un service inespéré à la diplomatie française, en en faisant l'obstacle contre lequel butait l'offensive soviétique. Ils crédibilisaient le raisonnement de Mitterrand.

Seul à oser parler de « crise internationale » à propos des Euromissiles, Mitterrand a réussi à faire de Paris le détour obligé de toute solution, de toute négociation future sur l'équilibre des forces en Europe. L'évocation qui a été faite par le Président d'une éventuelle rencontre avec le numéro un soviétique n'appartient pas au domaine des fanfaronnades. M. Zagladine (vice-responsable des relations extérieures du Comité central du PCUS) qui a passé plus de quinze jours à Paris en octobre, était notamment chargé de négocier avec les hommes du Président le principe d'une telle rencontre.

Toute dramatisation excessive de cette nouvelle crise des missiles aurait rendu caduque une telle perspective. La panique fait le jeu des Soviétiques, elle invite à négocier à n'importe quelle condition. C'est l'arme des conquérants, jamais celle de ceux qui sont menacés. Une exploitation politicienne à courte vue aurait sans doute trouvé quelque intérêt passager à une telle dramatisation, mais, à long terme, elle privait Mitterrand de toute possibilité de jouer un rôle « pour reconstruire, comme il l'a déclaré, sur les décombres de Genève ». Le dosage de la gravité s'imposait donc : d'une part il fallait prouver aux téléspectateurs qu'il s'agissait bien d'une crise de toute première importance, d'autre part il convenait de montrer que cette crise n'était pas sans issue, puisque Mitterrand était à la tête de l'État...

Depuis 1981, la stratégie internationale de Mitterrand était orientée ouest-sud-ouest. Ouest dans le conflit Est-Ouest et sud-ouest dans le conflit Nord-Sud. On chercherait en vain dans ses propos de l'hiver 1983 la mémoire d'une telle direction.

En privilégiant la « crise des missiles », Mitterrand peut opérer ce « recentrage » en douceur. Le tiers-mondiste des premiers pas du septennat est contraint de se replier sur l'aire de la zone d'influence traditionnelle de la France. A cet égard, la description du rôle joué par le contingent français au Liban a valeur de symbole : les médecins appuyés par les paras et couverts par l'aéronavale remplacent les organisations humanitaires et combinent harmonieusement l'aide à des États déséquilibrés par la tourmente des surenchères Est-Ouest et l'aide aux populations qui en sont les victimes.

Cette « crise des missiles » est, si l'on peut dire, la bienvenue dans la politique de communication adoptée depuis juillet par Mitterrand.

Car les crises économiques ont ceci de déplaisant pour les hommes politiques au pouvoir qu'elles ignorent les rythmes électoraux : tout plan de redressement, toute cure d'austérité supposent des temps trop longs pour prouver leur efficacité. Entre-temps, il faut bien convaincre des opinions publiques méfiantes que leur chef d'État sait où il va. Ce raccourci, l'aventure militaire le permet : ce fut le cas pour Thatcher et plus récemment pour Reagan à la Grenade. L'utilisation des Euromissiles serait pour Mitterrand une version stratégique et sophistiquée de ce qui n'était aux Falkland et à la Grenade que des démonstrations triviales.

Président « de gauche », Mitterrand ne pouvait se lancer que dans des « simili-guerres » : on envoie l'armée pour forcer une négociation et on attend, l'arme au pied mais sans tirer. Évidemment, les bénéfices sur le plan intérieur sont dérisoires sinon nuls. Mais ni l'intervention au Tchad, ni celle au Liban ne constituent le cœur du dispositif mitterrandien, qui gravite tout entier autour des Euromissiles et de l'avenir européen. Et c'est là, dans l'articulation entre le déploiement des troupes au Tchad et au Liban et la gestion de la crise des Euromissiles, que Mitterrand entend faire la démonstration à la première personne de ses qualités gouvernementales et stratégiques.

Le 20 novembre, le raid de Baalbek

Le général de Gaulle, lorsqu'il parlait en privé de la dissuasion nucléaire, montrait l'index de sa main droite : « C'est celui, disait-il, qui appuie sur le bouton de la force de frappe. » L'ennemi à dissuader doit toujours être intimement convaincu que le doigt en question n'est pas du genre à s'atrophier dangereusement au moment décisif. En attendant qu'un Président s'y voie contraint, il faut assener la preuve publique que le doigt en fonction n'est pas du genre fuyant. Les mots à l'évidence ne suffisent pas. Seules les crises internationales de « moyenne portée » donnent l'occasion au cerveau qui commande alors au doigt de la mort de montrer la qualité de ses neurones et de ses circuits.

L'attentat du 23 octobre à Beyrouth constituait un test de ce genre pour Mitterrand. Le doigt de l'ancien leader de la gauche est-il crédible en cas de crise nucléaire? La réponse a été véhiculée par les Super-Étendard de l'aéronavale française qui ont bombardé des positions irano-chiites dans la banlieue de Baalbek.

Les coupables du double attentat ont été rapidement identifiés par les services de renseignements occidentaux, aidés en l'occurrence par des agents de l'OLP qui ont activement participé à leur localisation.

Six noms sont rapidement communiqués à l'Élysée : ce sont ceux des exécutants. Ils appartiennent à une organisation militaire d'intégristes chiites pro-khomeinystes. On y retrouve des Libanais d'origine et des pasdarans iraniens d'exportation. Les camps de cette organisation sont très précisément « situés ». Les services de renseignements occidentaux ont également acquis la certitude que la logistique des terroristes a été fournie à toutes les étapes par les agents des services secrets syriens. Quant au cerveau, un lobe serait syrien, l'autre iranien. Une collaboration qui se situerait au plus haut niveau des deux États.

Le contentieux qui oppose la France à l'Iran est déjà ancien, mais la livraison de Super-Étendard – encore eux – à l'Irak n'a fait qu'hystériser un peu plus l'opposition des fans de l'ayatollah au « petit Satan » français, qui, en 1981, avait déjà montré sa « vraie nature » en accordant l'asile politique à Bani Sadr et aux chefs des moudjahidins.

Le contentieux avec la Syrie est carrément sanglant : plusieurs attentats meurtriers en France et au Liban dans lesquels les services secrets du régime Baas sont indirectement ou parfois directement impliqués, comme ce fut le cas pour l'assassinat de l'ambassadeur de France à Beyrouth, Louis Delamare.

Officieusement, la Syrie est en guerre avec la France, parce que la politique étrangère de Mitterrand s'oppose de plus en plus activement à l'annexion du Liban et de l'OLP par les Syriens. L'envoi de la force d'interposition française n'a fait qu'aggraver cette guerre semi-clandestine.

La simple logique aurait voulu que les bombes françaises explosent sur des positions syriennes, mais c'était prendre le risque de mettre l'Union soviétique dans l'obligation de réagir et de se lancer à son tour dans une escalade aux conséquences imprévisibles.

C'est pourquoi l'Élysée a choisi comme le gouvernement israélien de limiter la « riposte » aux seules forces irano-chiites, en évitant soigneusement que le moindre éclat ne tombe sur des retranchements syriens.

Mitterrand ne pouvait pas s'en tenir à son aller et retour beyrouthin au lendemain de l'attentat où cinquante-huit soldats français avaient trouvé la mort. Sauf à renoncer à toute politique étrangère active, il devait relever le défi des kamikazes. Des raisons de principe l'y poussaient, mais aussi des raisons conjoncturelles.

Toute sa stratégie consiste à se faire le juge-arbitre des grands équilibres, équilibre entre l'Est et l'Ouest en Europe, équilibre au Proche-Orient entre le monde arabe et Israël, et plus particulièrement entre Israéliens et Palestiniens. Idem en Afrique saharienne. L'attentat de Beyrouth sonnait comme l'« épreuve de vérité » pour cette philosophie diplomatique.

La capitulation aurait sanctionné l'échec de la tentative française non seulement à s'opposer à la partition, mais à maintenir à travers l'OLP d'Arafat l'autonomie du mouvement national palestinien. Conséquence latérale : l'abandon d'Arafat et de ses combattants alors que la France s'était engagée à leur égard.

Mais l'onde de choc de l'humiliation française se serait selon toute vraisemblance propagée jusqu'au Tchad, où les troupes françaises se trouvent dans une position similaire à celle qu'elles occupent au Liban : elles ne tirent pas, mais l'« ennemi » libyen est justement le principal allié des Syriens et des Iraniens. En renonçant à toute « riposte », même symbolique, Mitterrand s'exposait à subir la même catastrophe à N'Djaména. C'est ce que l'État-Major général des forces armées françaises a plaidé auprès du Président, en arguant du fait que le climat s'était notablement dégradé parmi les officiers au lendemain de l'attentat, tant à Beyrouth qu'à N'Djaména.

Dernier argument : le « test du doigt ». Mitterrand s'est prononcé pour un bombardement qui « fasse le moins de victimes possible », mais qui montre que la France connaît bien les auteurs de l'attentat.

Bien que les bombardiers français n'aient fait en tout et pour tout qu'une seule victime – un berger libanais –, cet acte de guerre, le premier au sens strict du règne de Mitterrand, s'enchaîne à l'attentat de Beyrouth comme un rouage supplémentaire à un engrenage.

La France intervient au Liban une première fois à l'automne 1982 pour sauver l'OLP d'une disparition à peu près complète et pour aider à la mise sur pied d'une solution nationale libanaise. La France dispose effectivement de nombreux atouts : elle entretient des liens culturels étroits avec toutes les communautés de ce pays. Un an après, cette politique ayant échoué, la France reste au Liban, pour défendre sa fierté de grande puissance humiliée par un allié de l'URSS, en pleine crise des Euromissiles.

Toute la stratégie d'Hafez el Assad à l'égard des Français a consisté à miner leurs positions, à effondrer leurs bases et à rejeter Mitterrand dans le même camp que les Israéliens et les Américains. La France, qui se voulait le versant positif de l'image de l'Occident par opposition au versant négatif incarné par Israël et les États-Unis, a traversé le miroir libanais et s'est retrouvée assimilée de force à ce reflet culturellement haï. Ce raid inévitable, en frappant le bras armé d'une des composantes de la mosaïque libanaise – l'intégrisme chiite –, accélère le processus de décomposition de la position française.

C'est dans cette région du monde, sans doute, que l'Occident est le plus unanimement détesté : le raid de Baalbek ne peut avoir que des conséquences négatives sur l'avenir des relations avec l'islam chiite. Les intégristes de cette religion, grâce à ce raid, trouveront plus facilement de nouvelles et impérieuses raisons de mourir paradisiaquement pour que meurent de plus en plus de Français, au Liban, au Tchad et au besoin en France même.

Aucune de ces sombres perspectives n'a échappé au stratège élyséen. Mais, finalement, il a jugé que c'était sur une mauvaise pente un « moindre mal ». D'autant qu'il détient ce qu'il considère alors comme l'antidote le plus efficace vis-à-vis des réactions du monde arabe : le sauvetage du leader palestinien encerclé cette fois dans Tripoli par les forces syriennes. Que les mêmes militaires qui ont bombardé Baalbek soient les « sauveurs » de celui qui reste l'un des principaux symboles du monde arabe – du moins de l'islam sunnite – a dû suffire à Mitterrand pour calmer ses angoisses au moment du « passage à l'acte ».

7

Le coup de force « industriel »

De janvier à avril 1984

Le 10 janvier, le deuxième tournant

Après la rigueur financière de mars 1983, la rigueur industrielle de janvier 1984.

Au printemps des municipales, le butoir était monétaire : une inévitable dévaluation. Cette fois, il est social : l'inévitable réduction des effectifs. La comparaison entre ces deux grands moments du septennat est édifiante. Les mêmes erreurs de méthode auront été faites pour en arriver, de la pire manière qui soit, là où le gouvernement devait nécessairement en arriver. Pour avoir refoulé ses conséquences sociales et politiques pendant des mois, les socialistes doivent brusquement improviser au jour le jour.

L'échéance était connue, attendue même, et nul n'ignorait le théâtre de ce rendez-vous : les usines Talbot à Poissy. Pour tous les acteurs du drame industriel, la conduite de la restructuration de cette entreprise aurait valeur de test pour l'ensemble de l'industrie française. Pour un gouvernement de gauche, l'obstacle était de ceux sur lesquels se joue une politique. Toutes les données étaient connues. Mais l'obstacle n'est pas franchi, la situation sociale se décompose de manière violente, la CFDT fait de la surenchère, le gouvernement patine.

En juillet 1983 la direction du groupe Peugeot rend public son plan de restructuration. Trois mille licenciements seraient nécessaires à Talbot Poissy. Un rapport d'expertise est demandé à un conseiller de la Cour des comptes. Le conseiller confirme le diagnostic de Peugeot. Et on découvre à cette occasion qu'il y a une béance dans l'organisation du travail gouvernemental. Pratiquement le social n'existe pas. A Matignon, le Premier ministre ne dispose plus d'une équipe spécialisée de conseillers entretenant avec les centrales syndicales un suivi permanent. Certes, il y a bien un ministre des Affaires sociales, à savoir Pierre Bérégovoy, mais pas un ministre du Travail : il a été formellement supprimé en mars 1983, lors de la formation du nouveau gouvernement.

Dans les tout premiers jours de janvier, un des hommes les plus proches du Président dans l'organisation élyséenne reconnaissait qu'il « y a un problème de philosophie organisationnelle. Cette réorganisation est en cours. Mauroy prend le dossier en main avec Lamy (alors directeur adjoinf du cabinet de Mauroy), quant à Bérégovoy il a été sommé par le Président de reprendre les négociations avec les syndicats. En fait tout le problème vient du fait que tout un chacun s'est repassé le mistigri ». Et d'annoncer qu' « il y aura un plan courant ou fin janvier, l'équivalent du plan de rigueur à l'échelle de l'industrie. Ce qui n'est pas déterminé, c'est si on le fait sans le dire ou si on l'annonce en fanfare, auquel cas on risque d'en être prisonnier ». On reconnaît là l'un des leitmotive présidentiels !

Pierre Bérégovoy admet que l'Élysée lui est effectivement tombé dessus : « Il fallait aller vite. Mitterrand m'a dit, dans ces cas-là, " on couche avec les syndicats ", pour arracher un accord. Seulement voilà, le 24 novembre, Ralite – le ministre communiste de l'Emploi – a dit non sur la procédure Talbot. J'ai écrit à Mauroy, Bianco et Ralite des lettres manuscrites dans lesquelles je leur disais qu'il fallait " cadrer politiquement le problème ", qu'il s'agissait d'une " affaire à résonance politique importante ". Mon sentiment, ajoute le ministre des Affaires sociales, c'était qu'il fallait mouiller les communistes jusqu'au cou dans cette affaire, pour qu'ils ne se remplument pas sur notre dos. »

Et Bérégovoy, accusé, de se défendre : « Mauroy, on le charge beaucoup, mais il ne fait que traduire la pensée du Président. Je ne comprends pas comment un fin stratège, un aussi grand politique que Mitterrand peut laisser faire les choses comme à Talbot. C'est mal préparé, tout ça. On ne met pas le social dans une bouteille. Ça se passe mal à Talbot et ça se passera mal en Lorraine. Il ne faut se faire aucune illusion. »

Cette situation est le produit d'un héritage : celui de la crise de mars 1983. Après l'adoption à contrecœur des mesures de rigueur financière, Mitterrand a en effet veillé à ce que personne ne soit formellement en charge du social, et ne puisse élaborer même pragmatiquement une « politique sociale » qui vienne entériner la rigueur. Comme le Président n'avait pas renoncé à sortir éventuellement du SME, il ne fallait surtout pas hypothéquer l'avenir : c'est ainsi que la machine gouvernementale a été verrouillée avec interdiction – de fait – de faire du social autrement que sous l'angle des prestations du même nom. Lorsque Mitterrand s'engagea enfin dans la rigueur, l'heure n'était plus à un changement de gouvernement. De rustine en sparadrap, on en arrive à ce mois de janvier 1984 : le roi socialiste est socialement nu.

Le 22 février : Vive la crise! Vive les crises!

Joan Collins a fait une *crise* de nerfs, Andropov est mort d'une *crise* cardiaque, tandis que la *crise* libanaise rebondissait et que le gouvernement de Pierre Mauroy se coltinait pour la vingt-huitième fois la *crise* de l'emploi avec en prime la *crise* des chantiers navals; rien n'est évidemment réglé du côté de la *crise* scolaire, tandis que Ronald Reagan reprend pour la trois cent dix-septième fois le dossier de la *crise* internationale et que la Banque mondiale réexaminait celui de la *crise* financière internationale; les ligues de la majorité silencieuse ont déclaré la guerre à la *crise* morale, tandis qu'un sociologue célèbre associé à un non moins célèbre sexologue nous révèle l'ampleur insoupçonnée de la nouvelle *crise* du sexe, Toscan du Plantier, alors, se débat toujours avec la *crise* du cinéma, qui, comme chacun le sait, se décline en *crise* de l'image, en *crise* de *scenarii*, et j'en passe; j'allais oublier trois *crises* politiques je ne sais plus où, une *crise* parlementaire ailleurs et la *crise* provoquée dans une entreprise nationalisée par la démission du P-DG, et puis trois cents variantes de *crises* économiques, cinq cents millions de *crises* de nerfs parce que Joan Collins n'a pas le monopole de ce genre de crise, pas plus que Youri Andropov n'a celui des *crises* cardiaques. Pour raccourcir, je passe sous silence les *crises* de larmes, les *crises* d'appendicite et les *crises* de foie tellement communes, et je m'arrêterai avec la *crise* spirituelle puisque, à Alger et au Caire, on explique notamment le phénomène intégriste .par la *crise* des idéologies laïques...

La crise nous hantait depuis un moment. Elle a mûri : elle fait un « triomphe » le 22 février 1984 à la télévision, avec Yves Montand en meneur de « crise ».

La généralisation de l'usage de ce mot « flippant » à tous les domaines de la vie est sans doute l'un des phénomènes les plus troublants des années soixante-dix et du début des années quatre-vingt. Nous avons pris conscience que pas un recoin, fût-il le plus marginal ou au contraire le plus intime, n'est à l'abri d'un changement, d'une perturbation fondamentale où l'économique, le politique, le sexe, l'image, le psychique, etc., interfèrent jusqu'à la nausée et nous bouleversent.

Si le mot crise dévore notre vocabulaire et nos modes d'expression de manière aussi leucémique, c'est tout simplement parce que nous sommes en train de vivre l'une de ces époques-charnières où une civilisation succède à une autre, où des manières de vivre le monde et de le comprendre, de travailler, d'aimer et de mourir, de désirer et de déprimer sont mises en pièces.

Il faudrait inventer de nouvelles expressions pour désigner l'ampleur du phénomène, et on gagnerait à utiliser le langage des vulcanologues. On devrait parler, par exemple, de secousses historiques, de tremblements de société, d'éruptions technologiques et de raz de valeurs.

Ce serait nettement plus évocateur que l'usage incantatoire du mot « crise ». Il deviendrait plus évident ainsi que le paysage culturel, que l'organisation des sociétés, que la géographie sociale et industrielle sont en train de devenir méconnaissables à nous-mêmes. Or ce n'est pas ce que dit le mot « crise ». La prise de conscience des bouleversements en cours est positive certes, mais elle reste entachée d'une vision trop incidemment médicale. On dit « la crise » comme on reconnaît une maladie. C'est-à-dire comme une « parenthèse », un état passager.

L'économie serait malade : quand on est malade, c'est en toute logique au médecin d'intervenir. L'homme de l'art est alors censé définir une thérapeutique qui ramènera la « bonne santé »! Un peu de chômage, un peu de pouvoir d'achat en moins pendant deux ou trois ans, deux ans de convalescence à petite vitesse, et je vous garantis une croissance forte dans les années suivantes!

Seulement, aucun médecin n'est en mesure de proposer une thérapeutique remboursée par la Sécurité sociale. Mais surtout, il est certain que ça ne sera plus jamais comme avant.

Cette conception maladive véhiculée subrepticement par le mot crise a un autre inconvénient. Malade, on subit. La prise de conscience de la crise a bien commencé de cette manière : « Docteur, je ne me sens pas bien, qu'est-ce que je peux faire? » En 1981, par exemple, les Français ont décidé de changer de médecins; ils arrêtent le traitement de Giscard et de Barre pour essayer la médecine du docteur Mitterrand : « Je préfère Mitterrand parce qu'il fait moins mal. » Mais ils découvrent en 1983 que Mitterrand aussi, « ça fait mal ». En fait, il n'y a pas de docteur miracle. Pour une raison bien simple : la crise est négative pour autant qu'elle est subie comme une maladie honteuse. Nous sommes alors certains de devenir les victimes de la crise, de nous enfermer dedans et de déraper à terme dans ce purgatoire économique et social qu'est le sous-développement.

Pour rendre la « crise » positive, il faut transformer les sujets passifs en sujets actifs, faire de citoyens assistés des citoyens entreprenants, ayant appris à domestiquer « la crise ». Car telle est bien la principale découverte de ces dernières années, plus exactement la redécouverte, la crise est notre destin et son horizon est planétaire.

Le 15 mars 1984... Objectif 1988

Le Président avait invité plusieurs journalistes à partager son petit déjeuner à l'Élysée. Il voulait donner le ton de sa énième bataille pour la reconquête de l'opinion. « On va vers le paroxysme. Je ne le crains pas. C'est dans le paroxysme des difficultés que les Français jugeront du courage du gouvernement. De notre capacité à résoudre les problèmes du moment tout en restant fidèles à ces deux vérités qui font la gauche : la justice sociale et la diffusion des responsabilités. Il faut montrer que nous avons fait les meilleurs choix. Cela suppose un travail d'explication dont j'avais mal apprécié l'urgence. » Mitterrand mise exclusivement sur Mitterrand pour convaincre l'opinion : « J'ai des qualités d'explication que d'autres n'ont pas », reconnaît le Président. Une nouvelle fois, il a décidé d'aller au charbon, de changer de vitesse et d'embrayer brutalement.

N'aurait-il pas été préférable de changer enfin de gouvernement, comme le suggérait Pierre Bérégovoy : « Mitterrand a besoin, actuellement, d'un gouvernement qui se charge des restructurations industrielles et d'un autre, en 1985, qui mène la campagne des législatives. » Il allait de soi pour le ministre des Affaires sociales qu'il était disponible pour la phase intermédiaire. En fait, il n'y aura pas de changement de gouvernement parce que cela signifierait la mise en retrait de Mitterrand, alors qu'il est convaincu d'être le seul capable d'expliquer correctement la politique du gouvernement à trois mois des élections européennes. Et si personne d'autre n'est susceptible de donner une cohérence à ce que l'opinion perçoit comme incohérent depuis le printemps 1983, il y a une vraie raison : c'est uniquement dans la psychologie présidentielle que tous les morceaux du puzzle gouvernemental se rassemblent pour dessiner une figure qui n'est pas loin d'être aussi tordue que le serait un autoportrait sincère.

A chaque étape difficile, le Président a toujours un argument définitif pour justifier le non-remplacement de son Premier ministre défaillant. Cette fois, il considère qu'usé pour usé, Pierre Mauroy peut encore prendre sur lui l'impopularité des restructurations industrielles et en débarrasser ainsi son successeur. Mitterrand aurait même lancé cette formule au cours d'un dîner amical, à propos de Pierre Mauroy : « Un Premier ministre, plus ça dure, moins ça s'use. » En attendant, c'est une nouvelle fois au Président de monter « au créneau ».

Une fois qu'il a fait le vide autour de lui, quand arrive l'heure des batailles décisives, il devient alors aux yeux de ses partisans, comme à ses propres yeux, le seul et unique recours, susceptible d'éviter la catastrophe qui se profile à l'horizon.

Le plan de la campagne « présidentielle » s'oriente autour de quatre thèmes, qui sont eux aussi de l'ordre de l'autoportrait : « le courage », « le compromis », « l'explication » et « la durée ».

Le conflit scolaire peut contribuer au positionnement que Mitterrand ambitionne désormais. Trois années ont passé depuis 1981 et il espère que le gimmick des promesses électorales appartient désormais au musée de la République. Mitterrand n'est plus le partisan élu d'un statut unique de l'enseignement, mais « le Président de tous les Français », qui doit arbitrer entre deux lobbies puissants, celui de la laïcisation intégrale et celui de l'enseignement catholique.

Il entend marquer ainsi ses distances avec le Parti socialiste, dont les dirigeants ont été à l'inverse invités à sortir leur drapeau. Au cours du dernier comité directeur, le PS a en effet adopté une position à nouveau très tranchée en faveur de la laïcisation. En assumant son identité, le PS peut rendre sa liberté à Mitterrand. La même attitude qui a d'ailleurs été adoptée à l'égard des fonctionnaires : le 8 mars, le jour de leur grève générale, on pouvait même rencontrer des conseillers du Président au bord de la jubilation, tandis que la direction du PS prenait fait et cause pour cette journée de défense du pouvoir d'achat.

La mise en scène présidentielle consiste à faire des partis de gauche des lobbies d'un genre un peu particulier, face à l'intérêt général incarné avec « courage » par le Président.

A propos du Tchad, Mitterrand, au cours de ce petit déjeuner, a eu cette phrase qui se donne volontiers comme le *la* présidentiel : « Même si notre politique au Tchad ne recueillait que 4 % de satisfaits, je poursuivrais cette politique parce qu'elle est vitale pour la France. Rien ne me fera changer d'avis. »

Encore faut-il réussir dans la négociation puisque, en toute logique, c'est là où l'on pourra juger de ses capacités à défendre l'intérêt général.

Mais c'est sur l'école privée que Mitterrand entend se manifester de manière exemplaire. Un mot revient de manière obsessionnelle dans la nouvelle version du lexique élyséen : le *compromis*. Et Mitterrand de le justifier : « Beaucoup parmi nos électeurs ont ressenti la recherche d'un compromis sur l'école privée comme une compromission. Ils ont eu honte du compromis. Il faut faire comprendre que c'est une démarche éminemment positive. Nous devons revendiquer la recherche du compromis dans toutes les situations. » Dans ce domaine, Mitterrand estime être le meilleur de tous les leaders politiques français, celui qui combine la plus grande expérience des rapports de forces et l'intelligence tactique la plus aiguisée. Il pense enfin qu'en s'arc-boutant, malgré l'impopularité, sur la politique de rigueur sans déroger pour satisfaire telle ou telle corporation, il a eu raison : cela montre son « courage » et le légitime à imposer des « compromis ». D'autant qu'il partage alors l'analyse que Claude Marti, son nouveau docteur en image, lui conseille : « prendre le large ». « Il faut faire de l'espace autour de Mitterrand, dit le conseiller, afin qu'il puisse rassembler autour de lui, selon des lignes de forces qui se rejoindront en montant vers lui. »

« Mitterrand est entièrement investi sur 1986-1988 », selon Max Gallo, le ministre porte-parole du gouvernement. « Il dit clairement qu'il ne faut pas écarter l'hypothèse d'une victoire de l'opposition en mars 1986. Cela n'a rien d'inéluctable, mais c'est dans le domaine du possible. Dans ce cas, qu'il ne souhaite évidemment pas, tout dépendra selon lui de l'attitude que nous aurons adoptée en 1984 face aux problèmes du moment. C'est pourquoi le Président nous répète que nous devons être courageux sur la rigueur et qu'il faut impérativement tenir quoi qu'il arrive. »

Le 3 avril, l'interdit communiste...

Depuis mars 1983 Mitterrand souffre d'un « handicap » considérable. La reconquête de l'opinion, qu'une vertueuse politique économique devrait favoriser, est entravée, comme tirée en arrière par l'impossibilité dans laquelle se trouve le Président : celle de reconnaître enfin qu'il a changé de politique.

Depuis le printemps des municipales, il a pourtant transgressé tous les tabous de la gauche : le profit, l'entreprise, les licenciements, le dualisme scolaire, les Pershing... Le seul qu'il ait respecté, c'est l'interdit communiste.

Le plus extraordinaire, c'est que les socialistes, lorsqu'ils parlent de l'attitude contradictoire des communistes, répètent inlassablement : « Il y a un seuil à ne pas franchir. » Même Mitterrand parle de « seuil » à propos des communistes. Le 15 mars, lors du petit déjeuner évoqué plus haut, il avait eu cette phrase : « Les communistes sont allés à l'extrême limite dans tous les domaines, ils n'ont rien épargné... Le seuil, ce ne sont pas les discours, c'est l'appréciation que j'ai, personnellement, de la situation. Et, dans ce domaine, je suis totalement utilitariste. »

A force de jouer avec « le seuil » sans jamais révéler à quiconque où il se trouvait, il était inévitable qu'un jour, quelqu'un vende la mèche. C'est ce qu'a fait Georges Marchais au cours de *l'Heure de vérité* du 3 avril : soit Mitterrand avoue qu'il s'est trompé en 1981 et il est alors contraint de reconnaître qu'il faut changer de politique, soit il reste fidèle aux engagements de sa campagne présidentielle et ceux-ci sont incompatibles avec sa politique actuelle. Les communistes ne mettent qu'une condition à leur participation au gouvernement : que Mitterrand s'interdise de parler d'un quelconque « changement de politique ». Pour Georges Marchais, le Président peut faire à peu près ce qu'il veut, il peut se faire le principal avocat des Euromissiles, il peut envoyer des troupes au Tchad guerroyer contre la Libye, détruire du matériel soviétique, expulser des diplomates de l'Est, peu importe en définitive au Bureau politique, du moment que Mitterrand confirme à chaque occasion que c'est bien la même politique qui continue.

Pour le PC, depuis 1981, survivre coûte que coûte, c'est sauver la face et maintenir la fiction d'une fidélité stratégique. Dans la pensée communiste, la tactique est toujours un facteur secondaire, c'est la raison pour laquelle d'ailleurs on s'autorise avec elle tous les accommodements. Par contre, la stratégie est sacrée. Celle-ci a un nom : l'union de la gauche, et son programme : le Programme commun. Ayant perdu une grande partie de son électorat et de ses municipalités, traversant l'une des périodes les plus sombres de son histoire, le PC s'accroche à cette stratégie comme un homme qui se noie fait d'une simple bouée le nec plus ultra de la condition humaine.

Le PC prépare les élections européennes : cette politique de « participation oppositionnelle » lui tient lieu de programme électoral. Grâce à quoi les communistes espèrent bien cette fois enrayer l'hémorragie. Le PCF, en s'opposant à la politique industrielle du gouvernement, entend manifester sa « fidélité » au Programme commun. La politique qu'il défend, qu'il oppose à Mitterrand, est justement celle qui servait de projet au candidat aux présidentielles. Le changement de politique opéré par Mitterrand n'a évidemment pas échappé au PCF. En s'y opposant de manière aussi tranchée, le PCF cherche à reconquérir l'initiative idéologique et politique au sein de la gauche. Entre le PCF d'une part, qui campe fermement sur ses positions en brandissant le drapeau du programme de l'union de la gauche, et le « modernisme » de Mitterrand d'autre part, il y a bien un abîme. Et plus l'écart se creuse entre le PC et Mitterrand, plus le PS apparaît absent, plus la peau de chagrin socialiste se rétrécit. Car si dans la déroute le PCF peut se refaire une identité au nom de la fidélité aux accords de la gauche, la situation du PS est, elle, autrement plus difficile. Le changement de politique opéré par Mitterrand et sa radicalisation dans la rigueur libèrent partiellement le PCF, en tout cas lui rend une certaine marge de manœuvre; a contrario, l'affirmation d'une identité mitterrandiste en rupture avec les mythes de la gauche lamine littéralement le PS et le prive de toute personnalité politique cohérente. Bref, pour la première fois depuis la signature du Programme commun, le PCF peut espérer ainsi reconquérir, conflit après conflit, le terrain perdu sur le PS (même si, globalement, l'ensemble de la gauche doit y perdre), en apparaissant comme le seul pôle idéologique et politique de gauche face à Mitterrand.

Enfin, selon le PC, cette « participation oppositionnelle » et l'interdit qui frappe l'action de Mitterrand précipitent sa chute. Le PCF ne retrouvera sa liberté que le jour où les socialistes auront échoué. Tout ce qui hâte ce moment de vérité est pain bénit, pour autant que les communistes ne paraissent pas porter la responsabilité de cet échec.

En prenant une attitude oppositionnelle vis-à-vis de Mitterrand tout en participant au gouvernement, les communistes veulent mettre l'action présidentielle en péril. Non seulement Mitterrand est contraint de subir cette opposition, ce qui prouve qu'il a bel et bien besoin des communistes, mais, au surplus, il fait preuve d'incohérence.

En d'autres termes, il importe pour les communistes que Mitterrand cumule les inconvénients de son ancienne politique sans pouvoir pour autant tirer le moindre bénéfice de la nouvelle.

Cet « interdit » influe sur l'ensemble de la politique gouvernementale et oblige Mitterrand à pratiquer le sport auquel Sisyphe était condamné : malgré ses efforts, la « cote » de confiance du Président n'est pas remontée dans l'opinion comme il aurait pu l'espérer.

Le 4 avril, l'heure américaine

Lorsque Mitterrand part aux États-Unis après le sommet européen de Bruxelles, c'est, semble-t-il, pour faire le marketing de la « rigueur à la française » en utilisant la sympathie provoquée outre-Atlantique par sa fermeté tout au long de la « crise » des Euromissiles. En fait, ce marathon américain, sur la piste de la reprise et du boom technologique, aura été pour Mitterrand un laboratoire vivant qui lui aura permis d'élaborer de conférences en débats, de rencontres en découvertes, son nouveau discours industriel.

A sa descente d'avion au retour, il préside un Conseil des ministres qui décide près de trente mille suppressions d'emplois dans la sidérurgie : « à l'américaine » ! Six jours passent, ponctués par de violentes protestations sidérurgistes et une grosse colère du PC. Mitterrand revient des États-Unis avec une politique industrielle.

C'est de manière très délibérée que toute sa conférence de presse élyséenne aura été placée sour le signe du voyage américain. Jusqu'au pupitre derrière lequel, tel un Président américain, Mitterrand se tenait debout, comme s'il voulait ainsi signifier qu'il avait choisi de donner de lui l'image de l'homme d'action qui bouscule tout sur son passage. C'est aussi très délibérément qu'il cite à plusieurs reprises ce voyage outre-Atlantique et certains des industriels avec lesquels il s'est entretenu. Mais, au-delà de cet emballage destiné à colorer son propos aux couleurs rassurantes de l'Oncle Sam renaissant, Mitterrand entend faire paradoxalement de l'État l'opérateur volontariste d'une mutation industrielle à l'américaine.

L'occasion, c'est la Lorraine. Mitterrand joue en deux ans sur cette région tout son capital présidentiel. Le chômage ne sera sans doute pas maîtrisé en 1986, mais il ne pèsera pas du même poids électoral si une réelle transformation de la Lorraine (et des autres « pôles de reconversion ») est alors engagée et commence déjà à porter ses fruits. Mitterrand ira aux élections législatives de 1986 en passant par la Lorraine, et c'est en passant par Pittsburgh, au cœur de la vieille sidérurgie américaine, elle aussi sinistrée, qu'il s'attaque aujourd'hui au chagrin lorrain, avec quatre mesures fondamentales.

La croissance par le profit et par l'investissement, opposée à la croissance par la consommation (celle de 1981, qui était justement celle sur laquelle était entièrement construit le programme commun de la gauche).

Suppression des entraves à la création d'entreprises dans les zones de reconversion pour favoriser le profit à court terme.

Universités de pointe – les nouvelles technologies – conçues comme le vecteur principal de la restructuration industrielle.

Enfin, transformation du ministère de l'Industrie en ministère opérationnel, doté de pouvoirs exceptionnels, et notamment financiers, il aura autorisé dans le domaine aussi bien social qu'universitaire.

Georges Marchais devant son poste de télévision n'attendait qu'une phrase, le : « Sésame ouvre-toi » de l'union : « C'est la même politique qui continue », phrase à laquelle le PC s'accroche comme à une icône. Que Mitterrand l'oublie et le PCF se sentirait délié de sa participation au gouvernement. Le plus extraordinaire après l'exposé d'une politique industrielle qui tourne à ce point le dos aux discours de 1981, c'est que cette formule magique, Mitterrand l'a quand même prononcée. Sans la référer au projet socialiste ou au Programme commun, mais au combat mené « depuis quinze ans pour la justice sociale ». Quinze ans, c'est-à-dire avant même qu'il ne devienne premier secrétaire du PS.

Au surplus, il reconnaît s'être effectivement trompé sur la sidérurgie, avec toute la classe politique, avec tous les experts. Cette reconnaissance d'une erreur ouvre la voie à d'autres et lui permet, sur ce dossier, de « parler (presque) vrai ». Si l'on ajoute le renversement complet qu'il fait subir à tous les théorèmes industriels du Programme commun, cette phrase ressemble à un hochet donné aux communistes pour qu'ils essaient de se calmer. Sans illusions d'ailleurs, puisque Mitterrand prend acte du comportement oppositionnel du PCF : « Je constate qu'une situation nouvelle s'est créée... Dans l'intérêt de la majorité, je pense que le temps est venu de mettre les choses au net. » Il n'en dira pas plus.

Depuis 1981, Jean Riboud répétait inlassablement : « Il appartenait à la droite, lorsqu'elle était au pouvoir, de réformer l'État, de le libérer de ses archaïsmes. Elle seule pouvait le faire. Malheureusement, ni de Gaulle, ni ses successeurs ne l'ont fait. Et ce n'est pas la gauche qui le fera. C'est sociologiquement impossible. Par contre, il appartient à la gauche de libérer l'esprit d'entreprise et les entrepreneurs, de révolutionner les mentalités dans ce domaine. Et cela, la droite ne pouvait pas le faire, seule la gauche le peut. J'espère que Mitterrand finira par comprendre que c'est sa tâche principale. »

Cette confidence en appelle une autre, entendue elle aussi à plusieurs reprises depuis 1981, mais émanant, cette fois, de Jacques Attali : « La bataille économique, ce sera pour Mitterrand ce que fut l'Algérie pour de Gaulle. Et il y aura à gauche, toutes proportions gardées, l'équivalent de ce que fut l'OAS. »

Ces deux propos – répétés par l'un et l'autre à nouveau en ce printemps 1984 – éclairent le nouveau discours présidentiel.

Lorsque les puits de pétrole prennent feu, l'une des techniques employées consiste à faire sauter de fortes charges d'explosifs, afin de produire un effet de souffle. Et, naturellement, il faut souvent effectuer plusieurs tentatives pour « souffler » le brasier et reprendre la production. Mitterrand utilise la restructuration industrielle pour « souffler » l'affrontement idéologique et politique entre la droite et la gauche. C'est pour cette raison qu'il a délibérément dramatisé le dossier sidérurgique en rajoutant au besoin quelques milliers de suppressions d'emplois.

Le problème de la sidérurgie cesse d'être particulier pour devenir le sommet de l'iceberg des restructurations. Et, pour affronter cette banquise sociale, Mitterrand dit en substance : il n'y a plus une conception de gauche et une conception de droite, il y a le degré zéro de l'économie de marché; c'est-à-dire la production du profit. Au point même que l'on entend alors certains de ses conseillers dénoncer le « laxisme de Reagan » dans la conduite d'une véritable « politique de l'offre »!

Il faut dire que les conséquences sociales du discours présidentiel seront, elles aussi, du genre explosif : aggravation massive du chômage et peut-être nécessité de ponctionner le pouvoir d'achat par un troisième plan de rigueur afin d'organiser la mobilisation nationale en faveur de l'investissement productif. Ce que cherche alors à démontrer Mitterrand, c'est justement l'inéluctabilité de ces mesures : elles ne sont ni de droite, ni de gauche, elles sont seulement nécessaires. La démonstration est destinée aussi bien à l'électorat de gauche qu'à l'électorat de droite.

L'« effet de souffle » du plan acier doit abasourdir une large fraction de l'opposition comme une large fraction de la majorité. La politique doit ainsi être renvoyée aux extrêmes, tandis que, dans l'espace libéré par ces « effets de souffle » en chaîne, serait censer se nouer « une nouvelle alliance » (c'est le titre d'un petit livre que Max Gallo a publié au début de 1984 et qui anticipait les événements présents) entre les réalistes de tous bords, tous les vrais « patriotes » du réalisme économique.

Avec ou sans les communistes? Car, en dernière instance, tout dépendra du facteur communiste. S'ils restent au gouvernement, il sera possible d'envisager sur le mode de l'union nationale un élargissement effectif de la majorité. Il en ira tout à fait différemment si les communistes claquent la porte sur les restructurations industrielles. La loi électorale pour 1986 sera taillée en fonction de la situation ainsi créée : si les communistes restent quand même au gouvernement, il est probable que les préférences présidentielles pour le scrutin majoritaire l'emporteront. Au cas où les communistes décideraient de faire cavalier seul, le recours à la proportionnelle devient inévitable.

Le 13 avril, chagrin lorrain

Il faut sans doute avoir vécu à Longwy depuis deux ou trois générations, au cœur de cette vallée sinistrée, avoir survécu à cinq restructurations de la sidérurgie au point que même le désespoir est brisé, pour choisir de manifester à Paris un « vendredi 13 ».

Mais c'est peut-être parce que toutes les raisons, les bonnes comme les mauvaises, se sont acharnées contre eux que les sidérurgistes condamnés ont pris le risque de défier la malchance qui s'attache au jour des losers. Le propre du loser, c'est qu'il ne sait plus contre qui se retourner : c'est exactement la situation dans laquelle se trouvent les sidérurgistes des sites condamnés.

Ce sont en effet les dernières victimes connues – rien ne prouve qu'il n'y en aura pas d'autres dans le futur – d'une des grandes gabegies financières de la Ve République. Cent dix milliards de nouveaux francs et en franc constant (amusez-vous à multiplier par mille pour voir!) en une vingtaine d'années. Seulement voilà, il y a longtemps que ce scandale a cessé d'être scandaleux. Avec les années, avec l'aveuglement généralisé, de restructuration en restructuration, il s'était banalisé. Il ne restait plus qu'à avoir l'audace de mettre un terme au scandale. C'est fait.

Rejetés par un gouvernement de gauche, les sidérurgistes de Longwy et de Pompey pouvaient légitimement croire qu'ils allaient devenir les victimes emblématiques de la crise et de la rigueur. C'est l'inverse qui s'est produit et qui les accable.

Il n'y a pas que le mythe de l'acier qui a implosé le 4 avril, le jour de la conférence de presse de Mitterrand. Le remake des émeutes de 1979 n'est pas possible : alors, pour les syndicats – la CFDT mise à part –, la crise n'existait pas et le mot d'ordre, c'était : « Vivre et travailler au pays. » De tout cela, il ne reste rien.

Les sidérurgistes ont débarqué dans Paris, en porte à faux avec l'opinion. Les temps ont changé : hier avant-garde du socialisme, alors favorisée dans l'opposition, aujourd'hui arrière-garde qui s'oppose à l'épreuve de vérité du réalisme.

Ce voyage à Paris fut une manière de voyage au bout de la nuit d'une culture industrielle : celle de l'acier. Le langage des gestes et des silences est sans fard. En décidant de ne pas recevoir une délégation de sidérurgistes au soir de leur manifestation parisienne, Mitterrand a reconnu implicitement qu'il n'avait rien de plus à dire sur la sidérurgie lorraine.

La restructuration industrielle commence inévitablement par des destructions de capital – fermetures d'usines –, des désinvestissements, et se poursuit par des investissements plus productifs, des gains de productivité, sinon des créations de nouvelles entreprises et donc de nouveaux emplois. Ce moment destructeur qui dure et s'aggrave est aussi à l'origine du malaise de l'électorat de gauche.

Cette destruction est en effet autant celle de secteurs industriels que de modèles de pensée forgés dans l'opposition et qui constituaient pour une bonne part les valises politiques de la gauche en 1981. Industrielles ou idéologiques, ces destructions frappent essentiellement au cœur de l'électorat de gauche, elles sont communicantes et s'entraînent l'une l'autre. Faut-il que le Parti communiste soit affaibli pour qu'il accepte de subir une telle entreprise de négation de ses croyances les plus profondément enracinées! Finalement, l'attitude du PCF constitue un excellent électrocardiogramme de toute la gauche : qu'il soit contraint de rester au gouvernement dans ces conditions signifie que l'électorat majoritaire est certes victime d'une crise de mal de mer idéologique, mais que personne n'a véritablement envie pour l'instant de sauter par-dessus bord, soit par désespoir, soit en quête d'un autre moyen de sauvetage, c'est-à-dire d'une alternative politique. Elle n'existe pas à gauche, elle n'existe pas plus à droite, de telle sorte que se crée une sorte de no man's land politique autour de ce moment de destruction.

Cette entreprise prend un relief encore plus cruel avec l'effilochage accéléré des organisations syndicales depuis 1981. Mal préparées, saisies souvent de plein fouet par l'absolutisme de la nouvelle politique économique les centrales de salariés voient certains de leurs bastions emportés par la destruction de pans entiers de l'ancien mode de production. Autant, sinon plus que les partis de gauche, ils sont jugés responsables des illusions d'avant 1981. Même la CFDT, pourtant attentive à se démarquer tout au long des années soixante-dix du Programme commun et de ses archaïsmes, n'est pas parvenue à ramer seule à contre-courant et doit subir les contrecoups de cette « dislocation du social », selon le mot employé par Mitterrand lui-même au cours de son périple américain.

8

La tragédie de la gauche

Juin 1984

Le 17 juin, la clarification électorale

Les élections européennes ne devaient être qu'un « jeu stratégique » pour les dirigeants de la majorité et de l'opposition, qu'une « utile répétition générale pour 1986 », comme le disait la veille encore Lionel Jospin, une sorte de « sondage grandeur nature ». Au soir du scrutin, après les résultats, ce fut la tempête.

Entre les municipales de 1983 et les européennes de 1984, les traits se sont durcis. La condamnation de la politique gouvernementale, par tous les moyens, y compris l'abstention et le vote Le Pen, est devenue la préoccupation majoritaire de l'électorat.

Mais l'événement du 17 juin dépasse de loin celui des municipales. Il institue en effet deux pôles extrêmes avec des scores avoisinants, la droite dure autoritaire de Jean-Marie Le Pen d'un côté et la gauche dure autoritaire de Georges Marchais de l'autre. Cette symétrie rend désormais inconcevables les coalitions de gauche ou de droite « d'antan ».

Le PCF, malgré l'ambiguïté de sa stratégie de la « participation-opposition » au gouvernement, malgré les contorsions de Marchais pour souffler alternativement le chaud et le froid, le PCF s'effondre et subit l'humiliation d'être au même étiage que le Front national, qui, la veille encore, n'était qu'un groupuscule.

Le PCF se vide par le drain gouvernemental. Les dirigeants communistes s'attendaient à souffrir au gouvernement. Ils ne pouvaient pas s'imaginer que cela tournerait au suicide collectif.

Le naufrage communiste déstabilise le parti majoritaire et le prive de sa justification stratégique, à savoir l'union de la gauche. Derrière ce paravent, le roi socialiste est affreusement seul, mais l'électorat n'a pourtant pas hésité à l'arracher. Les socialistes sont pris à contrepied par le rejet de plus en plus massif de l'union de la gauche par leurs propres électeurs.

Même la petite opération de centre gauche montée par l'Élysée autour de la liste LSD (Lalonde-Stirn-Doubin), pour donner un peu d'air frais à la majorité, pour rééquilibrer partiellement ses pertes, a échoué. Cette liste « acide » n'a allumé personne : non seulement elle a raté sa percée, mais elle n'a pas décollé du niveau électoral des écologistes.

La majorité est doublement vaincue. Une première fois par l'ampleur du vote oppositionnel, une seconde fois par effondrement interne.

L'opposition a formellement gagné. Mais le score du Front national (11 %) rend singulièrement amère sa victoire. Jean-Marie Le Pen ne s'est pas privé de répéter dans ses commentaires que c'était finalement grâce à lui que la majorité connaissait une telle défaite. La percée du Front national est à ce point indiscutable qu'il sera désormais difficile à l'opposition parlementaire de feindre de l'ignorer, comme elle l'a fait pendant la campagne des européennes : il sera difficile de maintenir rassemblés dans l'opposition parlementaire à la fois ceux qui sont prêts à pactiser avec le Front national et les courants xénophobes et antidémocratiques qu'il suscite ou révèle et ceux qui s'y refuseront a priori, quitte à s'allier avec le Parti socialiste, s'il n'est vraiment pas possible de faire autrement.

La proportionnelle du 17 juin a mis fin à un certain nombre d'ambiguïtés qui gouvernaient la droite et la gauche, confrontant et l'une et l'autre à une crise d'identité profonde sinon capitale. Car la cohabitation n'est pas plus possible entre la gauche autoritaire et la gauche démocratique qu'entre la droite autoritaire et la droite démocratique. Il fallait cette épreuve, il fallait l'effondrement du PCF et la percée du Front national, pour que ce message venu du fin fond des urnes soit enfin décryptable.

D'élection en élection, depuis les partielles de 1982, se confirme l'effondrement d'une stratégie, celle de l'union de la gauche. Elle n'a plus de présent et on imagine mal par quel sortilège elle pourrait avoir à nouveau un quelconque avenir.

Cette stratégie, dans le système majoritaire de la Vᵉ République, était fondée sur l'alliance des deux grands partis de gauche, constituant un socle estimé généralement à 44 %. Cette alliance, dominée par le Parti socialiste et conduite par Mitterrand, satellise, depuis une dizaine d'années, des expressions sociales et politiques minoritaires qui vont de l'extrême gauche au centre gauche. Et, toujours en théorie, un ou deux points seulement font alors la différence, la victoire ou la défaite entre les deux grandes coalitions politiques.

Au soir des européennes de 1984, le socle électoral PC-PS n'affiche plus que 33 %. L'alchimie de l'union de la gauche, selon la vulgate mitterrandiste, c'est l'affaiblissement continu du PCF et le renforcement, tout aussi régulier, du Parti socialiste. Que le PCF tombe à 11 % ne serait nullement négatif si le PS parvenait à capter les « déçus » du communisme et franchissait ainsi, par cumul des transferts, le seuil des 30 %.

Le PCF s'effondre à un rythme qui surprend désagréablement les dirigeants socialistes tandis que le PS se révèle en effet incapable depuis 1981 d'attirer le moindre électeur à la dérive ; qu'il vienne du centre, de l'écologie ou du communisme. Au contraire, le PS doit faire face à son propre déclin : il se maintient difficilement à son étiage de 1973, comme si, après un grand voyage un peu fou, il était tout simplement revenu à la case départ (la première grande consultation électorale après la renaissance du congrès d'Épinay).

La majorité est minée de l'intérieur, comme piégée par les contre-effets imprévus du triomphe de la stratégie mitterrandiste : l'union de la gauche est en train de se retourner contre son promoteur.

Parti ouvertement prosoviétique, soupçonné à juste titre de défendre une conception autoritaire de la gestion étatique, le PC s'effondre parce que, depuis 1981, malgré sa participation au gouvernement il n'a pas changé. La stratégie de Mitterrand aurait continué à lui être bénéfique si, à l'épreuve des réalités, les communistes s'étaient transformés, si leur parti s'était essayé à la démocratie. Car, aussi étrange que cela paraisse, l'anticommunisme de Mitterrand est de nature « tolérante ». Rien à voir avec la haine traditionnelle de l'anticommuniste qui cherche à écraser le porteur de la faucille et du marteau. L'anticommunisme de Mitterrand est, à l'inverse, de type « participatif ». Il les a entraînés au gouvernement avec l'idée qu'ils ne pourront qu'évoluer positivement, ce qui amènera ipso facto une transformation du Parti communiste, le départ de Georges Marchais, la promotion de Charles Fiterman... C'est le théorème de la contagion appliqué à la démocratie : la gauche démocratique incarnée par le PS fait plier la gauche autoritaire et contribue à la libérer de son stalinisme. La contagion s'est limitée aux communistes du gouvernement et aux membres de leurs cabinets. Elle n'a pratiquement pas été au-delà. Premier échec socialiste aggravé par la méfiance de l'électorat socialiste à l'égard de la contagion communiste dans les rangs socialistes. De réactions sectaires en comportements dogmatiques, il est apparu au fil des années que bon nombre de dirigeants du PS s'accommodaient fort bien de comportements autoritaires dans leurs propres rangs. C'est une découverte de l'après-1981 : l'électorat médusé découvre que la gauche autoritaire compte aussi des adeptes au Parti socialiste. C'est dans ce scepticisme général qu'intervient l'affaire des Poisons – la querelle scolaire. La vision étatiste s'exprime au sein du PS avec une sorte de surenchère masochiste dans la caricature, de telle sorte que le PS perd son image de garantie anti-autoritaire et démocratique face au PC.

La mécanique s'emballe sur les libertés. Plus les dirigeants socialistes veulent ressouder l'union de la gauche, en multipliant les réglementations nouvelles sur l'école ou sur la presse, plus ils sont soupçonnés par l'opinion, mais aussi et surtout par leur propre électorat, d'être devenus des partisans d'une conception autoritaire de l'exercice du pouvoir.

C'est parce que l'union de la gauche fonctionne de manière idéologique et non seulement de manière tactique que le déclin du PC a rejailli automatiquement sur le PS. La majorité crève de l'union de la gauche.

La clarification au sein de la gauche est devenue indispensable : ou le PC entreprend une déstalinisation rapide et Mitterrand peut espérer encore sauver sa stratégie, ou les communistes s'y refusent, tout simplement parce que c'est devenu impossible pour eux dans un organisme aussi fossilisé, auquel cas, si l'union de la gauche est malgré tout une nouvelle fois reconduite, elle finira par servir de tombeau au Parti socialiste et à Mitterrand lui-même. Telle est la tragédie de la gauche.

Le 24 juin, un peuple de droite

Plus d'un million de personnes dans les rues de Paris, l'événement est exceptionnel. Il faut remonter la légende du pavé parisien pour trouver des équivalents : les 13 et le 30 mai 1968, qui opposaient déjà le peuple du mouvement et celui de la peur, ou même plus loin encore les obsèques des morts de Charonne. Et c'est tout pour la Ve République.

On peut retourner ce fait millionnaire dans tous les sens, le diluer dans l'enchevêtrement des causes et des circonstances, il s'impose comme une vérité de la société française.

Il y a une dialectique de la rue et de la liberté, capable de rassembler les grandes foules manifestantes, de produire des levées en masse. Une fraction de la population vit alors le projet de loi Savary (adopté en première lecture à l'Assemblée nationale) comme une menace d'abolition de l'enseignement privé, comme la confiscation potentielle d'une liberté fondamentale : celle de disposer d'une solution de dépannage scolaire en cas de défaillance de l'enseignement public.

La bénédiction offerte par l'épiscopat, auréolé depuis les événements de Pologne d'une autorité morale toute neuve dans le domaine des libertés, a légitimé pour beaucoup l'engagement dans ce combat : inévitablement il devait rencontrer l'opposition politique. L'événement de cette manifestation, ce ne fut pas seulement le succès des mouvements en faveur du pluralisme scolaire, ce fut l'émergence d'un peuple de droite sur la scène française.

Plus que la France conservatrice des petites villes, c'est la France bien conservée qui s'est offert une Bastille dominicale. Une sorte de permanence tranquille traversant les bouleversements du siècle avec bonne conscience et la plus parfaite bonne foi. Cette France qui ne bouge pas s'est mise en mouvement. Et c'est la peur qui l'a mise en mouvement.

Tout a été dit, ou presque, sur la raideur aveugle de la démarche socialiste qui à aucun moment n'a perçu qu'à travers le pluralisme scolaire se jouait en fait une bataille idéologique décisive. Ce n'est pas tant le projet de loi lui-même qui a mis le feu aux poudres que la manière dont il a été argumenté, plaidé, défendu et justifié. Plus les socialistes se bloquaient dans une attitude qui revenait à dire qu'ils avaient le monopole des libertés, et plus ils légitimaient le mouvement en faveur de l'école privée.

Le projet de loi sur l'école privée jusqu'à sa discussion au parlement n'a jamais été présenté officiellement comme un texte organisant le pluralisme scolaire, mais comme un compromis sur la voie de l'intégration étatique d'un enseignement différent. Plus qu'une erreur de langage, c'était là un lapsus qui n'a pas échappé aux propagandistes de l'enseignement catholique et de l'opposition parlementaire; malgré sa volonté sincère de rechercher un compromis, le gouvernement donnait le sentiment d'une volonté inflexible ne poursuivant à travers les concessions qu'un seul et même but, l'intégration de l'enseignement privé.

Les mots d'ordre de la manifestation expriment tous un même refus de l'« uniformité », du « fonctionnariat » et du « monopole ». Des mots chargés, depuis près de trois ans que les socialistes sont au pouvoir, de valeur négative. Ce qui vaut alors pour l'école vaut naturellement pour tous les autres secteurs de la vie sociale. Rattrapant avec difficulté – mais quand même – la modernité financière et industrielle, la gauche, avec la loi Savary, donnait l'impression d'être à nouveau en porte à faux avec ces nouvelles « valeurs ». L'effet de brouillage fut terrible avec la politique économique, ravivant au passage tous les scepticismes antérieurs.

L'Histoire est cruelle, elle est aussi injuste. Sinon ce ne serait pas l'Histoire. Parce que finalement le projet de loi Savary instaurait dans les faits le pluralisme scolaire, mais le camouflait dans les mots.

Le gouvernement et son interface, le Parti socialiste, ont perdu une bataille idéologique capitale, la principale sans doute du septennat, sur une incompréhension. Il a fallu plusieurs dizaines de manifestations de rue, jusqu'à cette journée historique du 24 juin, pour que les dirigeants socialistes en comprennent l'origine. Il ne suffisait pas d'organiser le pluralisme scolaire, encore fallait-il le revendiquer positivement et non honteusement comme ce fut le cas, pendant des mois de surdité qui en disaient long sur la persistance d'une vision abstraite et passéiste des libertés.

Le 21 juin, l'échappée du Kremlin

Mitterrand vit de manière schizophrénique l'actualité quotidienne de sa présidence. Il n'est jamais vraiment là; certes, il traîne son quotidien, mais, simultanément, il se projette toujours trois ou six mois plus tard, parfois même deux ou trois années en avant. Dans ce va-et-vient permanent entre le présent et l'avenir, il semble vouloir tricoter l'Histoire afin d'être mieux à même d'en débusquer les fourberies.

Pour cet homme qui a le sens gaullien de l'Histoire, celle-ci ne saurait être que tragique. Malheureusement pour lui, depuis 1981, il gère des indices, envoie des troupes au Tchad et au Liban, mais sans se faire la moindre illusion sur la portée réelle de ces événements d'outre-mer. Alors parfois il s'ennuie, comme l'ennuient ces arbitrages byzantins qui n'en finissent pas de soulever des montagnes de petitesses corporatistes et qui usent ses conseillers et ses ministres nuit et jour sans parfois parvenir au moindre résultat.

Mitterrand n'a pas un tempérament de gestionnaire : c'est un tragique en quête d'une décision terrible à prendre et dont dépendrait le destin d'un pays, d'un peuple ou d'un continent. Ou son destin politique propre. De toute évidence, il n'a pas su « gérer » le problème de l'école privée. Il a dessiné un cadre au départ – il faut un compromis négocié avec la hiérarchie catholique : le fil de la négociation ne doit jamais être rompu, enfin, pour dédramatiser cette question, il est préférable de faire durer la négociation. Pendant des mois il a laissé faire Mauroy et Savary, tandis que le secrétaire général de l'Élysée gardait un contact permanent avec l'épiscopat.

Jusqu'aux derniers jours, cette affaire ne l'intéressait pas, n'éveillait rien en lui, n'excitait pas son intelligence : il ne savait donc pas comment la prendre et quelles mesures il convenait de privilégier. Alors il préfère la laisser « mûrir », attendre que la fièvre monte, qu'elle aille jusqu'à son paroxysme pour enfin mobiliser toute son énergie, et elle est immense.

Il sait que la crise scolaire est en train de « tourner », comme l'eau d'un bassin sous un ciel orageux. Raison de plus pour se rendre à Moscou et répondre à l'invitation des dirigeants du Kremlin. Chacun de ces voyages est devenu une pause nationale obligée, grâce à laquelle il peut s'abstraire avec ses principaux conseillers et réfléchir tout à loisir, comme ici dans un appartement hanté par Pierre le Grand et par les micros du KGB, au meilleur moyen de dégeler cette crise dont il est encore convaincu qu'elle est en grande partie fantasmatique.

Il aime se ressourcer dans ces grands sites de la mémoire humaine que sont le Bundestag, la Knesset, la Cité interdite ou le Congrès à Washington. De là, il peut faire entendre sa voix, prouver à lui-même et à ses concitoyens déchirés qu'elle a une valeur universelle, puisqu'il est également entendu par toutes les élites de ces grandes nations. Mitterrand a rêvé ces voyages et ces discours comme autant de confrontations solitaires avec la légende des siècles, à l'affût de la moindre occasion de conjuguer efficacement son verbe et l'action de la France. Et puis, cet acteur n'aime pas rester éloigné trop longtemps de la grande scène mondiale, là où d'autres acteurs improvisent l'actualité internationale, le plus souvent sans lui et sans la France. Alors il s'impose dans le casting de telle ou telle crise régionale, il court d'une capitale à l'autre, à tel point qu'on finit par croire qu'il a enfin trouvé la solution. Tout comme de Gaulle, il n'imagine pas un seul instant que l'histoire du monde contemporain puisse se nouer sans lui. Et, par voie de conséquence, sans la France. Aussi, quand il se rend à Moscou, il se sent naturellement à sa place. De Moscou, de Jérusalem ou de Washington, Mitterrand a naturellement tendance à relativiser l'importance des crises hexagonales, mais c'est pourtant au cours de ces échappées qu'il échafaude ses scénarios les plus sophistiqués, qu'il prépare ses « réactions » en compagnie des hommes qui, à ce moment précis, lui paraissent être les plus utiles à sa réflexion. Cette fois, à Moscou, dans sa suite, on trouvait les deux Faure, Maurice et Edgar, qu'il entendait tester sur la Constitution, le référendum, le quinquennat et la réforme du mode de scrutin.

« Après le toast, le dîner a été plutôt chaleureux. » Dix heures après son discours aux articulations de fer dans des phrases aux chairs mielleuses, moins d'une heure après sa nouvelle rencontre avec Gromyko, Mitterrand s'entretient avec un groupe de journalistes français. Il affecte d'être étonné de l'absence de réactions des dirigeants soviétiques. C'est sans doute à cette impavidité que l'on reconnaît les grandes puissances pour lesquelles seules compte en définitive la réalité obscène des rapports de forces. Pourtant le discours de Mitterrand jeudi soir, devant tous les membres du

Politburo, au cœur de la citadelle du Kremlin, c'était bel et bien du grand théâtre diplomatique.

Il fallait l'orgueil douloureux de Mitterrand pour s'adresser ainsi à l'Olympe du communisme soviétique sans rien omettre dans l'énumération iconoclaste. Tous les tabous ont été transgressés depuis l'évocation de l'affaire Sakharov jusqu'à « la confiscation des libertés en décembre 1981 » en Pologne, en passant par l'occupation de l'Afghanistan et du Cambodge. Il fallait avoir entendu quelques heures auparavant les propos du porte-parole du Comité central, M. Zamiatine, pour mesurer la portée de l'exercice présidentiel. « L'affaire Sakharov est un complot de l'ambassade américaine à Moscou, une campagne vicieuse... C'est une question intérieure et nous ne sommes pas prêts à en discuter... » Ces propos avaient naturellement une valeur dissuasive : ils invitaient Mitterrand à la prudence verbale. Le discours de Tchernenko avait été distribué juste avant que le repas ne commence. On y trouvait notamment cette phrase : « Ceux qui essaient de nous donner des conseils en matière de droits de l'homme ne font que provoquer chez nous un sourire ironique. »

Avant même que Tchernenko ne prenne la parole, les Soviétiques ont poussé le machiavélisme jusqu'à informer Mitterrand que le premier personnage de la nomenklatura ne lirait peut-être pas intégralement son discours. Et, de fait, les passages relatifs aux droits de l'homme ont été purement et simplement sautés à la lecture officielle. Mais rien n'y a fait. Mitterrand était venu ici pour défier physiquement les dieux du communisme, il n'allait pas replier sa franchise comme les soviétologues du Quai d'Orsay l'y invitaient peu avant qu'il n'entre dans l'arène. Parce que ce n'était pas dans les usages diplomatiques. Déjà, disaient ces docteurs, le roi Juan Carlos lors de sa visite à Moscou était allé trop loin sur les droits de l'homme. Pourtant, Mitterrand ne voulait pour rien au monde renoncer à jouer l'avocat des droits de l'homme devant le Politburo, sous les voûtes du palais à facettes où rôde encore la silhouette immense d'Ivan le Terrible. L'histoire russe s'est faite ici de manière ininterrompue tout au long des siècles et c'est dans ce lieu, plus que partout ailleurs, que parler de Sakharov ou de la Pologne avait un sens.

« Lorsque le Président en est arrivé aux droits de l'homme, raconte alors Jean-Louis Bianco, j'ai senti les tables frémir. J'ai regardé tous les membres du Politburo et j'ai eu peur d'un incident diplomatique grave, que les dirigeants soviétiques gardent le silence, par exemple. Ils sont restés de marbre. Simplement, Tchernenko en entendant le nom de Sakharov s'est brusquement gratté l'oreille. » Parmi les invités personnels du Président, Edgar Faure. Après le dîner, il allait répétant : « Chapeau! » tandis que le député RPR Chaumont, également invité, commentait admiratif : « C'est un sans faute : il fallait le faire! »

Après les toasts, le dîner. Même quand l'Histoire est de la partie, ce qui se trouve au fond des assiettes n'est pas sans importance. Les décrypteurs de signes de la diplomatie française, les Champollion de la kremlinologie en poste à l'ambassade de France à Moscou ont tout de suite compris le message qui accompagnait le caviar. Mitterrand était servi normalement. Mais c'était le seul. Même les ministres n'eurent droit qu'à un nombre réduit de grains de caviar, manifestement décomptés avec soin par le service du protocole du KGB. C'était le signe évident que les hôtes français n'étaient pas les bienvenus. Comme juste avant le repas, Charles Fiterman, ministre des Transports et secrétaire général adjoint du PCF, et Théo Klein, avocat, président du CRIF, avaient eu du mal à pénétrer dans l'enceinte du Kremlin, il ne faisait pas de doute que les dirigeants soviétiques avaient délibérément voulu « chauffer l'ambiance » en adoptant le plan de réception 348-B ou l'équivalent qui désigne la « mauvaise humeur ». D'ailleurs, pour faciliter la digestion de leurs invités français, les dignitaires soviétiques, sans jamais faire allusion au discours de Mitterrand, commentaient en termes acides l'évolution des positions françaises : « Au temps de De Gaulle, la force de frappe était encore tous azimuts. Depuis 1981, elle est exclusivement tournée vers l'ennemi soviétique. » Ou encore cet extrait de propos de table : « Giscard, lui au moins, il aimait Maupassant. » Les Soviétiques ne souhaitaient pas la victoire de « la gauche » en 1981. Ils n'ont pas changé d'avis sur le successeur de Giscard.

Après le dîner, un directeur de bureau du Comité central a fait ce commentaire à un journaliste français autrefois en poste à Moscou : « Mais qu'est-ce qu'il est venu faire ici, Mitterrand, si c'était pour se comporter comme un vulgaire hooligan. Je crois qu'il doit déjà regretter ce qu'il a osé dire. Si ce n'est déjà fait, il le regrettera amèrement. »

Pour le Président, c'est au comble de la jouissance qu'il raconte son dîner, le lendemain midi à l'ambassade de France à Moscou, aux journalistes qui l'accompagnaient en URSS. A l'heure où les libertés mobilisent les grandes foules en France, il n'était pas mécontent de montrer qu'il restait quand même le champion des droits de l'homme. Il n'aurait pas été question d'une imposante manifestation en faveur du pluralisme scolaire pour le dimanche suivant à Paris qu'il aurait sans doute pris des précautions avec la susceptibilité des Soviétiques. Ce voyage était prévu de longue date : il a pourtant détourné son reflet hexagonal pour mettre en scène cette image à destination de ses concitoyens où l'on voit le défenseur des libertés défiant avec panache les chefs communistes dans leur repaire de Moscou.

Outre le plaisir narcissique que cette attitude crâneuse pouvait lui procurer, outre les bénéfices intérieurs qu'il pouvait espérer en retirer, cette attitude se justifiait selon ses conseillers par la nature même du voyage qui intervenait après la bataille des Euromissiles, au cours de laquelle la France avait eu une position en flèche. Il n'était pas possible de reprendre le dialogue avec l'Est en laissant supposer, ne fût-ce qu'un seul instant, qu'il était demandeur. Au contraire, le réquisitoire sur les droits de l'homme servait à muscler la dissuasion nucléaire française, à rendre le plus crédible possible la position française dans le débat sur le décompte des armements. « Les Soviétiques, commentait Claude Cheysson, ne comprennent qu'un seul langage, celui du défi et de la force pure. Le ton très ferme du discours, c'était le seul moyen d'être vraiment entendu. »

Le Président et son entourage tirent trois conclusions de cette « épopée » moscovite. Certes, Tchernenko est atteint d'emphysème, mais il existe vraiment : le maître du Kremlin est capable d'argumenter et de reprendre son interlocuteur au cours d'une conversation. Les Soviétiques sont désireux de reprendre les négociations avec les Américains, après la réélection de Reagan. Enfin les hommes : Mitterrand voulait absolument rencontrer le rival de Tchernenko et son successeur : M. Gorbatchev. Il assistait au fameux dîner à côté de Claude Cheysson : « C'est un homme d'un gabarit exceptionnel, dira le ministre français. Si l'URSS, si la machine soviétique est capable de produire des dirigeants de cette trempe, c'est que la machine fonctionne encore pas mal. Ce n'est pas un jugement de valeur, ce type de dirigeant sera très dangereux pour les pays occidentaux dans les années à venir. »

9

La « révolution » de juillet

Juillet-août 1984

Le 12 juillet, la « botte de Nevers »

Théorème mitterrandien : lorsque vous êtes encerclé par l'ennemi, lorsque le désastre se profile, il est vain de s'épuiser trop longtemps dans une défensive qui décime vos rangs. Il faut rompre l'encerclement, changer de terrain et prendre immédiatement l'ennemi à revers. L'arme principale consiste à prendre appui sur l'offensive de l'ennemi. Certains l'appellent la « botte de Nevers ».

Mitterrand sonne le retrait : il retire purement et simplement le projet de loi sur l'enseignement privé, pourtant adopté à la hussarde grâce à l'article 49.3 qui depuis de Gaulle organise le viol collectif des majorités parlementaires. Le secrétaire général de l'Élysée, Jean-Louis Bianco, l'un des interlocuteurs discrets mais inlassables de Mgr Vilney, du chanoine Guiberteau et de Pierre Daniel (président des APEL), donne du revirement présidentiel cette interprétation simple : « Mitterrand est convaincu que le jugement porté sur ce projet de loi est profondément injuste, mais il ne peut pas ne pas tenir compte de l'hostilité qu'il provoque : l'opinion est contre, c'est un fait. »

Persévérer comme le pensait encore le Président la semaine précédente, forcer le Sénat par le jeu des procédures coercitives prévues par la Constitution, c'était courir au-devant d'un désastre. Plusieurs ministres, plusieurs conseillers élyséens faisaient ouvertement savoir qu'ils étaient favorables au retrait pur et simple du projet Savary. Mitterrand s'était rallié à ce point de vue : c'était d'ailleurs l'engagement qu'il avait pris personnellement vis-à-vis de Mgr Lustiger et de Mgr Vilney : « Je veillerai, leur avait-il dit dès le début des négociations en 1982, à ce que rien de grave, ni rien d'irrémédiable ne soit commis. Il n'y aura pas de guerre scolaire de mon fait. » C'est in extremis qu'il vient d'éviter le dérapage honteux dans la guerre scolaire.

La fameuse « bataille des libertés » lancée par Pierre Mauroy au congrès socialiste de Bourg-en-Bresse en octobre 1983 aura réussi en neuf mois l'invraisemblable exploit de brouiller ce qui faisait justement le fond de l'identité de gauche : la défense des libertés. En retirant le projet de loi Savary, Mitterrand reconnaît la défaite idéologique sur le terrain traditionnellement privilégié de la gauche non communiste.

Mais le Président ne pouvait s'en tenir au retrait pur et simple. Cette position n'était pas acceptable pour lui : Mitterrand n'est pas homme à s'humilier en général vaincu. Il a joué sa vie et sa carrière contre la tentation de la défaite qui rôde toujours dans son sillage : battu, Mitterrand n'est jamais défait et puise en lui des ressources toujours surprenantes. C'est le moment étrange où il lui arrive d'être souvent le plus imaginatif et le plus pugnace.

Il était acquis au retrait à condition de trouver le tunnel qui lui permettrait de sortir du « trou ». Il a trouvé : Il abandonne la guerre de tranchées sur l'école privée et contre-attaque sur le terrain de la Constitution. Au nom des libertés. Contre-attaque? En réalité, il s'agit d'un contre-encerclement, puisque Mitterrand prend au mot l'opposition qui, par la voix du Sénat, exigeait peu auparavant que le projet de loi sur l'école soit soumis à référendum.

Vous avez raison, dit en substance le Président, seulement voilà, la loi ne le permet pas. Alors, puisque nous sommes tous partisans de l'extension des libertés, nous allons réformer la Constitution de la Ve République. Qui dans l'opposition est contre un référendum sur le référendum?

Le propre des ruses de Mitterrand, c'est leur réversibilité. En théorie, toutes les éventualités ont été envisagées de telle sorte que le Président puisse, tel un félin, retomber dans tous les cas de figure sur ses pieds.

Le recours au référendum n'est pas l'aspect le moins troublant dans ce montage.

Relégué depuis douze ans dans les oubliettes de la Ve République, on se demandait avec gourmandise comment Mitterrand allait s'y prendre pour justifier l'usage socialiste de ce must de la panoplie gaulliste. La chose n'était évidente ni pour lui, qui fut le pourfendeur en chef de la consultation plébiscitaire, ni pour sa majorité, qui a appris la politique sur les bancs du « non franc et massif ».

Mais Mitterrand a pris ses précautions : il ne peut pas être accusé de vouloir organiser un plébiscite puisque la procédure qu'il utilise l'oblige à en passer par les deux assemblées afin d'obtenir leur aval. Ce n'est donc pas Mitterrand qui formellement va décider le référendum et l'organiser, mais l'Assemblée nationale et le Sénat, c'est-à-dire la majorité et l'opposition réunies. Pour un peu, il en ferait une initiative parlementaire, qui plus est de l'opposition à laquelle il serait sincèrement heureux de se rallier!

Mais le plus retors dans cette initiative c'est que la finalité de ce projet vise à accroître les pouvoirs du Président en lui donnant les moyens constitutionnels de soumettre à référendum des questions relatives aux libertés fondamentales. Mitterrand est d'accord pour que le projet Savary soit soumis à référendum, comme le demande le Sénat, à condition de faire la petite révision constitutionnelle qui s'impose. Entre-temps, le projet Savary aura été revu et corrigé avec la bénédiction de l'épiscopat, qui fera des pieds et des mains pour éviter que cette question donne matière à référendum. De telle sorte que si le référendum sur le référendum a lieu et s'il est victorieux, la question scolaire aura cessé d'être d'actualité. Auquel cas le Président se réserve le droit d'utiliser immédiatement cette toute nouvelle disposition de la Constitution pour forcer son avantage, et brusquer sa contre-offensive sur les libertés. Le troisème ricochet de cette initiative avait été également envisagé. Il n'était pas le moins surprenant. Au cours d'une conversation avec le Président (le 15 novembre 1985), il devait révéler qu'au cas où le Sénat aurait donné son aval à cette réforme des institutions, il aurait organisé immédiatement un référendum sur la peine de mort : « Si le oui l'emporte, elle est abolie pour cinquante ans, si c'est le non, c'est la preuve que d'autres auraient pu abolir la loi d'abolition. Le oui avait toutes les chances de l'emporter, car les catholiques auraient voté pour, l'épiscopat après la bataille scolaire aurait aussi pris position en faveur du oui à l'abolition, et aucun des grands leaders de l'opposition n'aurait osé faire campagne pour la peine de mort. Du moins personne d'important. »

Dans le cas contraire, c'est-à-dire dans le cas où l'opposition, malgré tous les inconvénients d'une position ouvertement contradictoire – elle demande un référendum sur l'école et refuse de donner au Président les moyens de l'organiser –, s'oppose à ce référendum sur le référendum, le Président a atteint son objectif puisque cette mise en scène n'était en fin de compte qu'un habile stratagème destiné à faire disparaître purement et simplement le dossier de l'école privée, alors que l'opposition s'acharne, dans le camp retranché du Sénat, contre le référendum sur le référendum.

Le 18 juillet, la réaction en chaîne

En architecture, la clef de voûte, c'est cette pierre triangulaire qui, placée au milieu de la voûte, assure l'équilibre de toutes les autres pierres. C'est une pierre parmi les autres, mais pourtant c'est elle qui commande tout l'édifice. Si on la retire, c'est tout le décor qui s'effondre.

En retirant le projet Savary, Mitterrand croit avoir trouvé la ruse absolue qui lui permet de rompre l'encerclement dont il est l'objet. Chaque chose en son temps : pour l'heure, il veut pousser son avantage sur le référendum jusqu'à ses ultimes conséquences. Et celles-ci promettaient d'être ravageuses pour l'opposition. Pourtant, par cette ruse, c'est une réaction en chaîne que le Président va involontairement provoquer! Alain Savary, désavoué, s'en va, il est suivi de Pierre Mauroy, qui profite de l'opportunité. Georges Marchais, lui aussi, saute sur l'occasion pour reprendre le pouvoir au sein du parti communiste sur le dos du gouvernement. Dans la foulée, l'union de la gauche vient de prendre officiellement fin, et Fabius, au lieu de succéder à Mauroy, va devenir le symbole de la rupture avec l'union de la gauche...

Le stratagème destiné à faire disparaître la querelle scolaire et le projet de loi qui la cristallisait entraîne la disparition de l'union de la gauche et se termine en mini-« révolution » de juillet.

Lorsque le meneur de jeu change la donne, tous les acteurs pendant un court laps de temps retrouvent leur liberté.

Pour le ministre de l'Éducation nationale Alain Savary, cette fois la coupe est pleine. Le hasard a voulu que nous ayons rendez-vous pour déjeuner le jeudi 13 juillet, le lendemain de l'allocution. L'homme est effondré. Alerté par l'annonce de l'allocution présidentielle, il regarde la télévision le 12 juillet à 20 heures. Ce qui ne passe pas depuis 20 h 06, au-delà de la surprise, c'est que le Président n'ait pas jugé bon de le prévenir ne serait-ce que quelques minutes auparavant, mais pis encore, c'est que, depuis la veille au soir, Alain Savary a attendu en vain un appel téléphonique de Mitterrand. Il ne comprend pas que l'homme de l'Élysée ne juge pas nécessaire de l'appeler alors qu'il vient de le blesser. « Je ne ferai pas de deuxième loi, sauf à reprendre mon texte débarrassé des amendements Mauroy, ce qui est impensable vis-à-vis de Mauroy. En tout cas, je ne participerai pas aux fêtes nationales du 14 Juillet. Je me donne jusqu'à lundi, mais, cette fois, je pars. »

Et puis Alain Savary ne comprend pas pourquoi Mitterrand a laissé faire les événements sans jamais vraiment intervenir : « C'est le dossier sur lequel il a le moins parlé. Il me disait souvent : " Je ne vous décourage pas, Savary. " C'est tout. Lui seul pourtant pouvait débloquer les choses en prenant position sur le pluralisme scolaire, en revenant sur les promesses électorales. Il ne l'a jamais fait. D'où mon silence. D'où mes ambiguïtés. Compte tenu de la nature du groupe parlementaire socialiste et de son histoire, ces ambiguïtés étaient inévitables tant que Mitterrand restait en retrait. » Cette blessure va se révéler meurtrière.

Alain Savary informe alors le Premier ministre de son état d'esprit et de ses intentions. Mauroy se sent solidaire de Savary. Il en rend compte à Mitterrand dès le vendredi 13 au soir. Il en profite pour exprimer une certaine hostilité à l'idée du référendum. La lettre d'Alain Savary arrivera le lundi soir à l'Élysée. Savary, cette fois, ne reviendra pas sur sa démission. Cette attitude scelle celle de Mauroy : c'est pour lui la dernière occasion de sortir « à gauche ».

Le samedi, après les cérémonies du 14 Juillet et les bavardages sur la pelouse de l'Élysée, le maire de Lille réunit ses amis. Ils partagent son analyse. Démission confirmée. Pourtant, selon les conseillers de Mitterrand, le Président envisageait de garder Mauroy jusqu'en août, peut-être même jusqu'en décembre 1984. La démission de Mauroy oblige Mitterrand à précipiter la mise en place, plus tôt que prévu, du dispositif de bataille pour la campagne des législatives de 1986. Il aurait préféré remplacer Mauroy une fois le budget adopté, l'affaire scolaire définitivement réglée et le référendum gagné ou perdu dans son principe. Si le référendum a lieu, il doit aussi envisager l'hypothèse d'une défaite des « oui » : c'est difficile pour un nouveau gouvernement de partir en campagne en commençant par un échec électoral.

Cet emballement le gêne d'autant plus qu'il risque d'être mis à profit par les communistes pour quitter le navire. Là encore, Mitterrand n'avait pas renoncé à les garder au gouvernement jusqu'en 1986. Cette préoccupation a évidemment interféré sur le choix du Premier ministre. Il hésite alors entre deux hommes : Laurent Fabius et Pierre Bérégovoy. Il n'envisage à aucun moment l'hypothèse Michel Rocard ou un *revival* de l'hypothèse Jacques Delors. Dans son esprit, le ministre de l'Économie doit rester à son poste : il lui demande d'ailleurs s'il accepterait d'être le grand argentier de Laurent Fabius ou de Pierre Bérégovoy. Bien que la présidence de la Commission européenne lui soit à peu près sûrement promise, Jacques Delors n'a pas dit non à Mitterrand. Dans le cas où il peut maintenir les signes apparents de la continuité gouvernementale, il lui semble encore possible de réussir à garder les communistes. Sinon, Mitterrand se fera une raison : au cours d'une conversation, le 2 novembre 1983, il évoquait cette perspective : « Il ne faut pas vivre dans l'illusion, comme certains de mes amis qui vivent l'union de la gauche avec passion. Il ne faut jamais être dépendant de la décision des communistes. Je fais en sorte qu'ils dépendent de moi et non l'inverse. Il ne faut pas céder sans pour autant leur donner des arguments pour s'en aller. »

C'est Fabius : ça ne pouvait être que lui. Entre les deux hommes, une relation d'ordre passionnel. Depuis leur rencontre après la défaite présidentielle de 1974, Mitterrand lui a donné sa confiance en en faisant son directeur de cabinet. L'extraordinaire, c'est qu'ils se fascinent mutuellement. Pour Fabius, Mitterrand est un maître, le meilleur de tous, auprès de qui il convient d'apprendre " la politique ". Pour Mitterrand, le rapport est plus narcissique : Fabius lui rappelle irrésistiblement la star montante qu'il fut après la guerre. Enfin, à force d'intimité politique, ils partagent une connivence manœuvrière exceptionnelle : un atout pour donner au couple Président-Premier ministre toute son efficacité.

La jeunesse de Fabius, plus qu'un argument tactique pour Mitterrand, est une revanche sur sa propre histoire. A plusieurs reprises la IVe République s'était coalisée pour l'empêcher de devenir président du Conseil : la promotion de Fabius, c'est d'abord un règlement de compte avec une vieille humiliation d'antan.

Mais l'argument tactique n'est pas indifférent pour autant : Mitterrand entend bien conjuguer, pendant la campagne électorale de 1986, l'âge de Fabius avec la " modernité " de la gauche. Non seulement le PS ne regarde plus vers les ratiocinations du passé, mais il est tourné résolument vers l'an 2000! Toute la classe politique peut faire ses comptes, Fabius va occuper les premières places jusqu'en 2015-2020 : la jeunesse de Fabius fait brusquement vieillir les adversaires de Mitterrand.

Enfin, Fabius est le fondé de pouvoir de Mitterrand. Il le fut dans le parti, puis au gouvernement, il le sera désormais à Matignon. Le message vaut pour les ministres, la direction socialiste, mais également pour le bureau politique du PC. La nomination de Fabius est utilisée alors pour minimiser l'effet négatif du départ de Mauroy sur les communistes. Mitterrand entend les rassurer en mettant à la tête du gouvernement son plus proche collaborateur.

Fabius se met au travail avec Mitterrand tandis que le secrétaire général de l'Élysée informe Charles Fiterman, le chef de file des ministres communistes. Première réaction : « Combien de temps on a, ça va me poser des problèmes, j'ai besoin de temps. »

Le soir même, le Comité central siège en séance extraordinaire. Les premières photos montrent Charles Fiterman souriant. A la fin de la nuit, il a perdu son sourire. Le ministre des Transports est toujours favorable au maintien des communistes au gouvernement mais il est brusquement isolé. Mitterrand est convaincu que ce n'est pas cette fois encore qu'ils prendront l'initiative de la rupture, d'autant qu'après leur désastre électoral aux européennes, ils ne sont plus en position de négocier quoi que ce soit. Dans le cabinet restreint envisagé par Fabius, les communistes ne gardent plus qu'un seul ministère à part entière. C'est la traduction du rapport de forces. Pour le reste, le PC devra se contenter de strapontins. Mitterrand donne comme consigne à Fabius de ne rien céder dans ses négociations avec la direction du PCF.

Cette conjoncture exceptionnelle va faire le bonheur d'un homme. Georges Marchais, secrétaire général contesté dans le parti, non seulement par les « rénovateurs » mais aussi par des responsables communistes bien « dans la ligne », qui lui reprochent d'avoir mené le parti à sa perte. Il va profiter de la précipitation des événements et des heures qui sont comptées pour faire une « révolution » de palais au sein du Parti communiste. Il va se faire soudain l'avocat de la rupture avec les socialistes sans attendre que ses détracteurs la lui imposent dans plusieurs mois et le déposent par la même occasion. Par cette manœuvre, Marchais espère bien sauver son poste en déclenchant immédiatement la croisade contre les « rénovateurs », ceux qui en dernière instance défendent encore la présence humiliante des communistes au gouvernement.

Contre toute attente, Marchais a pris l'offensive et donc les risques de la rupture. En échange de quoi, il a réussi à reprendre l'initiative au sein du parti alors même qu'il était totalement isolé à la fois par les rénovateurs, les prosoviétiques, et le « marais » de l'appareil enfin, qui sentait le vent tourner en défaveur du secrétaire général.

Le PC prend la tangente : il va pouvoir enfin renouer avec les automatismes d'une attitude oppositionnelle sectaire qu'il connaît bien pour l'avoir pratiquée à de nombreuses reprises dans le passé.

La défaite de Charles Fiterman, le brusque retrait communiste vont contraindre Mitterrand et Fabius à changer leurs priorités. Dans le cas où le PC restait au gouvernement, il était prévu d'ouvrir celui-ci à des personnalités indépendantes et à des ministres techniciens qui auraient symbolisé l'élargissement de la majorité.

Le départ des communistes oblige à un « recentrage socialiste », puisque la majorité va se réduire aux seuls socialistes et apparentés, c'est-à-dire le quart de l'électorat.

Dès lors, il faut de nouveau rassembler le Parti socialiste, mettre ses fortes têtes et ce qui reste des chefs de courant sous le poids des responsabilités gouvernementales afin qu'ils se taisent. Deux détracteurs virulents de la rigueur « à la Delors » font leur entrée dans le cabinet Fabius : Pierre Joxe, qui fut l'animateur du groupe parlementaire socialiste et sans doute, pendant trois ans, le principal adversaire de Pierre Mauroy. L'autre est Jean-Pierre Chevènement, le leader du CERES, qui fait un retour surprise au gouvernement après en avoir démissionné sur la politique économique. Joxe accepte l'Intérieur et Chevènement, à sa demande, reçoit l'Éducation nationale.

Les « emmerdeurs » potentiels sont écartés au profit du carré des fidèles, tel que l'Histoire et les photographes l'ont figé dans la posture triomphante du congrès de Metz, en 1979.

Delors part finalement pour Bruxelles, présider la technocratie européenne : il n'est plus nécessaire et profite de l'opportunité. Mauroy s'en va avec le titre de seul et unique ministre de l'union de la gauche. Rocard reste à l'Agriculture, après avoir demandé en vain l'Économie et les Finances et refusé l'Éducation nationale.

Ce resserrement autour du parti mitterrandiste est destiné à rééquilibrer le départ des communistes. D'ailleurs, pour s'autopersuader que ce ne sont pas les socialistes qui rompent avec la stratégie de l'union, c'est justement le trio infernal du congrès de Metz – Fabius-Joxe-Chevènement – qui sera la cheville ouvrière du gouvernement. Mitterrand préfère surestimer l'effet du départ des communistes sur l'électorat de gauche que l'inverse : dans un cas il peut ajuster, dans l'autre il est condamné à subir.

La démission de Savary l'obligeait à changer de Premier ministre, cette fois le retrait communiste pose au Président un problème stratégique épineux. Le gouvernement Fabius devait être celui de l'élargissement de la majorité et du rassemblement national après la grande crise scolaire. D'emblée, il est contraint au repliement sur les fidèles socialistes et doit même donner des gages de sa loyauté à l'union malgré le départ des communistes.

Les événements l'ayant pris de vitesse et lui échappant, Mitterrand va feindre, selon la formule célèbre, d'en être l'organisateur.

Certes, depuis la fin de 1982, puis en février-mars 1983, à nouveau durant l'été, puis en décembre 1983, Mitterrand s'est interrogé sur le portrait-robot du successeur de Pierre Mauroy. Selon la loi non écrite de la Vᵉ République, c'est-à-dire selon l'expérience de ses prédécesseurs, il n'y a pas plus de deux Premiers ministres par législature. Le premier est celui qui incarne la majorité qui a porté le nouveau Président au pouvoir. Le second est par excellence un homme du Président à qui il incombe de gérer une nouvelle époque, et, éventuellement, une nouvelle majorité.

Pour Mitterrand – il l'a confié à de nombreuses reprises –, le changement de Premier ministre, c'est le moment-charnière du septennat. Un rendez-vous qu'il ne faut pas manquer : ni trop tôt, ni trop tard.

Ce rendez-vous, Mitterrand l'a raté une première fois en mars 1983. Il le sait, pourtant il ne le regrette pas. Il ne serait pas parvenu à travailler en parfaite connivence de tous les instants avec Delors, trop « indépendant » selon son goût.

Mais, en dernière instance, le paramètre décisif, c'était la participation des communistes au gouvernement. En prenant les devants, Georges Marchais règle le problème de Mitterrand : il le met devant le fait accompli. La stratégie d'union de la gauche a vécu. Brutalement, du jour au lendemain, sans y être le moins du monde préparé, le PS se retrouve sans stratégie alternative. En attendant, il peut gouverner seul – sa majorité au parlement le lui permet –, au mieux jusqu'aux législatives. Après mars 1986, c'est l'inconnu.

L'effondrement continu des communistes d'une élection à l'autre a bouleversé les hypothèses stratégiques du Président. En se maintenant entre 15 et 18 %, le PC serait resté un allié numériquement conséquent qui alors n'aurait pas eu intérêt à quitter le gouvernement. L'ampleur du désastre communiste en juin 1984 a totalement déséquilibré le PC : l'apparition d'une contestation ouverte – les rénovateurs – et la tentation profonde de débarquer Marchais précipitent une réaction viscérale de survie qui va entraîner l'appareil à préférer finalement les conséquences douloureuses de la rupture au destin de moribond que lui promettait la poursuite de sa participation quasi fantomatique au gouvernement.

Le gouvernement Fabius ne succède donc pas seulement aux cabinets Mauroy. Certes, il est choisi pour sa jeunesse, son instinct, sa rapidité, son style d'expression, mais aussi parce qu'il est, plus que tout autre de sa génération, le plus authentique hussard du mitterrandisme. Appelé pour professionnaliser l'expression gouvernementale par trop approximative de son prédécesseur, il est entendu qu'il va se situer dans la « continuité » de l'action entreprise depuis 1981.

Il n'y aura pas continuité entre Fabius et Mauroy, mais rupture.

La nomination de l'ancien ministre de l'Industrie, intervenant dans la foulée du retrait du projet de loi Savary, est aussitôt interprétée par la classe politique et les journalistes spécialisés comme la « rupture » des socialistes français avec leurs mythes révolutionnaires. Subrepticement, la « mise à jour » de la gauche non communiste vient d'avoir lieu à l'occasion d'un changement de gouvernement : comme tombe un fruit mûr.

C'est en vain que, pendant plusieurs heures, Mitterrand et Fabius vont tenter de résister à l'officialisation de cette « rupture » : l'opinion va la leur imposer.

Les images font le reste : Laurent Fabius s'oppose à Pierre Mauroy, comme la modernité à l'archaïsme, la réalité aux chimères, l'efficacité au romantisme, le sportif au politicien, le vainqueur au loser, le technocrate à l'instituteur, l'entrepreneur imaginatif au syndicaliste conservateur. Cette mécanique médiatique dépasse tout ce qui était imaginable. La caricature, la plus injuste parfois, va même jusqu'à les opposer comme le jour à la nuit. Même si le Président avait eu à cœur de laisser des blancs dans la stratégie de son nouveau gouvernement, se réservant de combler ceux-ci quand il le jugerait opportun, une fois encore, il est pris de vitesse par l'ampleur de l'effet Fabius. Ce sont les ministres eux-mêmes, les journalistes, les opposants, et plus largement l'opinion, y compris l'électorat mitterrandiste de 1981, qui plébiscitent une politique qui se déduit simplement de la politique de rigueur et de modernisation industrielle.

L'entrée de Fabius à Matignon se fait sur un gigantesque malentendu : pour la classe politique et l'opinion, c'est l'officialisation du décès de l'union de la gauche. Fabius devient immédiatement le symbole positif d'un socialisme gestionnaire dont Mitterrand est alors perçu avec Mauroy comme le symbole négatif. Et comme le Président ne tire aucun profit d'avoir fait du ministre de l'Industrie le plus jeune Premier ministre de la France, il faut se résoudre à cette hypothèse : pour l'opinion, c'est contraint et forcé que Mitterrand au bord du précipice aurait enfin accepté de « changer de politique ».

Sous la pression conjuguée des urnes, de la rue et des sondages, mais aussi de la vitesse à laquelle se sont faites les réactions en chaîne, le Président a été mis devant le fait accompli d'un changement de stratégie qu'il ne souhaitait pas. En tout cas, pas à cette date.

Les événements en ont décidé autrement. Mitterrand avait à peine fait connaître son choix que Fabius devenait le rival de Rocard pour les présidentielles de 1988. Exactement comme si le Président avait voulu se donner un dauphin : le malentendu était total. D'emblée, malgré lui, le Premier ministre s'est trouvé opposé au Président : leur collaboration ne pouvait commencer sous d'aussi mauvais auspices.

Dans ce paysage entièrement repeint aux couleurs du nouveau Premier ministre, le piège constitutionnel mis au point par Mitterrand, et qui est l'origine de cette nouvelle semaine folle, ressemble un peu à ces peaux vides qu'abandonnent les serpents à l'époque de la mue.

Le 6 août, la vérité du référendum

Le Président s'amuse et exhibe voluptueusement sa maîtrise au plus sophistiqué de tous les jeux d'été : le référendum revu et corrigé par les règles de la passe anglaise. Sous quel gobelet se trouve le référendum ? Le Sénat croit qu'il est sous le gobelet central : erreur, il est sous celui de gauche. Chirac, au tour suivant, le voit justement à droite : erreur, il était au milieu. Et la main fait semblant de passer.

Comme les Français sont des joueurs impénitents, ils apprécient les grands joueurs, ceux qui risquent gros et qui vont jusqu'au bout de leur mise. Ils ne se font politiquement aucune illusion sur l'affaire du référendum : ils savent que c'est un jeu. Mais un vrai jeu et, à ce titre, comme tous les jeux où les mises sont importantes et engagent le destin des acteurs, c'est devenu un jeu de la vérité. Un jeu où, quand le faux piège le faux, il peut révéler le vrai.

Rien n'était plus faux que l'argumentaire de l'opposition sur l'école privée. Rien n'était plus faux que l'argumentaire de Mitterrand sur le référendum. Rien n'est plus faux que l'opposition du Sénat au référendum sur le référendum. Rien n'est plus faux que l'annonce faite par Fabius d'un référendum sur l'école privée si le Sénat accepte le référendum sur le référendum.

Tandis que l'opposition se débat avec le leurre constitutionnel, se contredit et fait de la surenchère subitement antigaulliste, c'est en effet l'heure de vérité pour la négociation scolaire.

La douche du référendum a changé la donne. Si le retrait du projet Savary a achevé de décomposer le mythe unitaire de l'école laïque, l'annonce d'un référendum sur l'école privée a jeté l'effroi dans le mouvement catholique.

Pour la hiérarchie religieuse, la menace du référendum transforme la bataille scolaire et la défense de l'école libre en piège politique. Il est inenvisageable pour l'Église d'avoir à se prononcer officiellement sur un vote à caractère politique. Pour les négociateurs catholiques, le compromis avec le gouvernement devient l'urgence. Ils veulent conclure avant qu'un éventuel référendum ne les rattrape. D'autant que les évêques, le chanoine Guiberteau et Pierre Daniel n'ignorent pas que seule la gauche au pouvoir peut leur donner cette garantie qui a valeur de concordat.

Ce changement dans les termes de la négociation mesure la liberté reconquise par Mitterrand depuis le 12 juillet. Après avoir déjà sauvé son numéro de prestidigitation constitutionnelle de la dérision politicienne en changeant de Premier ministre et... de stratégie, il se sert de son humiliante défaite de juin comme argument pour purger enfin la société française du cauchemar de la guerre scolaire.

10

Le secret tchadien

De septembre à novembre 1984

Le 2 septembre, la partie de golf d'Ifrane

Comment Mitterrand ferait-il pour décider s'il n'avait pas en permanence un handicap à surmonter? Et quand celui-ci n'existe pas, il s'arrange pour le susciter en empruntant volontiers le rythme du lièvre de la fable. Ce handicap, un sport le met en jeu, c'est le golf autour duquel, de manière assez exceptionnelle pour lui, il aime rassembler des amis dispersés, pour une confrontation pénible et, disent les témoins, hargneuse, sur le green. Le golf, dans la vie de Mitterrand, c'est une sorte de yoga de la volonté, qu'on ne saurait traiter comme un vulgaire divertissement.

Au début de l'été 1984, alors qu'il règle le ballet de ses grandes manœuvres pseudo-constitutionnelles, Mitterrand décide d'accepter une invitation privée du roi du Maroc, un autre golfeur redoutable. Ce séjour marocain a déjà été repoussé quatre fois, c'est une excellente occasion de mettre de l'huile dans les relations franco-marocaines tout en prenant quelques jours de vacances privées. La date cadre avec le calendrier estival du Président et, semble-t-il, avec celui des amis auprès desquels il envisage de passer ces quelques jours de détente à la fin du mois d'août.

Dans ses relations avec le Maroc d'une part et avec l'Algérie d'autre part, la France se doit de doser également son affection pour chacun des deux frères ennemis. La comptabilité des voyages officiels mesure la qualité des rapports entre l'ancienne métropole coloniale et les deux grands États du Maghreb. Depuis son élection en mai 1981, Mitterrand s'est alors rendu trois fois en Algérie, mais une seule fois au Maroc. Il est vrai qu'entre-temps, à la suite du rapprochement entre la Libye et le Maroc, Mitterrand avait dû remettre plusieurs fois sa visite au souverain chérifien.

En juillet 1983, en effet, les relations franco-marocaines avaient été brusquement mises à rude épreuve. Tandis que l'armée libyenne envahit le nord du Tchad, que le gouvernement français s'interroge sur la nature de son engagement militaire aux côtés d'Hissen Habré, que l'on évoque même l'hypothèse de bombardements, Hassan II renoue publiquement avec Kadhafi.

Pour le roi, une raison suffit. Elle occupe et ruine son pays depuis des années : le Sahara anciennement espagnol. Les tribus nomades sont devenues un peuple en armes, puis une nation qui, logiquement, revendique un territoire. Dès le début de cette rébellion, la Libye fournit le nécessaire de la guerre.

Dès la signature de cet accord, l'année précédente, il est effectif que Kadhafi a cessé toute livraison d'armes au Front Polisario. En acceptant, un an après cet incident, de séjourner à titre privé dans une des résidences du roi du Maroc, Mitterrand pense alors rétablir l'équilibre relationnel avec les différents acteurs du Maghreb.

Dans les premiers jours d'août 1984, Hassan II passe plusieurs coups de téléphone. Il a successivement en ligne Ronald Reagan, Abdou Diouf, le président sénégalais, et François Mitterrand. Le roi prétend également avoir appelé le président algérien Chadli. A tous ses interlocuteurs, le souverain chérifien annonce sa décision d'unir par un traité le Maroc et la Libye. Immédiatement, les envoyés spéciaux des capitales les plus spontanément inquiétées par cette nouvelle convergent vers Rabat. C'est la raison pour laquelle Roland Dumas se rend le 10 août au Maroc et s'y entretient avec Hassan II.

Cette union tourmente les interlocuteurs habituels du souverain chérifien. Même l'Espagne se met à redouter un éventuel coup de force libyo-marocain sur les deux enclaves encore sous souveraineté espagnole. La Mauritanie, le Mali, le Sénégal, le Niger, mais aussi l'Algérie et la Tunisie. L'Égypte également s'alarme.

Roland Dumas quitte Rabat et se rend immédiatement à Latché, où, le 13 août, Claude Cheysson le rejoint.

Les trois hommes partagent, semble-t-il, la même analyse de la décision chérifienne. D'abord et avant tout, le Sahara. Kadhafi, depuis l'accord de juillet 1983, a tenu parole : il ne soutient plus militairement les Sahraouis de la RASD. Les Algériens, qui ont pris le relais, éprouvent d'ailleurs de sérieuses difficultés à alimenter le Polisario à hauteur de l'aide libyenne. Les Soviétiques, à qui les dirigeants d'Alger se sont adressés, mettront en effet huit mois à honorer les commandes. C'est plus qu'il n'en fallait à Hassan II pour construire le « mur » qui ferme désormais le Sahara dans toute sa largeur. L'union avec la Libye a déjà porté ses fruits pour le souverain chérifien. D'autant que l'accord avec le colonel libyen a en outre permis au roi d'échapper à la condamnation de l'OUA, dont le sommet se réunit le 12 novembre. L'exclusion du Maroc de l'organisation africaine paraissait inévitable. Avec les conséquences en chaîne que cela n'aurait pas manqué d'avoir au sein même du monde arabe. Or, l'homme qui animait la majorité hostile à Hassan II au sein de l'OUA, c'était justement le colonel Kadhafi. C'est ce qui s'appelle faire d'une pierre deux coups.

Enfin le roi, en s'alliant avec Kadhafi, conforte à l'intérieur de ses frontières sa position de « commandeur des croyants », de descendant du Prophète, et peut se poser face à la contestation islamique en autorité religieuse légitime.

Lorsque Mitterrand, Cheysson et Dumas confrontent leurs interprétations sur l'union entre le Maroc et la Libye le 13 août 1984, Kadhafi arrive à Oujda pour y sceller l'union entre les deux États.

Faut-il ou non reporter la « visite privée » que le Président doit faire à la fin du mois à Ifrane, dans une des résidences royales? Cheysson est pour un nouveau report. Il dira quelques jours plus tard : « C'est une énorme connerie. J'ai tout fait pour l'empêcher. » Pas assez cependant, puisque Mitterrand décide de passer outre. Il ne remettra pas ce voyage malgré les arguments de son ministre des Relations extérieures, qui s'alarme des conséquences que ce voyage pourrait avoir sur la susceptibilité algérienne. Les inconvénients sont manifestes, et l'amour du golf ne saurait tout expliquer. A son ministre des Relations extérieures, le Président oppose deux arguments : « Le roi ne parle qu'au roi. Hassan écoute nos émissaires, mais ne discute pas avec eux. Si nous voulons des éclaircissements, il faut y aller : il est exclu que le roi se déplace. » Deuxième raison invoquée : le report du voyage motivé par le rapprochement du Maroc avec la Libye aurait pris l'allure d'une condamnation française de l'accord d'Oujda. Au moment où il importait de ne surtout pas rompre le contact avec le roi, on allait au-devant d'un incident diplomatique grave. L'argument valait aussi pour la Libye, alors que la France recherche un accord avec le colonel à propos du Tchad : « Il est inutile d'envenimer les relations avec Kadhafi en le provoquant de la sorte », dira Mitterrand. Surtout au moment où les diplomates français tentent de négocier avec les Libyens un accord de « retrait simultané » des troupes au Tchad.

Reporter le voyage présente plus d'inconvénients que son maintien, selon le Président, qui par ailleurs s'irrite de devoir bouleverser son emploi du temps personnel. La réalité diplomatique est invitée à se plier à son humeur : Mitterrand ne changera pas ses plans.

Deux émissaires français partent donc pour le Maroc. Jacques Attali est reçu le 18 août par le roi. Théoriquement, il est en vacances. Hassan le charge d'informer Mitterrand que la date du référendum qui doit approuver l'union avec la Libye est fixée au 31 août, c'est-à-dire pendant le séjour présidentiel au Maroc.

Quelques jours plus tard, le 23 août, à l'occasion d'une chasse, François de Grossouvre se rend à Rabat et rencontre à nouveau le roi. L'objectif est, semble-t-il, d'obtenir des garanties du souverain sur le caractère non seulement « privé », mais surtout « secret » du voyage : en agissant ainsi, Mitterrand espère limiter les dégâts avec les Algériens. D'autant que Chadli sera mis personnellement au courant de ce « voyage secret » par Cheysson qui se rendra à Alger. Enfin, une vieille invitation de Mario Soares à Lisbonne est réactivée précipitamment afin que Mitterrand ne se trouve pas en territoire marocain le jour du référendum.

Non seulement Hassan réussit à « mouiller » Mitterrand en fixant la date du référendum durant son séjour, alors que le Président français, trop engagé dans ce voyage, n'est plus en position de renoncer, mais, qui plus est, il se confirmera que le palais royal marocain ait été à l'origine directe des fuites relatives à son séjour. La correspondante de RFI informe l'AFP, qui retient l'information pendant trois heures « pour vérification ».

Les précautions prises pour camoufler ce voyage maladroit se retournent contre le Président. Le séjour à Ifrane devient une « affaire » : la diplomatie secrète du Président est en cause, d'autant que personne n'arrive à croire que des considérations privées aient pu jouer un rôle aussi déterminant dans ce calendrier farfelu.

Destiné à éviter un incident diplomatique avec le Maroc, le maintien du voyage va en provoquer un, au moins aussi grave, mais qui, lui, n'a rien de potentiel, avec l'Algérie.

La fuite révélant la présence de Mitterrand sur le sol marocain va rattraper Cheysson et même le devancer. Elle tombe en effet sur les téléscripteurs au moment où Cheysson arrivait au palais présidentiel pour transmettre à Chadli un message verbal de Mitterrand. Ce message informait les dirigeants algériens de la date du voyage privé du Président français au Maroc et tenait à les rassurer sur la politique française au Maghreb. Quelques instants auparavant, la dépêche avait été transmise à Chadli. L'accueil fait à Cheysson fut des plus froids.

Au cours d'un second entretien avec Chadli, Cheysson, qui entre-temps avait eu une longue et délicate communication téléphonique avec Mitterrand, transmettait un second message verbal. Mitterrand devait se rendre au Burundi à la fin novembre pour assister au sommet franco-africain. Il se proposait de faire escale à Alger afin de dîner avec Chadli.

L'ombre du Tchad plane sur ce voyage aux secrets si mal gardés. Mitterrand le nie énergiquement et tous ses conseillers reprennent cette négation en chœur : « La France a le contact direct avec Kadhafi et n'a besoin de personne pour négocier avec lui un retrait simultané. » Mais, au palais royal marocain, on ne nie évidemment pas que « le roi [ait pu] jouer un petit rôle dans l'affaire tchadienne ».

Le roi et le Président ont eu largement le temps d'évoquer en détail cette question, puisqu'ils ont pris trois repas ensemble, sans compter les parties de golf.

Pourtant, quinze jours plus tard, à Tripoli, Cheysson signe avec Kadhafi et son ministre des Affaires étrangères un accord de retrait simultané et concomitant des troupes étrangères du territoire tchadien.

Le 10 novembre, la comédie du retrait

C'est l'histoire de deux renards, Kadhafi, le renard des sables, et Mitterrand, le renard des villes. Pendant un an, ils ont rusé l'un avec l'autre par armées interposées. Lorsque l'accord sur le retrait simultané des troupes étrangères intervient, le 16 septembre, il apparaît alors pour les amateurs de morale que la fable s'achève au bénéfice du renard des villes.

Les Libyens doivent en effet quitter le territoire tchadien sans avoir obtenu la chute du Président tchadien Hissen Habré. Le 10 novembre, comme prévu, la diplomatie libyenne, de concert avec la diplomatie française, annonce la fin du retrait total. La France confirme, satisfaite, par la voix de Claude Cheysson, puis celle de son second, Jean-Michel Baylet.

Mais le renard des sables va prendre le renard des villes à son propre piège : Mitterrand a emprunté aux arts martiaux orientaux la technique qui consiste à prendre appui sur l'offensive de l'adversaire pour s'en servir comme d'un levier. Kadhafi signe l'accord de retrait concomitant : il s'incline formellement, mais, dans les faits, il s'offre le luxe d'un faux départ. Seules les troupes françaises quittent le Tchad.

Les troupes libyennes ont fait trois petits tours et sont revenues à leur point de départ dans le nord du Tchad.

Dans un premier temps, les autorités françaises vont nier purement et simplement les faits. Il s'est trouvé un sous-ministre français pour confirmer le retrait total des troupes libyennes. Il faudra attendre le 16 novembre pour que Mitterrand confirme enfin l'interruption du retrait libyen.

Il n'était plus possible de nier : dès le 14, le Américains jetaient un pavé dans la mare en révélant que l'armée du colonel Kadhafi stationnait toujours en nombre dans la région des oasis au nord du

Tchad. Les États-Unis, par leurs satellites, ont l'œil à tout : les virages à trois cent soixante degrés des convois libyens ont laissé des traces sur les photographies américaines.

Comme l'armée française craint de passer pour aveugle dans cette région du monde, des fuites savamment organisées font savoir, documents à l'appui, en l'occurrence une note du secrétariat général de la Défense, que trois mille militaires libyens sont toujours stationnés dans la zone litigieuse. Il n'est décemment plus possible à Mitterrand et à Cheysson de nier que le corps expéditionnaire libyen était payé la tête des Français. Naturellement, les troupes du général Lacaze sont parties en temps et en heure : le démantèlement de Manta s'est fait dans la précipitation, mais, le 10 novembre, les bataillons tricolores ont quitté les sables tchadiens.

Le 7 novembre, pourtant, trois jours avant la date fatidique du 10, des officiers supérieurs de l'État-Major confiaient *off the record* que, selon le renseignement militaire, il restait encore mille cinq cents Libyens au sud de la bande d'Aazou. Informé régulièrement des mouvements de troupes libyennes, c'est en toute connaissance de cause que le ministre des Relations extérieures a annoncé le retrait total des armées kadhafiennes. A aucun moment le Président n'a donné ordre au général Lacaze de stopper le retrait français selon la loi des équivalences énoncée par Cheysson : « Ils partent, nous partons, ils restent, nous restons, ils reviennent, nous revenons. » C'est sciemment que Mitterrand et Cheysson ont pris des accommodements avec cette loi : « Ils restent, nous partons quand même. »

Qui a dupé qui ? Sans doute personne. Mitterrand s'est toujours refusé dans cette affaire à s'engager militairement dans le tiers nord du pays. Le dispositif de Manta entérinait cette partition de fait : la France ne se battrait pas pour cet océan de cailloux. L'accord sur le retrait concomitant créait l'opportunité du départ français. Il était alors entendu que l'Élysée ne se formaliserait pas d'un va-et-vient militaire libyen dans la région de Faya Largeau, à charge pour Kadhafi de faire semblant avec conviction. Malheureusement, le chef d'État le plus fantasque de la planète n'y est pas parvenu, précipitant Mitterrand dans les sables mouvants du mensonge diplomatico-militaire.

L'accord sur le retrait n'était qu'un leurre qui tentait d'habiller de manière honorable le fait que le corps expéditionnaire français s'engouffrait dans la première sortie de secours. Les stratèges élyséens ne manquent pas d'arguments pour démontrer qu'il n'était pas envisageable – et qu'il n'avait jamais été envisagé – de maintenir indéfiniment des milliers d'hommes au Tchad ; que l'opération Manta avait atteint ses objectifs dissuasifs : Kadhafi n'était pas passé et Habré était plus que jamais Président du « Tchad utile ». Enfin, le

Tchad était mis sous surveillance militaire : à la moindre offensive libyenne vers le sud, les troupes françaises stationnées sur les bases africaines reviendraient immédiatement.

Mitterrand et Cheysson jouent sur les mots : quand ils parlent du Tchad, il faut entendre le « Tchad utile », les deux tiers du pays, à l'exclusion du Nord. Ce tour de passe-passe sémantique n'a pas résisté aux caprices du colonel Kadhafi.

Cette négociation en trompe l'œil ayant échoué, l'affaire du retrait risquait de tourner au désastre politique : Mitterrand ridiculisé par Kadhafi. Des officiers supérieurs commencèrent à ruer dans les brancards, s'estimant roulés dans la farine par les *combinazione* du chef de l'État : prêts à toutes les missions, sauf à passer pour des incapables.

L'aventure tchadienne de Mitterrand est en train de s'inscrire au passif présidentiel deux mois et demi après les turbulences provoquées par le voyage d'Ifrane. La politique du secret joue des tours à Mitterrand : depuis l'été, elle se retourne systématiquement contre lui. Pour rompre avec ce dérapage incontrôlé, Mitterrand va réagir comme à l'accoutumée par un coup d'éclat : il s'envole en Crète pour y rencontrer le colonel Kadhafi et obtenir qu'en échange de ce tête-à-tête, il consente enfin à jouer la comédie du retrait. En vain, puisque le leader nomade explique au Président français qu'il ne parvient pas à se faire obéir par son armée : celle-ci, comme toutes les armées d'occupation, trompe le temps en fabriquant des proconsuls de plus en plus difficiles à manier. Mitterrand se serait fait menaçant. Sans résultats, d'autant que Kadhafi n'a aucune raison d'accorder le moindre crédit à ses menaces. Cet homme du désert a une expérience du temps que même Mitterrand n'a pas : il peut se permettre de le laisser pourrir indéfiniment.

Cette rencontre avec un chef d'État notoirement terroriste ne fait qu'aggraver la perception d'une politique étrangère qui, dans cette région du monde, semble échapper à toute rationalité. Pourtant, c'est un Mitterrand souvent inconnu que les Français découvrent à cette occasion : le diplomate, qui ne craint aucun défi et qui ne répugne pas à négocier avec le diable si besoin est; qui, s'il n'obtient aucun résultat dans un premier temps, ne désespère pourtant pas de contraindre le diable en personne à faire des concessions.

En attendant, à la comédie du retrait doit succéder celle de la menace. Ce sera la pantalonnade du grand méchant mou : deux Jaguar survolent le Tchad tandis que Hernu et le général Lacaze s'envolent vers N'Djamena proposer à Hissen Habré une opération Manta-bis.

Dans la capitale tchadienne, ils se font recevoir comme les pompiers qui débarquent après l'incendie. Le ministre propose de renvoyer deux ou trois bataillons français. Question d'Hissen Habré : « Vont-ils m'aider à reconquérir le nord de mon pays? » La réponse est non. Hissen Habré refusera de se prêter au mime de l'escalade.

Comme il est difficile d'en rester là, Mitterrand charge Cheysson de remettre au ministre des Affaires étrangères libyen un dossier préparé par l'État-Major qui décrit par le menu le dispositif militaire libyen et les formidables dégâts que l'aviation française stationnée en République centre-africaine pourrait provoquer au cas où Kadhafi n'aurait pas pris Mitterrand au sérieux. La rencontre entre les deux diplomates a lieu à Dakar. Selon Claude Cheysson, son homologue libyen était loin d'en savoir autant sur l'armée de son pays.

« En Afrique, la France peut faire l'histoire avec cinq cents hommes » : depuis qu'il fut ministre de la France d'outre-mer sous la IVe République, Mitterrand a fait de cette formule qu'il utilise volontiers le maître mot de sa politique africaine. Tous les Présidents de la Ve ont partagé la même conviction : l'Afrique est par excellence ce théâtre réservé à l'armée où la France peut prouver au reste de la planète qu'elle demeure une grande puissance, en charge elle aussi du destin du monde. Il aura fallu cette fois les trois mille cinq cents hommes de l'opération Manta pour éviter que la France se voie contrainte de renoncer à ses ambitions.

11

Le prisme néo-calédonien

Hiver 1984-1985

Le 31 décembre 1984, l'année des retraits

Pour Mitterrand, l'année 1984 aura été celle des *retraits*.

Le retrait le plus célèbre : celui du projet de loi sur l'enseignement privé. Un retrait aux allures de retraite militaire. Dans la foulée, le retrait partiel du projet de loi sur la presse : dans un premier temps, les seuils réglementaires ont été assouplis par le gouvernement Fabius. Ensuite, plusieurs autres articles ont été jugés anticonstitutionnels, ce qui a permis au bout du compte à Robert Hersant de se voir accorder le droit exorbitant d'être le seul empire de presse légitime. Dernier acte, Fabius décidait de reporter l'application du moignon de loi sur la presse en 1986.

Troisième retrait : celui des communistes. Ils quittent le gouvernement et la majorité.

Les significations se télescopent : les socialistes, férus du *Littré*, l'entendent avec raison comme « contraction d'un corps » : la majorité s'est bien rétrécie. Mais il s'agit aussi d'un *retrait* au sens militaire du terme : la stratégie d'union de la gauche n'est plus opérationnelle : il faut lui en substituer une autre. Entre-temps, une retraite, si possible en bon ordre, s'impose.

Trois autres *retraits* (recul par rapport à une ligne déterminée) : les restructurations industrielles et l'inéluctabilité des licenciements, la mise en cause des avantages acquis à travers les négociations sur la flexibilité de l'emploi; enfin l'introduction de la publicité commerciale sur les radios privées. En fait, malgré leurs dissemblances, tous trois concourent à un même *retrait* : à partir de positions autrefois jugées intangibles, les socialistes participent au débat sur ce qu'il est convenu d'appeler le *retrait* de l'État. Inflexion qu'a traduite, budgétairement parlant, la mise en œuvre, timide et gênée, du slogan libéral par excellence : « moins d'impôts », qu'on ne saurait traduire quand même par un *retrait* d'impôts.

A la charnière entre les *retraits* intérieurs et extérieurs, l'affaire de la Nouvelle-Calédonie. Le 31 juillet, le statut du territoire était enfin adopté par l'Assemblée nationale. Trois mois plus tard, il avait vécu. Après la nomination d'Edgard Pisani, une déclaration officielle lui donne mission d'aller vers une « forme nouvelle d'indépendance ». On pourrait objecter que personne n'a encore parlé du *retrait* du statut, mais il est si peu en vigueur que tout le monde a compris qu'il est simplement en sursis. Son retrait va sans dire.

Enfin, deux *retraits* militaires qui ne sont pas forcément des *retraites :* ceux des troupes françaises du Liban et du Tchad. Deux vrais *retraits* qui en masquent un faux, longtemps donné comme vrai : celui des troupes libyennes du Tchad.

Dernier *retrait* symptomatique de l'année, amorcé, celui-là, au sein de la classe politique : une génération, emmenée par Laurent Fabius, succède à une autre. Toubon remplace Pons au RPR et Léotard fait un tabac dans les sondages. De gauche ou de droite, les quadragénaires montent : leur règne ne fait que commencer. D'autres doivent leur laisser les places et se retirer, sans pour autant céder à l'appel de la retraite : en politique la retraite, ça n'existe pas.

Ces *retraits* amènent les communistes à dénoncer leurs alliés d'hier pour violation des promesses de 1981 : formellement, le PC accuse Mitterrand d'être en *retrait* par rapport à la campagne présidentielle, sans même parler du Programme commun. Mais ce *retrait* n'est pas pour autant un retour en arrière. Mitterrand et ses partisans ne reviennent pas sur des positions abandonnées en 1971, à la création du nouveau Parti socialiste. Plus qu'un *retrait,* il s'agit le plus souvent d'une décomposition des mythes à l'épreuve de la réalité exécutive. Cette modernisation de la pensée de gauche se traduit par une réduction très forte d'un certain nombre de croyances. L'idéologie se retire et, naturellement, le vertige s'empare des fidèles : de *retrait* en *retrait,* il ne reste plus que le cœur d'un engagement : la valeur « justice ». C'est peu : voilà pourquoi ce *retrait,* pourtant décapant, prend l'allure d'une fin de partie déroutante, comme si la nudité idéologique exposait plus que les illusions aux coups de froid dangereux.

Pour les socialistes, gouverner aura été l'art du *retrait.* Ils n'auront jamais été aussi performants que lorsqu'ils se seront situés en *retrait* par rapport à leurs convictions et à leurs projets, par rapport à l'étendue des pouvoirs dont ils s'imaginaient hériter. Il était inévitable qu'ils en retirent beaucoup d'amertume.

Le 16 janvier, le patron

La Ve République et son fondateur ont joué un drôle de tour à un polémiste célèbre du début des années soixante, auteur d'un livre-vitriol sur « le coup d'État permanent ». Ils ont en effet fait du coup d'État une manière quasi permanente de gouvernement, sans pour autant que la démocratie politique ait toujours à en souffrir. C'est un fait : on ne peut pas gouverner la Ve République sans faire des *coups.* De Gaulle avait le génie des *coups.* Ses successeurs, moins doués de toute évidence pour le théâtre constitutionnel et pour la haute voltige internationale, n'ont fait que des petits *coups,* quand ce n'était pas des *coups* bas.

Lorsqu'un Président de la Ve ne fait pas de *coup* pendant plusieurs mois, qu'il parle publiquement sans *coup* férir, on est inévitablement déçu. Les Français, qui ont une vraie passion pour la politique, trouvent un charme fou à cette Constitution à *coups* : quand ce n'est pas un référendum, c'est un discours définitif qui change le sens des mots, un voyage qui transgresse un tabou, une loi-surprise qui change les règles du jeu...

Il n'est en effet pas possible de réussir dans cette fonction si on ne manie pas le coup d'État symbolique comme autrefois ces bretteurs professionnels qui possédaient tous une ou plusieurs « bottes » imparables. Il faut être un peu magicien, capable de faire des miracles, pour tenir aussi longtemps les rênes du pouvoir élyséen. Les Présidents font des *coups* pour justifier leur existence ou pour échapper à l'usure, pour démonter leurs adversaires ou pour mettre fin à des crises, pour changer de priorités ou pour rattraper le temps perdu : il leur appartient constitutionnellement de créer l'événement. Sans cette injection de *coups,* à doses plus ou moins régulières, la lecture présidentielle de la Constitution perd de sa réalité et, insensiblement, le système politique fait retour à des formes de parlementarisme. Théoriquement, le *coup* est censé être, entre les mains du Président, le substitut d'une crise gouvernementale : c'est l'antidote à la IVe République. Là où un gouvernement serait tombé, où une majorité se serait déchirée en laissant le pays sans gouvernement pendant des semaines sinon des mois, le Président fait un *coup* et la crise, sinon surmontée, a du moins perdu de son acuité. Souvent il ne s'agit que d'un coup d'éclat, mais parfois on frise le *coup* d'État, quand, par astuces et artifices, dans la légalité ou, pis encore, dans l'illégalité, un chef d'État change les règles du jeu en fonction des circonstances. En général, quand l'État fait un *coup,* ce n'est pas ipso facto un coup d'État. Il arrive que la frontière entre les deux devienne indistincte.

L'année 1984 s'est achevée sur le drame néo-calédonien et elle est restée fixée sur les Antipodes : la marmite infernale de la violence intercommunautaire toujours prête à exploser. Le GIGN, en exécutant le leader canaque indépendantiste Éloi Machoro au cours d'une tentative armée en compagnie de ses partisans, a peut-être créé l'irréversible. C'est pourquoi, lorsque Mitterrand se fait interviewer par les journalistes d'Antenne 2 le soir du 16 janvier, comme d'habitude les Français flairent un *coup.* Ils n'auront pas longtemps à attendre, même si l'effet de surprise sera total. Le talent de tout Président consiste justement à prendre tous les acteurs et tous les spectateurs du drame à revers. Cette fois, au surplus, Mitterrand a fait court. Il a décidé de se rendre en Nouvelle-Calédonie. Quand? « Demain. » Un seul mot : « Demain. » C'est tellement court que la journaliste française la plus concise dans son expression, Christine Ockrent, qui participe à l'interview, lui demande après un blanc de préciser. Et Mitterrand de répéter : « Demain. » Demain, c'est-à-dire demain.

Ce n'est pas la première fois que Mitterrand utilise ce stratagème du voyage à hauts risques. Après l'attentat contre le QG des forces françaises à Beyrouth, il s'envole dans un Mystère 20 piloté par son chef d'état-major particulier, le général Saulnier; après les attentats au Pays basque, il va bavarder à la terrasse d'un café de Bayonne; cette fois, c'est à Nouméa, à l'autre bout du monde.

Ces voyages au débotté, c'est Mitterrand tel qu'il aimerait être en permanence, à la fois courageux, réagissant à l'instant sur le coup de foudre d'une intuition, brûlant d'être partout à la fois pour imposer son génie diplomatique et y imposer la paix : comme on décrète l'heure d'été. Enfin, à travers ce type d'initiative, il manifeste de manière étincelante qu'il est effectivement le patron, le seul qui reste debout dans un pays où le drame de la violence a affolé les uns et foudroyé les autres. C'est en nomade de la diplomatie qu'il fonce vers Nouméa, certain au fond de lui-même d'être finalement le seul chirurgien capable de suturer la plaie néo-calédonienne après les terribles blessures des semaines passées. Il s'envoie d'urgence à Nouméa, comme on ferait appel au meilleur spécialiste mondial pour une opération de la dernière chance. Ce voyage est pourtant l'un des plus risqués. Plus encore sans doute que celui de Beyrouth. Risque physique bien sûr, mais surtout risque politique : celui d'être accueilli à Nouméa comme le fut Guy Mollet en 1956 à Alger par les pieds-noirs : avec des tomates. Image humiliante d'un régime sans autorité, incapable de se faire entendre et qui préludait à la chute de la IVe République. Ce danger, le Président, plus que tout autre, ne l'ignore point. Il a vécu cette époque déliquescente. Il n'en a rien occulté et c'est justement à la lumière de ces événements-là qu'il envisage le règlement de l'affaire calédonienne. Mais ce qui l'angoisse sans doute, c'est la perspective de se retrouver prisonnier malgré lui d'un mime de De Gaulle aux prises avec la décolonisation d'une Algérie en modèle réduit.

Pourtant, une fois encore, les choses ont mal commencé pour Mitterrand. Son gouvernement n'a rien vu venir en Nouvelle-Calédonie : prévues par le statut du 31 juillet 1984, les élections du 15 novembre 1984 ont mis le feu aux poudres canaques, enclenchant l'engrenage d'un affrontement inter-communautaire où les Européens seraient nécessairement gagnants tant le rapport de forces, y compris numérique, est en leur faveur. Mais comme on n'échappe pas à l'Histoire et que l'histoire de la décolonisation est quand même profondément marquée par de Gaulle, c'est à un ancien ministre du Général que Mitterrand fait appel pour imposer l'idée d'une nécessaire « décolonisation de la Nouvelle-Calédonie » : Edgard Pisani. De l'utilité d'avoir toujours un gaulliste de souche à portée de la main!

Donc le 16 janvier, quelques dizaines d'heures après la mort d'Éloi Machoro, Mitterrand annonce son départ pour Nouméa. Certes, il revendique la paternité du plan Pisani en faveur de l' « indépendance-association avec la France », mais, à la différence du délégué général qui, lui, avait d'emblée mis en avant l'indépendance provoquant la colère caldoche, Mitterrand met en valeur le volet « association avec la France ».

C'est plus qu'une nuance qui sépare alors le Président de son représentant à Nouméa, c'est une différence d'appréciation historique. Mitterrand, ministre de la France d'outre-mer au début des années cinquante, fut toujours, et avant même que la décolonisation ne devienne un maître mot gaulliste, un partisan acharné d'une évolution vers l' « indépendance-association avec la France », seule chance selon lui du « maintien de la présence française », qui donne d'ailleurs une partie de son titre à un ouvrage qu'il publia en 1957 sur le sujet : *Présence française et Abandon.* Dans l'affaire calédonienne, Mitterrand veut régler un vieux compte historique avec de Gaulle : il se considère comme l'un des pères spirituels et politiques de ce qui deviendra sous le Général la « communauté » et que Mitterrand appelle alors sous la IVe République la « communauté fédérale ». Dans *le coup d'État permanent,* il a cette phrase plus amère que les autres : « Comment le général de Gaulle, après avoir moqué le régime impuissant à sauvegarder le domaine colonial de la France, après avoir exalté les vertus militaires de la race, après avoir mobilisé l'espérance des Français d'outre-mer, paracheva (en aggravant le dommage) la décolonisation entreprise avant lui par ceux que son parti avait le plus ardemment dénoncés... » Il veut prouver aux Antipodes qu'il a eu raison avant lui, que si mime il y a, il fut largement réciproque.

Il n'est donc pas question que la France quitte d'une manière ou d'une autre la Nouvelle-Calédonie. Certes, pour lui, « il y a [dans le plan Pisani] reconnaissance d'un fait de souveraineté fondé sur l'origine », mais dans cette association avec la France, parmi toutes les fonctions que la métropole entend continuer d'exercer sur l'île, Mitterrand inclut notamment la justice, qui constitue quand même l'acte premier et originel de toute souveraineté. C'est assez dire que, dans son esprit, il s'agit d'une souveraineté limitée.

A la différence de De Gaulle à Alger, Mitterrand devra trouver le moyen de dire son : « Je vous ai compris », aussi bien aux Caldoches qu'aux Mélanésiens : et rallier à la fois Dick Ukeiwe et Jean-Marie Tjibaou. Mitterrand voudrait pouvoir contenter tout le monde, pas par opportunisme, mais parce qu'il pense que c'est le « juste milieu » de la raison. Il est remarquable d'ailleurs que selon son ami biographe Charles Moulin (*Mitterrand intime*, 1982), Mitterrand ait rêvé un jour que « son nom, l'étymologie s'accordant à la géographie, pourrait signifier " milieu des terres ", ce qui lui semblait normal... ». Il y a du baroque chez cet homme au sens où Germain Bazin le définit. « Être soi-même et l'autre. » Mitterrand voudrait être à la fois israélien-juif et palestinien en quête de patrie pour mieux convaincre les uns et les autres, et il est certain qu'alors il y parviendrait. Il aimerait sans doute être à la fois le Mitterrand d'aujourd'hui, Canaque et tout à la fois Caldoche, parce que ça lui semble être justement la clef de la paix. Une clef unique, comme il se sent unique : et il est persuadé que c'est un tort considérable que se font Caldoches et Canaques de ne pas s'en apercevoir.

L'actualité lui imposait de commencer cette prestation télévisée par la Nouvelle-Calédonie. Il en a fait le prisme à travers lequel il regardait l'Hexagone. On doit à Edgard Pisani une formule mitterrandienne en diable et qui devrait faire florès en 1986 : « La majorité de raison. »

S'il se rend dans la capitale calédonienne, c'est parce qu'il voudrait « dans l'intérêt de la France » y anticiper une telle « majorité de raison ». De là à envisager un référendum sur la question calédonienne, il n'y avait qu'un pas que le délégué général à Nouméa a allègrement franchi et qu'il est venu suggérer au Président lors de son passage à Paris. Mitterrand n'a pas dit oui, mais il ne lui déplaît pas d'avoir toujours un référendum dans la poche, ce qui lui permet au surplus de laisser planer cette éventualité comme une épée de Damoclès sur l'ensemble des formations politiques. C'est l'équivalent en politique du marquage des joueurs au football : il s'agit de limiter la liberté de manœuvre de l'adversaire sans pour autant passer forcément à l'acte – et faire la fonte!

Le vocabulaire essayé au cours de cette séance de réglage en direct du nouveau discours présidentiel dessine en pointillé cette future majorité appelée à succéder à la défunte union de la gauche. L'ombre de la France radicale de Joseph Caillaux, de Georges Clemenceau et d'Édouard Herriot est passée sur toute l'émission. Ce n'est sans doute pas l'effet du hasard si Jean-Pierre Chevènement, devant *le Club de la presse* d'Europe 1, s'est prononcé pour un Parti socialiste jouant dans la société française d'aujourd'hui le rôle que joua naguère le Parti radical. N'est-ce pas Joseph Caillaux lui-même qui, en 1911, expliquait : « À la vérité, le parti qu'on appelle aujourd'hui le Parti radical n'est autre que le grand parti démocratique ou, pour mieux dire, l'expression de la démocratie française » ?

Mitterrand ne dit pas autre chose quand il égrène les valeurs républicaines autour desquelles il invite les Français à se rassembler : la raison, encore et toujours la raison, la justice sociale, le courage, la générosité et, naturellement, la tolérance. Un des pères du radicalisme, Léon Bourgeois, définissait en 1908 le radicalisme en ces termes : « Il est né de la rencontre de deux forces devenues libres pour toujours : la raison qui cherche la vérité ; la conscience qui veut le droit. C'est pourquoi il a vu venir à lui tous ceux qui dans le pays s'obstinent à ne vouloir pas confondre la politique avec la défense d'intérêts exclusifs, intérêts de personnes ou de fortune, intérêts de parti, de secte ou de classe. » Qui ne reconnaîtrait dans cette définition l'ambition sincère de Mitterrand, de Fabius et de Chevènement ? En 1981, Mitterrand confiait déjà à Jean Daniel, le directeur du *Nouvel Observateur*, qu'il voulait instaurer en France une « social-démocratie radicale ».

De là naturellement devrait découler une loi électorale qui permette au Parti socialiste d'opérer cette transformation, sans laquelle il ne peut pas y avoir de « majorité de raison ». La « finalité proportionnelle », selon l'expression de Mitterrand, doit servir à placer durablement le parti du Président à 30 %, plancher en deçà duquel jamais le PS ne pourra espérer jouer ce rôle. Ainsi sera consommée définitivement l'union de la gauche. S'il n'y a plus de majorité de gauche possible, ce n'est pas pour favoriser une majorité de droite : ni l'une ni l'autre, tel est en définitive l'objectif de cette réforme du mode de scrutin.

Et, pour qu'il en aille ainsi, le Président compte poursuivre sa politique de la toile cirée devant l'opposition parlementaire : ne lui laisser aucune prise à laquelle elle puisse s'accrocher et triompher à bon compte. « Notre objectif est qu'en 1985-1986, confiait peu avant l'émission Jacques Attali, l'opposition n'ait pas un seul os à ronger, rien qu'elle puisse nous opposer. »

Les deux initiatives prises par Mitterrand au cours de cette émission illustrent ce propos : l'empressement à éteindre l'incendie néo-calédonien – c'est la raison pour laquelle Mitterrand s'engouffre dans le premier avion pour Nouméa – et, d'autre part, la privatisation d'une partie des ondes hertziennes en quatrième vitesse. Il considère qu'il a déjà réussi à instaurer une sorte de no man's land politique sur la gestion économique, et ne désespère pas que la rentrée 1985 lui permette de recueillir les premiers bourgeons consommables de sa politique de rigueur.

Si, comme l'espère le Président, l'année 1985 doit être celle de la loi cirée, il est aisé d'en déduire quelle fonction est réservée à Laurent Fabius : faire briller quotidiennement la toile en surdoué du radicalisme new-look.

12

Le hachoir de la proportionnelle

Printemps 85

Le 3 mars, le calcul « Le Pen »

Il faut être très naïf pour croire que, l'Histoire se répétant, sa caricature est nécessairement grand-guignolesque. Napoléon III n'a sûrement pas l'ampleur du *number one,* mais son règne n'est nullement ridicule. Si l'on veut bien descendre de la première catégorie à d'autres très nettement en dessous, il en va de même pour le couple infernal Georges Marchais-Jean Marie Le Pen.

Sous le septennat précédent, Giscard appréciait tout particulièrement les colères meurtrières du secrétaire général du PCF. Il était systématiquement bissé par la majorité d'alors, chaque fois que, déguisé en grand méchant loup stalinien, il venait sur des écrans complaisamment offerts se pourlécher les babines par avance de la défaite de Mitterrand. Cela a parfaitement fonctionné en 1978 et pas du tout en 1981. Mitterrand, dans un entretien (2 novembre 1983), remarquait à ce propos que cette attitude négative de Marchais avait fait commettre à Giscard une grave erreur d'appréciation : « Après 1978, il était convaincu que les communistes ne voteraient pas pour moi, que je serais victime de la rupture de la gauche. Il y a été naturellement encouragé par les dirigeants soviétiques : il a cherché alors à ne surtout pas froisser les communistes. C'est pour cette raison qu'il a commis le célèbre faux pas du petit télégraphiste. Il est arrivé à Venise [1] avec dans sa poche un message de Brejnev, selon lequel l'URSS commençait son désengagement militaire de l'Afghanistan. Quelle image de faiblesse! »

L'alternance entraîne ipso facto celle du grand méchant loup, dans le rôle indispensable du diviseur de la nouvelle opposition. Jean Marie Le Pen succède donc à Georges Marchais et se définit tout de

1. Au sommet des sept pays les plus riches du monde.

suite, avec l'élégance qu'on lui connaît, comme « l'empêcheur de bander à quatre ». Après les communistes staliniens, l'extrême droite renaissante.

Si la comparaison a ses commodités, elle ne doit pas faire oublier ses irréductibles différences. Le Parti communiste préexistait à l'union de la gauche et même au Parti socialiste d'Épinay. Lorsque le Programme commun est signé, le PC domine la gauche française depuis la guerre.

Dans l'opposition, c'est le mouvement inverse qui s'est produit : l'extrême droite laminée, étouffée par de Gaulle, prisonnière de la majorité gaulliste, retrouve enfin son autonomie avec la défaite giscardienne de 1981. L'introduction de la proportionnelle aux municipales de 1983, l'épreuve également proportionnelle des européennes en juin 1984 ont en effet permis au Front national de conquérir son autonomie politique et d'élargir son audience. Il n'y a pas eu déclin permanent, comme ce fut le cas avec le PC, mais au contraire percée continue.

Cette résurgence d'un courant autoritaire et xénophobe à l'occasion de la crise a « précipité », au sens chimique du terme, avec le passage à l'opposition de l'ancienne majorité défaite. Mais c'est le redoublement de proportionnelle qui a amplifié le mouvement, qui l'a sorti de la pénombre groupusculaire jusqu'à lui donner droit de « cité ». Lorsque Mitterrand évoque la proportionnelle dès 1982 comme une hypothèse de travail, le Front national n'a pas encore pris l'importance qu'il acquiert en 1983 et qu'il confirme en 1984 : cette expansion a dû encourager cyniquement le Président à modifier la loi électorale dans ce sens, de telle sorte que le Front national s'enfonce encore plus profondément, comme le coin d'acier dans un tronc d'arbre, dans la chair électorale de l'opposition parlementaire.

La manière dont les leaders de l'opposition ont réagi au lepénisme a rendu ce calcul encore plus voluptueux à son instigateur. Non seulement la proportionnelle avait un effet amplificateur pour le Front national, mais au surplus l'opposition parlementaire lui faisait la courte échelle, en le courtisant d'abord, en le banalisant ensuite. Bien qu'en juin 1984 la liste Le Pen privât le cartel de Simone Veil, qui emmenait une opposition « unie » aux européennes, de la majorité absolue, l'événement se répétait en Corse pour les élections à l'Assemblée territoriale où l'opposition parlementaire acceptait de faire alliance avec le Front national pour emporter la présidence. Et c'est de manière tout à fait cohérente que Jean-Claude Gaudin, le chef du groupe parlementaire UDF, pouvait déclarer en février 1985 que Jean-Marie Le Pen n'était pas un adversaire, mais un concurrent : le leader du Front national était intronisé comme membre à part entière de la grande famille oppositionnelle.

Loin de contenir l'effet Le Pen, qui agissait pourtant sur les marges de l'opposition comme des enzymes gloutons, cette politique du frotti-frotta sur l'immigration et la sécurité a conféré au Front national la crédibilité idéologique qui lui faisait défaut. En l'occurrence, Giscard, Chirac et Barre ont été victimes dans un premier temps des habitudes de pensée héritées du système majoritaire : certes, le vote Le Pen était de toute évidence un vote de ras-le-bol, mais, au second tour d'une élection législative ou d'une présidentielle, les mêmes électeurs seraient bien contraints de « voter utile » pour le candidat de l'opposition arrivé en tête au premier tour. Dès lors, pas question de dénoncer brutalement l'extrême droite et ce que Jérôme Jaffré a appelé la « droite extrême » pour qualifier cette fraction revancharde de l'opposition qui s'est radicalisée depuis 1981 et qui ne se retrouve pas dans l'opposition qu'elle juge « molle » du RPR et de l'UDF.

En quelques jours, la plupart des leaders chiraquiens et barristes ont décidé de rompre avec cette tactique accommodante. La confirmation officielle qu'un projet de loi portant modification du mode de scrutin serait prochainement déposé a secoué les vieux réflexes « majoritaires » : il convenait de se mettre d'ores et déjà à l'heure de la proportionnelle. Et, dans la perspective d'une législative à la proportionnelle, le mouvement lepéniste fait figure de piège destructeur pour l'opposition. Un réel succès de Jean-Marie Le Pen aux législatives peut transformer une victoire éventuelle de l'opposition parlementaire en bombe à retardement : toute alliance avec le Front national provoquant l'explosion d'une union rendue déjà précaire par les ambitions présidentielles en lice.

L'opposition a joué avec le feu pendant deux ans. Elle a fini par souffrir de la brûlure. Jacques Toubon, le secrétaire national du RPR après Simone Veil, le CDS et Raymond Barre, a dit « non » à tout accord avec Jean-Marie Le Pen. « Oui », l'extrême droite peut être un danger pour la démocratie : « non », « oui » : c'est le vocabulaire basique d'un langage clair.

Un dernier facteur explique cette prise de conscience tardive : loin d'être marginalisé, le leader du Front national a été le personnage central de la campagne électorale des cantonales 1985, tout comme Georges Marchais l'avait été en 1978. C'est donc en catastrophe qu'il convenait, tant pour les chiraquiens que pour les barristes, de remettre Jean-Marie Le Pen à sa place.

Le 10 mars, la répétition générale

Les répétitions générales servent à régler des jeux de scène, à s'assurer du filage, à muscler le rythme de la mise en scène. Tous les hommes de théâtre attendent cette échéance pour voir apparaître les vraies faiblesses. Le premier tour des cantonales de mars 1985, la dernière consultation nationale de la législature, a valeur de répétition générale avant la grande représentation de mars 1986. Et l'habile metteur en scène qu'est Mitterrand, à la fois par fonction et par nature, l'entend bien ainsi, qui a attendu cette extrémité pour mettre la dernière main à la nouvelle règle du jeu électoral.

Que les électeurs en aient été parfaitement conscients ou non quand ils votaient pour tel ou tel conseiller, ils se sont quand même prononcés aussi, et même surtout, sur le dosage de proportionnelle. Un peu, beaucoup, passionnément ou pas du tout.

Pour le RPR comme pour l'UDF, les choses de la politique ont repris leur place naturelle : la fermeté a payé et le diable Le Pen a été exorcisé. L'opposition parlementaire, avec il est vrai les « divers droite », frôle la majorité absolue sans avoir recours aux électeurs de Jean-Marie Le Pen. Contrairement aux mises en garde trop rapidement satisfaites des porte-parole socialistes, la condamnation mezza voce du lepénisme a donc payé : arithmétiquement il y a une majorité de rechange pour 1986.

L'opposition a néanmoins le triomphe prudent. Mais cette prudence, indexée sur l'ignorance dans laquelle elle se trouve alors des projets présidentiels, ne va pas jusqu'à s'inquiéter de la crise des systèmes de représentation majoritaire, crise qui, après avoir miné l'union de la gauche, mine déjà l'union de la droite.

Non sans raisons, l'arbre peut cacher la forêt : l'énormité électorale du résultat des cantonales masque aisément tout l'horizon. La puissance du rejet de la politique gouvernementale et du personnel socialiste atteint deux Français sur trois, si l'on ajoute aux voix de l'opposition celles des électeurs communistes. Ni l'effet Fabius, ni le frémissement pronostiqué de l'électorat de gauche ne sont parvenus à entamer cette réalité-là : le rapport de forces, lui, n'a pas frémi. Il est resté imperturbable dans sa frigidité à l'égard des socialistes.

Cela n'empêche pas cette « majorité » de droite d'être soumise à des couples de forces destructeurs.

En premier lieu, l'effet de ciseaux dû au calendrier électoral : les législatives ont lieu en 1986, et les présidentielles deux ans après, en 1988. Cette inversion des priorités déchire l'opposition entre des stratégies présidentielles concurrentielles. Entre Raymond Barre, qui joue ouvertement la présidentielle d'abord, et Jacques Chirac, qui est contraint de s'investir en priorité dans les législatives, il y a plus qu'une divergence de vues : il y a deux systèmes de pensée, deux sensibilités différentes à l'égard de la politique et même de clientèles à certains égards antinomiques. Cette « primaire » interminable qui n'en est encore qu'aux prolégomènes broie l'opposition parlementaire, l'ulcérise à tout propos.

Et encore, jusqu'en mars 1986, Raymond Barre va-t-il achever de manger son pain noir? Après les législatives, il pourra quitter sa position de « Sirius » pour déployer peu à peu son dispositif offensif et conquérant : il sera alors quotidiennement meurtrier pour les chiraquiens.

A la différence de la désunion de la gauche avant 1981, qui finalement n'opposait pas deux stratégies présidentielles, l'opposition de 1985 se délite sur cette question : c'est d'ailleurs parce que le PC avait sous-estimé la dimension présidentielle dans la gestion du rapport de forces avec le PC qu'il s'est fait piéger aussi facilement par Mitterrand. Dans le cas de l'opposition parlementaire, ni Chirac, ni Barre ne font une telle erreur : et pour cause, ils sont tous deux issus du sérail gaulliste. En conséquence, la désunion présidentielle entre les deux leaders de l'opposition est nettement plus grave que ne l'était la désunion des gauches avant les élections de 1981, parce qu'elle ne bénéficie ni à l'un, ni à l'autre, alors que Mitterrand en avait fait au contraire l'instrument principal de sa victoire.

Un autre couple de forces torture l'opposition : la tentation extrémiste et la tentation centriste.

Le phénomène Le Pen, contrairement à ce que les leaders de l'opposition avaient voulu croire, n'est pas éphémère.

Jean-Marie Le Pen agrège autour de ses thèses et de son agitation fantasmatique plusieurs composantes d'origines très différentes : une vieille extrême droite qui relève la tête après plus de vingt ans de tunnel; une droite extrême qui cherche par ce moyen à radicaliser l'opposition parlementaire dans l'antisocialisme viscéral; enfin, l'écume poujado-râleuse, oppositionnelle par nature et autrefois captée par le Parti communiste. Mais ce qui les rassemble a toutes les raisons de perdurer, y compris à une victoire du RPR : une même réaction violente et profonde à la modernisation industrielle autant que culturelle. Ce mouvement réactif est consécutif à toutes les périodes de grands bouleversements technologiques : la mutation mondiale de cette fin du siècle ne s'arrêtera pas le 16 mars 1986 au soir.

Le Front national a réussi au premier tour des cantonales un score qui confirme cette pérennité du phénomène et même qui l'aggrave. Compte tenu que le Front national ne présentait des candidats que dans 78 % des cantons, les politologues le créditent d'une bonification nationale de trois ou quatre points, ce qui le situe entre 11 et 12 % de l'électorat, c'est-à-dire l'équivalent du Parti communiste, qui disposait pourtant d'une implantation de longue date.

En s'enracinant dans les cantons, le Front national s'assure des bastions régionaux et peut ainsi préparer les législatives avec la certitude d'entrer en force au Parlement.

De prime abord, l'opposition entre les extrémistes xénophobes et les réformateurs de droite évoque quasiment terme à terme les déboires de l'union de la gauche, longtemps tiraillée entre staliniens et réformateurs de gauche. A ceci près que le contexte idéologique et le système de valeurs ont fondamentalement changé et qu'il devient impossible de faire coexister au sein d'un même rassemblement majoritaire des sensibilités devenues aussi inconciliables. Cette impuissance n'est pas le fait d'une défaillance morphologique ou intellectuelle des anciens Premiers ministres des septennats précédents. La sociologie est simplement passée par là.

La tentation « centriste » est à vif dans la société française et elle répugne désormais aux flirts trop poussés avec les extrémismes. Certes, le centrisme n'est toujours pas une catégorie électorale : le centre gauche est devenu majoritaire au PS depuis 1983 et le centre droit se barrise à vue d'œil, au grand dam des faux durs qui dirigent le RPR. Mais ce sont surtout des comportements que plébiscitent les sondages à travers Raymond Barre et Simone Veil d'un côté, Laurent Fabius, Michel Rocard et Jacques Delors de l'autre, c'est-à-dire la fusion du réalisme économique et modernisateur et de la justice sociale sur fond de réduction effective de la fiscalité. Seul le dosage change : plus de réalisme économique ou plus de justice sociale.

Derrière ce phénomène d'opinion, se profile ce tiers état social des cohortes de cadres et des foules techniciennes. Il s'affirme de plus en plus comme classe à vocation dominante et, à coups de sondages, revendique sa reconnaissance politique dans un système bipolaire qui le lui interdit depuis le début des années soixante, depuis le mariage de l'élection présidentielle au suffrage universel et du scrutin majoritaire à deux tours. Mais alors, ce tiers état n'était pas ce qu'il est devenu : culturellement sinon sociologiquement majoritaire.

Cette « classe » aux multiples facettes entretient avec la politique des rapports de plus en plus utilitaires qui échappent à la mécanique des majorités immuables et des carcans programmatiques.

En 1981, ils ont voté Mitterrand contre les craintes que leur inspirait un second mandat giscardien, à une époque où le conservatisme social était encore à son zénith. Depuis 1982, ils ont rallié l'opposition à la suite de deux lois de finances qui les pénalisaient lourdement. Ils ne sont pas pour autant prêts à adhérer à un conservatisme culturel qui jure avec leur mode de vie.

Par une de ses intuitions fulgurantes, Mitterrand, en faisant de Fabius son Premier ministre en juillet 1984, a accéléré la prise de conscience de ce tiers état social. La pression s'est fait sentir immédiatement dans les rangs de l'opposition, amenant au premier plan les Jacques Toubon, Alain Juppé et autres François Léotard. Ce mouvement, qui traverse l'opposition comme la majorité, contrecarre toute tentation de s'enfermer dans une majorité de type camp retranché où il faudrait justement coexister avec les pires ennemis de cette nouvelle classe : les communistes d'une part, les lepénistes d'autre part.

Pris entre ces deux couples de forces, l'opposition cherche une majorité devenue introuvable : elle oublie que ce n'est pas délibérément ni d'un cœur joyeux que Mitterrand a dû faire son deuil de la stratégie d'union de la gauche. Les mêmes forces (la technostructure et le monde de la communication) qui ont provoqué son implosion en 1983-1984 sont à l'œuvre dans l'opposition parlementaire pour la priver d'une telle espérance.

Au-delà de toute considération tactique, Raymond Barre prend acte de cet état de fait en considérant qu'il est impossible de « monter », comme on dit aux cartes, une majorité réelle à partir d'une simple échéance législative. Cette tentative aboutirait selon lui à une majorité de pure fiction arithmétique et strictement ingouvernable.

La réaction lepéniste sanctionne à sa manière cette déportation de l'opinion vers une culture gouvernementale de type « consensuelle ». Elle s'enracine dans la société des laissés-pour-compte et des victimes de la « rigueur modernisatrice ».

Avec le recours à la proportionnelle, Mitterrand projette certes de rendre cette majorité encore plus introuvable dans les faits qu'elle ne l'est à l'état de projet. Il le fait sciemment, même si, en fin de compte, il ne peut pas faire autrement : sa propre survie politique épouse involontairement le désarroi né de la crise du système majoritaire.

Le 3 avril, « fixer le PS »

En changeant le mode de scrutin législatif, Mitterrand s'attaque au code génétique de la vie politique française. On comprend que des fanatiques invétérés de la Ve puissent redouter les monstruosités qui risquent de naître de cette « manipulation ». D'autant que le Président et son Premier ministre ne sont pas particulièrement diserts sur les objectifs d'une telle « instillation » de proportionnelle.

Pour Laurent Fabius, qui faisait les présentations à *Parlons France* de la nouvelle règle du jeu adoptée en Conseil des ministres le même jour, pas de quoi fouetter un chat : le scrutin proportionnel serait plus juste et les inquiétudes que ce changement suscite n'ont pas lieu d'être puisque la stabilité est assurée par un pouvoir présidentiel élu au suffrage universel. Ce serait pour éviter un redécoupage qui eût été assimilé à de la charcuterie de marché noir que le Président aurait tranché en faveur de ce dispositif, qui aurait le mérite d'être systématique et donc incontestable dans son application.

Laurent Fabius a le don de l'innocence médiatique, mais son plaidoyer est par trop transparent pour évacuer le spectre d'une loi de circonstance taillée sur mesure pour garantir au Président la marge de manœuvre suffisante pour gouverner les années difficiles à venir.

En réalité, le Président rumine ce recours à la proportionnelle depuis longtemps. Dans les cent dix propositions du candidat Mitterrand en 1981, l'institution de la représentation proportionnelle porte le numéro 47. Outre la tradition antigaulliste de la gauche dont il était naturellement l'héritier, Mitterrand, devenu le « patron » du Parti socialiste, a vu dans le recours à la proportionnelle une roue de secours utilisable en cas de crevaison de l'union de la gauche. Et, dès son immersion profonde dans la politique de rigueur durant l'été 1983, il ne peut plus écarter l'hypothèse d'un abandon forcé de la stratégie d'union de la gauche par extinction de l'un des partenaires. Au cours d'un entretien (2 novembre 1983), il confiera effectivement : « Je travaille sur la proportionnelle, seul avec mon porte-plume. Un article du *Figaro* a prétendu que Gaston Defferre faisait tourner les ordinateurs du ministère de l'Intérieur à ce sujet. Je lui ai posé la question pour tout arrêter au cas où cela se révélerait exact. C'était faux. De toutes les façons, en 1986, la gauche ne sera pas majoritaire. Certes le scrutin majoritaire a l'avantage de multiplier l'effet relatif : sans être majoritaire on peut l'emporter. C'est pourquoi je ne prendrai ma décision qu'à l'hiver 1984-1985 et un projet sera soumis au parlement au plus tard au printemps 1985... J'ai besoin d'une dose de proportionnelle pour faire du PS l'élément indispensable de la vie politique française, le premier parti de France. Mon ambition est de *fixer* le PS. »

« Fixer le PS » : il veut léguer à la société française un Parti socialiste installé durablement au-delà de 30 %. Une ambition taillée comme la sienne dans le marbre emprunté aux géants, lorsqu'elle se regarde dans le miroir du siècle, s'identifie à quelques monuments qui ne sont pas tous de nature architecturale. Le PS fait partie dans l'esprit de Mitterrand de ces monuments vivants pour lesquels il est prêt à couler un fleuve de béton politique s'il le faut. De tous ses grands travaux, celui-ci n'est pas le plus modeste.

Tant et si bien d'ailleurs qu'il entretient avec son parti des rapports qui sont restés de même nature que ceux de Chirac avec le sien : il est le président de fait du PS, tout comme Chirac est le président officiel du RPR. Et Lionel Jospin et Jacques Toubon se partagent les mêmes responsabilités : ce sont bien les « secrétaires généraux » de leurs patrons respectifs.

Sans un PS maximalisé, le Président sera obligatoirement déséquilibré en 1986. Comme lorsqu'un mur de soutènement vient à se disloquer, ce sont toutes les structures portantes du bâtiment qui lâchent. Et, malgré toute la puissance concentrée dans les mains du pouvoir élyséen, le Président ne peut que s'effondrer, c'est-à-dire, comme dirait Raymond Barre, « se soumettre ou se démettre ». Telle est l'ambiguïté de cette Constitution : dualiste dans son fond, elle n'est viable que pour autant que la légitimité parlementaire ne contredise pas frontalement la légitimité présidentielle.

Or la décomposition de l'union de la gauche, le déclin précipité du Parti communiste menaçaient l'existence du Parti socialiste : en 1986, avec le scrutin majoritaire à deux tours, de nombreux dirigeants socialistes auraient été battus. Pour de multiples raisons d'ailleurs : les uns pris pour cibles d'un mouvement de rejet, les autres tout simplement parce qu'ils étaient élus jusqu'à présent grâce à l'apport de voix communistes qui demain feront défaut. Contraint de « faire cavalier seul » à gauche, Mitterrand fait feu de tout bois pour sauver le groupe dirigeant du PS, qui, battu, perdrait sa légitimité à diriger ce parti, et serait alors incapable de s'opposer à la prise de pouvoir d'un Michel Rocard.

Dans la méfiance qu'il éprouve vis-à-vis de Rocard, la défense du parti tient une place importante ; même si Mitterrand a contribué, y compris personnellement, à susciter des haines antirocardiennes qui, après des années, peuvent à leur tour mettre le PS en péril. Il a en effet psychologiquement verrouillé le PS de telle sorte que toute remise en cause interne (les rivalités personnelles) ou électorale (défaite des leaders) du courant A, c'est-à-dire de la garde prétorienne mitterrandiste, entraînerait sans nul doute la déshérence du parti et sa dislocation.

Libéré du Parti communiste, dopé par la proportionnelle, le PS peut alors faire son aggiornamento programmatique, son « Bad Godesberg », comme disent les initiés en référence au congrès du SPD allemand qui consacra la rupture avec le marxisme. Mais, et pour Mitterrand c'est décisif, il s'agira d'une clarification « maîtrisée » : il ne croit pas aux débats et accorde aux idées nettement moins d'importance qu'aux formes. Toute mise à jour pour lui est d'abord un rapport de forces sur lequel il faut peser pour arracher la victoire, car seule importe la victoire. La mise à jour du PS se fera donc dans l'ordre mitterrandiste – et pas dans la spontanéité vagabonde, dans l'effusion idéologique du rocardisme.

Au sujet de cette mutation du Parti socialiste, Jean-Louis Bianco, se faisant sans doute le fidèle interprète de la pensée présidentielle du moment, tout en exprimant sa conviction profonde, a eu cette formule brutale : « Le problème n'est pas que le Parti socialiste devienne social-démocrate, il l'est déjà. Mais qu'il devienne en France l'équivalent du Parti démocrate aux États-Unis. Cela suppose qu'il réalise entre 30 et 35 % des suffrages. A cet étiage, la transformation durable du PS est acquise. »

Pour cette évolution en cours, l'échéance législative de mars 1986 est à la fois un obstacle et une occasion. C'est ce qui motive le caractère circonstanciel de la nouvelle loi électorale. L'obstacle est de taille : que l'opposition parlementaire gagne son pari « majoritaire » et parvienne à bricoler malgré tout une « majorité de gouvernement ». La proportionnelle, outre qu'elle peut maximaliser le PS, se révélera être une formidable machine à laminer les majorités potentielles. Ce mode de scrutin aiguise en effet le « chacun pour soi » tant à gauche qu'à droite. Mitterrand a dû peaufiner sa loi avec la délectation d'un joueur qui pousse systématiquement ses adversaires à la faute. La logique du scrutin proportionnel à un tour, si elle favorise la transformation du PS en pôle social-libéral, satellisant une grande partie du corps électoral, produit évidemment le même effet dans l'opposition et va tendre à transformer le RPR en grand parti conservateur attrape-tout. Le piège n'a pas échappé à Jacques Chirac et à ses conseillers, qui redoutent en privé un effondrement de l'UDF. Le leader du RPR est pris dans une contradiction difficilement surmontable : il doit faire de son rassemblement le parti dominant, sans pour autant ruiner l'union de la droite parlementaire. Dominant, cela est vital pour lui s'il veut prétendre à Matignon en tant que chef de la nouvelle majorité, mais surtout pas de manière écrasante. Une UDF battue, rendue aigrie par la victoire du RPR, se donnerait en effet corps et âme à Raymond Barre.

Entre les assauts incessants des piranhas de Jean-Marie Le Pen, les chausse-trapes de Raymond Barre et la perspective d'un effondrement de l'UDF, la victoire du RPR risque fort dans ces conditions d'être de faible portée.

Déjà menacée d'éclatement interne par la crise sociologique du système majoritaire, minée par l'effet de ciseaux du calendrier électoral (les législatives avant les présidentielles), l'opposition emmenée par le RPR doit subir les coups de hachoir de cette proportionnelle, qui rend plus que jamais l'opposition ingouvernable.

L'opposition, non sans raisons, peut dénoncer une loi de circonstance faite spécialement pour permettre à Mitterrand et au PS de traverser la passe dangereuse des législatives de 1986. L'ironie invite même à y voir le énième avatar du coup d'État permanent, propre au fonctionnement de la Vᵉ République. Mitterrand n'est pas loin de le penser, qui répète simultanément à ses interlocuteurs privés : « Vous savez que je suis plutôt partisan du scrutin majoritaire. » Toute la fluidité intellectuelle de Mitterrand est dans cette contradiction revendiquée, agitée, ouverte, refermée, éclipsée et qui réapparaît d'un seul coup sans qu'on comprenne très bien d'où elle sort. Ni pourquoi.

Le Président, après avoir tranché en faveur du scrutin proportionnel, se fait l'avocat indéfectible du scrutin d'arrondissement à deux tours, dont il connaît, souvent mieux que personne, tous les détours. Tandis que la bronca oppositionnelle s'amplifie au-dehors, il semble joindre sa voix à celle de ses adversaires. Allant en pensée au-devant d'eux pour raffiner leurs arguments en faveur du défunt scrutin, c'est Mitterrand observateur du Président, dans la pose qu'il affectionne le plus. Quand, avec son ironie cinglante, il peut enfin prouver qu'il n'est pas dupe de ce qu'il vient de décider : la distance qu'il impose immédiatement vis-à-vis de sa propre décision en trahit la signification, c'est un calcul dont il ne peut s'empêcher en esthète de la politique d'apprécier l'intelligence, l'éclat et le velouté.

Et puis, il y a en lui l'avocat de la défense qui se porte volontiers vers la cause en difficulté, la cause perdue ou la cause antagoniste; qui voudrait à tout prix adoucir la raideur « injuste », parce que unilatérale, de la décision et de l'action.

Que veut dire le Président en rappelant son attachement au scrutin majoritaire? Qu'il ne mourra pas les armes à la main pour la défense du scrutin proportionnel, qu'il n'en fait pas un monument impérissable de son septennat et que l'opposition parlementaire n'a aucune illusion à nourrir en cas de victoire : il laissera faire. Sans doute.

Entre-temps, il compte bien s'attaquer à la réforme de la Constitution, à laquelle toutes les évolutions concourent et que la proportionnelle – c'est d'ailleurs son seul intérêt – peut encourager. Par ce mode de scrutin, le pouvoir présidentiel devient le seul élément stable du dispositif politique, face à des majorités temporaires propres à tel ou tel événement. Mais pour chaque décision, le Président devra finalement composer une majorité spécifique. Ce fonctionnement n'est possible que dans un cadre politique où l'alternance cesse d'être synonyme de changement brutal de société et de règle du jeu politique. La politique économique et la politique étrangère de Mitterrand anticipent ce cadre partagé par une forte majorité de Français.

On se rapprocherait ainsi d'un système politique voisin du modèle américain, ce qui aurait l'avantage de lever enfin les ambiguïtés sur le fonctionnement hybride de la Constitution. La réduction du mandat présidentiel à cinq ans, souvent évoquée par le Président lui-même, va dans le même sens, en réglant le rythme présidentiel sur le rythme parlementaire. Au terme de ce processus, c'est l'instauration d'un régime effectivement présidentiel, avec la suppression du poste de Premier ministre – qui n'a plus de raison d'être avec un Président gouvernant effectivement et ne se cachant plus derrière une multitude de paratonnerres plus ou moins fictifs.

Les changements introduits par ce mode de scrutin sont comme des pages blanches à écrire, tant les inconnues sont encore multiples. A commencer par la réaction du corps électoral en 1986 face à cette nouvelle manière de s'exprimer. En 1986, les électeurs éliront un parlement, ils voteront également pour ou contre cette loi, mais aussi pour ou contre cette VIe République encore à l'état d'ébauche.

Le 4 avril, Rocard inversement proportionnel

Lorsqu'elle se prolonge dans la nuit, la politique rejoint toujours le théâtre. Entre comédie et tragédie. Une décision nocturne est toujours grave : c'est la déclaration de guerre, la Saint-Barthélemy, les décisions impossibles dans des salles enfumées où se joue sur un mot le destin du monde. Cela fait quelques siècles déjà que Shakespeare veille sur la nuit des politiques.

Michel Rocard a choisi de quitter le gouvernement en pleine nuit, avec ce mélange grisant des palpitations de l'urgence, des cernes d'une décision qu'on précipite après une longue rumination et du sentiment d'aller avec panache au-devant d'un insondable destin. La star des sondages théâtralise la grande scène de sa démission.

Et puis le destin ne se souvient que des dates historiques. Michel Rocard voulait que sa démission soit datée du 3 avril et non du 4. C'est-à-dire qu'elle soit concomitante à l'adoption en Conseil des ministres du projet de loi sur la proportionnelle. Auquel cas, il aurait pu profiter du Conseil? Pas un mot. L'après-midi, pas un mot. Le soir, dîner chez Antoine Riboud : pas un mot. Ce n'est qu'en rentrant chez lui, après 23 heures, qu'il interroge enfin son destin et sa femme. Le début de la nuit lui apporte alors le conseil de la démission. Comme il a choisi de donner à son acte un caractère personnel, la nuit est la bienvenue.

L'argumentaire de Rocard est à son image : celle d'un intégriste de la politique. Ce n'est pas la première fois qu'il est en désaccord avec la politique présidentielle, depuis qu'en 1981 il a accepté la réclusion ministérielle que lui imposait Mitterrand et à laquelle il avait librement consenti. Mais cette fois, on touche, selon lui, à l'essence de la fonction présidentielle et du système constitutionnel. Les limites sont franchies, aucun compromis n'est plus possible. Rocard a tout simplement soif de liberté politique. Alors il s'invente une cause.

Mais de toute évidence la sincérité l'emporte sur l'âpreté : Michel Rocard ne sait pas jouer la rouerie. C'est peut-être même, à l'image de Pierre Mendès France, cette « faiblesse » tacticienne de fond qui fait sa « force » dans les sondages. La politique française est tellement passionnelle que son univers est plus impitoyable que celui de *Dallas*. Le duel, l'embuscade, la guerre de partisans, les coups de main sont les catégories mentales des grands fauves engagés dans la course au Saint-Graal élyséen. Ce ne sont pas celles de Rocard. On dit les fauves, justement, pour évoquer le « tueur » qui, inlassablement, rumine en eux, prêt à frapper même en plein sommeil.

Le « tueur » chez Rocard s'endort toujours au moment décisif. Pourtant, face à lui, il y a deux duellistes exceptionnels, Mitterrand et Fabius. Mitterrand n'est pas à proprement parler un tueur; cette idée même lui répugne, mais il sait blesser profondément au point que ses adversaires perdent abondamment leur sang, à la grande désolation même de celui qui a justement porté la blessure. Il ne tue pas, mais ses « bottes » sont justement célèbres. Quant à Fabius, il est encore jeune, mais le « tueur » insolent qui pousse en lui est sur le qui-vive permanent.

Rocard tard dans la nuit parvient enfin à joindre Mitterrand. Le presque ancien ministre expose les motifs de sa décision au Président, qui avoue sa surprise. Spontanément, Mitterrand voudrait convaincre Rocard de rester au gouvernement. Rocard insiste. Mitterrand lui demande alors s'il a appelé le Premier ministre. Non. Le Président se propose de l'appeler lui-même. Et les deux hommes conviennent de se reparler tout de suite après. Interrogé par le Président, Fabius répond à brûle-pourpoint qu'il ne juge pas utile d'appeler Rocard : « C'est un homme politique responsable, dit-il en substance. Il a évidemment pris ses responsabilités en vous annonçant cette décision. » Après un blanc, le Premier ministre laisse cruellement tomber cette phrase tranchante comme un arrêt de mort : « En plus, il commet une faute, ce n'est pas nécessaire d'aller le repêcher. Je n'ai, monsieur le Président, aucune raison de l'appeler. » Ce n'est évidemment pas Fabius qui rapporte cette version, mais Mitterrand lui-même à un de ses vieux compagnons de la IVe République avec lequel il aime fréquemment s'entretenir. Et Mitterrand d'expliquer qu'il avait été « surpris par le sang-froid de Fabius ».

Sans connaître cette anecdote, Rocard n'ignore pas la trempe de ces deux hommes de guerre. Pendant quatre ans, ils ont réussi l'exploit de le vampiriser consciencieusement. Alors que ses idées sont, comme il l'avait dit en décembre 1984 à *l'Heure de vérité*, « de plus en plus majoritaires » au Parti socialiste, on ne le traite pas comme un précurseur, mais toujours comme un paria.

Pendant quatre ans, il a quasiment fait vœu d'abstinence idéologique. En fait, il s'en va non seulement parce que Mitterrand fait du rocardisme sans Rocard, mais parce que Fabius semble également réussir à faire du rocardisme contre Rocard. Alors, au-delà des raisons morales, c'est la question de la survie de Rocard qui est posée : ou comment l'effet Rocard peut-il résister à l'effet Fabius?

Pour survivre politiquement, c'est-à-dire pour affirmer la différence de son ambition, Rocard a besoin de rompre avec Fabius, de retrouver sa liberté et d'essayer de le prendre de vitesse au sein du Parti socialiste.

Cherchant obstinément à rapetisser Rocard, Mitterrand et Fabius ont peut-être joué la politique du pire. Si la proportionnelle est une machine à hacher menu l'opposition, il n'était manifestement pas prévu qu'elle ait les mêmes effets au Parti socialiste. Or Michel Rocard est très exactement en train de prendre le même chemin que Barre. Il déclenche à gauche le même mécanisme que l'ancien ministre de Giscard a déployé dans l'opposition en prenant brutalement position contre la cohabitation. La proportionnelle est à Rocard ce que la cohabitation est à Barre. En fait, ces deux mots désignent le même spectre : la survie présidentielle de Mitterrand et son éventuelle candidature en 1988 pour un nouveau mandat, vraisemblablement réduit d'ici là à cinq ans.

Rocard s'échappe de sa prison dorée par la grande porte, celle de la défense des institutions de la Ve République. Une manière de rappeler qu'il reprend sa liberté, justement parce qu'il est candidat aux présidentielles.

De nouveau libre, l'ancien ministre de l'Agriculture va donc faire monter les enchères au sein du Parti socialiste en rassemblant les mécontents et toutes les victimes du scrutin proportionnel, tous les sortants qui vont devoir laisser leur place en tête des listes aux anciens ministres et aux leaders menacés du parti. Désormais, Rocard dispose d'un véritable atout, le même que Barre d'ailleurs : la menace de scission.

Dans tous ses calculs, Mitterrand n'avait sans doute jamais envisagé cette éventualité. Lui, le spécialiste du revers lifté, se retrouve avec un *passing shot* le long de la ligne, au plus mauvais moment du match, c'est-à-dire à quelques mois à peine du congrès décisif du Parti socialiste (octobre 1985), à moins d'un an des législatives, alors que tous ses efforts avec l'instauration de la proportionnelle tendent justement à doper le Parti socialiste à 30 %. C'est cet objectif fragile que Michel Rocard, en démissionnant en pleine nuit, met soudain en danger. Après réflexion, Mitterrand a dû se dire que Laurent Fabius avait peut-être le sang trop froid.

13

Le sabordage de l'été

Été 1985

A ce jour, six mois après les faits, il n'existe toujours pas de version officielle de l'affaire. Le Premier ministre a désigné son ministre de la Défense, dont la démission a été acceptée. Mais Charles Hernu, l'accusé, nie farouchement avoir donné l'ordre « stupide » de couler le chalutier écologiste : si le Président s'est résolu à son sacrifice, il a néanmoins tenu à faire savoir publiquement que l'ancien ministre restait « son ami ». Des « branches pourries » des services secrets ont été allusivement mises en cause, mais sans suite. L'amiral Lacoste agite silencieusement ses aigreurs dans les loisirs de sa retraite, tandis que les cadres dirigeants de la DGSE au moment de l'affaire ont repris leurs fonctions. L'orage est passé.

Pourtant, pendant quelques semaines, entre août et septembre, l'exécutif socialiste a senti l'âcre odeur du désastre, dans la torpeur résignée où le secret, l'orgueil, la maladresse et la peur avaient plongé tous ses membres, jusqu'aux plus éminents. Ce fut longtemps comme si le Président avait disjoncté : à défaut de connaître la vérité, des ministres et des hauts fonctionnaires qui ne comprenaient pas ce dévissage généralisé cherchaient à être rassurés sur les suites. L'imbécillité de la situation paniquait plus encore que les faits eux-mêmes; une honte diffuse alourdissait l'atmosphère.

Ce qui donnera à cette « affaire » sa vraie dimension, c'est cette conjugaison du pire : une action idiote dans sa décision et dans son principe, mal exécutée par la DGSE, mal gérée par l'exécutif, qui s'achève sur un non-dit monumental : sans vérité et sans vrai coupable. Au bilan, un invraisemblable gâchis, parce que des « touche-à-tout de la conspiration », pour reprendre le mot cruel de Mitterrand à l'égard de De Gaulle le 13 mai 1958, ont eu peur d'une poignée de défenseurs de baleines dans le Pacifique Sud.

L'ordre de « couler le *Rainbow Warrior* » a bien été donné à Paris par les supérieurs hiérarchiques de l'amiral Lacoste (qui dirigeait alors la DGSE), ceux que l'amiral, dans ses conversations officieuses, désigne sous l'élégante expression de « commanditaires civils de l'opération », c'est-à-dire le pouvoir politique. Et, en l'occurrence, le supérieur hiérarchique immédiat de Charles Hernu, dans la pratique effective, ce n'était pas Fabius, mais le Président. Et près de lui deux militaires de haut rang, le général Saulnier, alors son chef d'état-major particulier, et le général Lacaze, alors chef d'état-major des armées.

La gestion politique de l'affaire reste aussi en grande partie une énigme. Qu'un homme tel que Mitterrand, déjà étrillé par deux affaires qui ont aiguisé sa méfiance de manière tranchante, qui sait tout des parfums obscènes mais enivrants que certaines courses à l'abîme dégagent, puisse aussi se faire prendre dans une telle déliquescence, jusqu'à en être l'épicentre, a stupéfié ses proches. A bien des égards pourtant, il s'agit d'une crise classiquement « mitterrandienne ».

Le 8 août, la mise au point de la machine infernale

Dans l'après-midi du mercredi 7 août, circulent dans les rédactions et les administrations les services de presse de deux hebdomadaires du jeudi : *l'Événement* et *VSD*. Les deux journaux mettent le feu aux poudres. Jacques-Marie Bourget révèle dans *VSD* que Mme Turenge, interpellée avec son mari le 12 juillet à Auckland et inculpée de meurtre le 23 juillet, n'est ni suisse, ni enseignante, ni touriste comme elle le prétend, mais capitaine des services secrets français. Quant à Pascal Krop de *l'Événement du jeudi*, il affirme que les Néo-Zélandais soupçonnent les Turenge d'appartenir à la DGSE.

Il faudra néanmoins attendre une heure du matin, le 8 août, c'est-à-dire la dernière extrémité avant l'ouverture des kiosques et les journaux radio du petit matin, pour que l'Élysée et Matignon essaient de rattraper ces premières fuites. Cela donnera lieu à un échange de lettres nocturnes. Dans sa lettre rendue publique dans la nuit, Mitterrand remercie Laurent Fabius des informations qu'il lui aurait communiquées sur le sabotage du *Rainbow Warrior* et approuve sa décision d'« ordonner sans délai une enquête rigoureuse »; il ajoute : « Je vous invite à la mener de telle sorte que, si la responsabilité est démontrée, les coupables à quelque niveau qu'ils se trouvent soient sévèrement sanctionnés. » Laurent Fabius lui répond qu'il a jugé nécessaire de demander à une personnalité « incontestable » de mener cette enquête et il poursuit : « Je demande au ministre de la Défense, au ministre de l'Intérieur et de la Décentralisation et à leurs services de lui apporter leur concours sans aucune réserve et de lui offrir toutes les informations de quelque nature que ce soit et sans exception aucune. S'il apparaissait, dans le cours de l'enquête administrative, des faits de nature à être poursuivis pénalement en France, cette personnalité en saisirait immédiatement les autorités judiciaires françaises. »

Le jeudi matin, l'Hôtel Matignon donne l'identité de cette personnalité « incontestable » : il s'agit d'un grand prêtre de la raison d'État, une sorte de saint Bernard du Gaullisme historique : Bernard Tricot. D'emblée, après avoir gardé le silence pendant plus de trois semaines, jusqu'à ce que la presse s'en mêle, Mitterrand adopte une ligne de défense morale dont il ne se départira plus : je ne sais rien de cette opération criminelle, je veux savoir et les coupables seront poursuivis, même judiciairement.

L'affaire pivote tout de suite autour de deux questions : Qui a donné l'ordre de couler le *Rainbow Warrior,* et, si ce n'est pas le Président, quand a-t-il été mis au courant de la réalité de cette opération ?

Quand Mitterrand et Fabius s'échangent leurs lettres dans le plus pur style de la politique épistolaire du XVIIe siècle, les jeux sont déjà faits. Toutes les initiatives de Mitterrand mimant la vertu outragée ne serviront à rien d'autre qu'à en retarder l'échéance, à savoir le sacrifice d'Hernu.

D'ores et déjà, fin juillet-début août, les dirigeants de l'exécutif savent à quoi s'en tenir.

Dès le 12 juillet, lorsque les faux époux Turenge sont interpellés, ils téléphonent à Paris à un numéro secret de la DGSE : l'alerte est donnée. Elle l'est également par une autre filière. Le lieutenant-colonel Dillais (dit Dubast, dit Dormond), qui a dirigé l'opération sur le terrain, se trouve toujours en Nouvelle-Zélande. Il informe également son supérieur, le colonel Lesqueur, chef du service « Action », qui lui-même transmet immédiatement à l'amiral Lacoste, le patron des « services ». Le sabotage du *Rainbow Warrior* a mal tourné : non seulement un civil a été tué (le photographe portugais sans lequel cette affaire ne serait pas devenue cette formidable « machine de guerre »), mais deux officiers français, un commandant et un capitaine sont emprisonnés à Auckland. Pour la DGSE et son chef, la situation est très simple : deux officiers français en mission ont été pris dans un pays ami, il faut les en sortir, *avant que la justice néo-zélandaise ne se soit mise en branle.* La direction de la DGSE, comme celle de tout service de l'État, ayant agi sur ordre du pouvoir central veut sauver ses deux fonctionnaires, certes un peu spéciaux, mais fonctionnaires quand même.

Il reste peu de temps. Pour les faux Turenge tout se passe très vite, entre le 15 juillet et le 23 juillet. Le 15, les Turenge sont libérés puis de nouveau arrêtés, cette fois sous l'inculpation d'usage de faux papiers. Le 23, ils sont inculpés de meurtre.

Entre le 12 juillet et le 23, une dizaine de jours pendant lesquels il est possible de « sauver les Turenge ». Toute la hiérarchie militaire est alertée. Lacoste informe heure par heure son ministre, Charles Hernu. Les généraux Lacaze (ancien des services secrets) et Saulnier sont également tenus informés de l'évolution des événements. Les militaires sont favorables à une négociation avec les Néo-Zélandais. Deux tentatives sont faites auprès de Hernu l'une le 13 juillet, l'autre le 18, par l'amiral Lacoste. Les services secrets néo-zélandais ont été approchés par ailleurs en vain par la DGSE pour sonder la possibilité de négocier la sortie des Turenge. Le chef de la DGSE propose néanmoins à son ministre des plans de sauvetage. Charles Hernu les communique à Laurent Fabius et de toute évidence à l'Élysée. Ces plans supposent que le gouvernement français reconnaisse officieusement sa participation dans l'attentat et offre des dédommagements aux Néo-Zélandais. Réaction prêtée à Laurent Fabius pour mieux protéger la présidence, dès le 13 juillet : « C'est inavouable. » Nouvelle tentative le 18 juillet. Nouvel échec. Comme le dira plus tard, en privé, l'amiral Lacoste : « C'est Matignon qui empêchera que l'affaire n'éclate : l'un pense à lui, mais pas à l'autre. »

Parallèlement, le 15 juillet, le ministre de l'Intérieur Pierre Joxe installe une coordination centrale de toutes les informations relatives à cette affaire qui sera confiée au commissaire Le Mouel, déjà responsable de la coordination antiterroriste. Le commissaire Le Mouel est chargé de faire un rapport quotidien sur l'affaire au directeur général de la police, le préfet Verbrugghe.

Les tentatives pour négocier avec les Néo-Zélandais la libération immédiate des faux Turenge n'iront pas loin. L'avocat de la DGSE qui se rend à Auckland n'est chargé d'aucune mission. Il rétablit uniquement le contact avec les deux officiers français et la centrale de renseignements. Aucune tentative ne sera faite par l'intermédiaire du Quai d'Orsay et de l'ambassadeur de France. Plus tard, des officiels néo-zélandais s'étonneront d'ailleurs qu'aucune démarche sérieuse n'ait été faite durant cette période, où la presse néo-zélandaise n'accusait pas formellement les faux Turenge d'être des agents secrets français. Le doute planait encore à Auckland : il laissait la porte entrouverte à des négociations qui finalement n'auront pas lieu. A Paris, la hiérarchie militaire est favorable elle aussi à la négociation. Mais l'ordre de négocier ne sera pas donné. Les militaires foncièrement présidentialistes en accusent le Premier ministre. Celui-ci garde en effet des distances prudentes avec l'événement, tandis que l'Élysée ne veut rien faire qui puisse compromettre Charles Hernu. Un équilibre catastrophique s'instaure dans la doucereuse léthargie de juillet : Hernu a carte blanche pour « régler le problème ».

Le temps passe et le 23 les deux officiers français sont inculpés de meurtre : en Nouvelle-Zélande, la machine judiciaire est lancée de manière irrésistible. Les services secrets français sont mis en cause. Le Premier ministre David Lange monte au créneau de l'accusation. Mais si les journalistes français ne lisent pas la presse d'Auckland, de Wellington ou même de Sydney en Australie, les diplomates français, dont c'est justement l'une des fonctions principales, envoient des synthèses tout ce qu'il y a de plus serrées sur les « révélations » de la presse d'Auckland. La DGSE de son côté reçoit des informations régulières, au moins par une source, le lieutenant-colonel Dillais, qui, le 23 juillet, se trouve encore en Nouvelle-Zélande.

Au plus tard le 17 juillet, toutes les autorités politiques concernées sont au courant, si elles ne l'étaient pas déjà. D'autant plus sûrement que les militaires qui pratiquent depuis longtemps le pouvoir civil, et cette Constitution en particulier, savent se couvrir avant de s'engager. Un homme comme l'amiral Lacoste n'est pas un fonceur, mais pour avoir déjà côtoyé le pouvoir politique (au cabinet de Raymond Barre), il sait d'expérience qu'avant d'agir il faut savamment « mouiller » les « commanditaires ». La suite prouvera que ce type d'assurance est loin d'être inutile.

Depuis des mois, il est question de sa succession. Il doit être remplacé par un général de gendarmerie. Seulement, l'État-Major refuse de donner son aval au ministre d'autant que Lacoste passe pour le protégé de l'amiral Leenhardt, le patron de la marine. S'il n'est pas socialiste, l'amiral Lacoste passe néanmoins pour un officier qui éprouve de la sympathie pour Mitterrand, qu'il rencontre d'ailleurs, comme tout patron des services secrets, en moyenne trois fois par mois. Au titre de la DGSE, il dispose même du privilège d'être en relation directe avec le Président, sans avoir à en rendre compte à son ministre.

A cet égard, Mitterrand n'innove pas : c'est la règle induite par la Constitution de la Ve. Cette relation privilégiée découle du « domaine réservé ». Professionnel du secret, maître du double jeu, Mitterrand était a priori intéressé par l'activité des services secrets. Et ceux-ci ont d'ailleurs été associés à plusieurs épisodes importants des premières années du septennat, que ce soit au Tchad ou au Liban, aux consultations et parfois même aux décisions présidentielles. Des décisions d'opérations en relation avec le contexte proche-oriental ont été prises par le Président, sur proposition de Pierre Marion, puis de l'amiral Lacoste. Justement méfiant à l'égard d'une organisation qui par ses initiatives peut déstabiliser toute sa politique étrangère, Mitterrand s'est attaché à contrôler l'activité de la DGSE, à multiplier les autorisations afin d'en limiter les dérapages. Pierre Marion, pourtant un vieil ami de Charles Hernu, sera limogé pour avoir pris de son propre chef des initiatives diplomatiques dans le monde arabe. Les patrons des grands services secrets, à l'Ouest comme à l'Est, ont facilement tendance à se prendre pour des stratèges parlant d'égal à égal avec les chefs d'État. Le conflit est toujours latent. Dans ces conditions, il était logique que le Président exerce sur ces soldats très spéciaux du « domaine réservé » un patronage pesant.

Selon Pierre Marion et l'amiral Lacoste, la procédure était immuable : le chef de la DGSE faisait au Président « une note orale de synthèse » et, éventuellement, proposait à Mitterrand des scénarios d'opérations en fonction de telle ou telle situation, parfois le Président se décidait en faveur de l'un d'entre eux, parfois il les refusait et chargeait le patron de la DGSE de lui en présenter de nouveaux.

Lorsque le principe d'une opération était arrêté, Marion et Lacoste allaient se faire débloquer d'éventuels crédits supplémentaires dans le bureau du général Saulnier, chef d'état-major particulier du Président, qui se faisait confirmer oralement par le Président. Matignon n'intervenait jamais dans ce processus de décision. Pierre Marion se souvient d'ailleurs n'avoir jamais eu de tête-à-tête avec Pierre Mauroy. Chargé de « couler le *Rainbow Warrior* », l'amiral Lacoste va, dès le début, chercher à se couvrir. C'est la raison pour laquelle il réalise un montage financier complexe supposant une rallonge budgétaire, qui nécessitait d'en passer par les fonds secrets gérés par Matignon. L'amiral Lacoste voulait avoir soit la signature du Premier ministre, soit sa griffe, au cas où l'affaire – c'est une éventualité qui se doit d'être toujours envisagée – tournerait mal. Après le sabotage, l'amiral aura, dans la deuxième quinzaine de juillet, un entretien avec le Premier ministre. Il aura également rencontré le Président pour l'informer des suites de cette mission.

Au cours de ces deux entretiens, l'amiral Lacoste prétend avoir fait des rapports détaillés de l'opération. A supposer même que le Président, exceptionnellement, n'ait pas été associé à la décision de s'attaquer à la flottille écologiste, son premier réflexe fut évidemment de convoquer l'amiral Lacoste pour connaître le détail de l'opération et ses implications.

Les « politiques » vont laisser passer la date fatidique du 23 juillet, au-delà de laquelle le piège néo-zélandais se referme sur les faux époux Turenge. Plusieurs raisons se sont liguées pour aboutir à une telle inertie. De toute évidence la peur de l'aveu et le risque que celui-ci vienne à être connu : pour l'Élysée comme pour Matignon, c'est « inavouable ».

Sur cette attitude vont venir se cristalliser des raisons conjoncturelles : le refus de Laurent Fabius de se mêler de cette affaire sur laquelle tout le monde s'accorde sur la tactique du dos rond; paradoxalement, le caractère d'abord mineur de l'événement va contribuer à le dédramatiser en haut lieu; d'ailleurs l'attentat contre le chalutier n'a pas provoqué la plus petite émotion dans le moindre vallon écologiste français; enfin, l'interférence des vacances et des week-ends prolongés des principaux acteurs de ce drame. Il n'est pas impensable d'ailleurs que l'Élysée se soit « réveillé » avec retard sur cette affaire ce qui expliquerait le voyage impromptu et clandestin que Mitterrand et Dumas effectueront en Suisse le 23 juillet, à Auvernier, dans le canton de Neuchâtel, où ils auront un long entretien avec Kurt Fürgler, président de la Confédération, et Pierre Aubert, chef du département des Affaires étrangères. Les Turenge ayant été arrêtés en possession de faux passeports suisses, des journalistes s'interrogeront sur la coïncidence.

Fin juillet enfin, tous les opérationnels de la DGSE sont rapatriés et « débriefés », selon l'expression des professionnels du renseignement. Le lieutenant-colonel Dillais, rentré le dernier, le sera, lui, le 1er août, en présence de Charles Hernu et de toute la direction de la DGSE. Alors, le ministre de la Défense et la DGSE savent exactement ce qui s'est passé sur place. Ils connaissent l'opération et ses déboires dans les moindres détails. A partir des informations publiées par la presse d'Auckland et des indiscrétions recueillies par Dillais, ils reconstituent minutieusement le dossier de la police néo-zélandaise. Et comme de coutume, la DGSE procède alors au maquillage de l'opération : truquage de la comptabilité, emplois du temps modifiés...

Reste que la machine infernale est amorcée : deux officiers français en mission sont bel et bien poursuivis en Nouvelle-Zélande pour attentat criminel contre le chalutier de Greenpeace. Déjà la presse néo-zélandaise déborde d'accusations « scandaleuses » sur les barbouzes françaises. C'est d'ailleurs par ce biais que l'affaire sera connue dans la presse française : les journalistes australiens cherchent à joindre des spécialistes de la DGSE dans les rédactions parisiennes. Deux journalistes viennent justement de publier un livre sur « la Piscine » : Pascal Krop (qui travaille à *l'Événement du jeudi*) et Roger Faligot (alors pigiste au *Journal du dimanche*), qui tous deux joueront les francs-tireurs au début de l'affaire.

Face à l'orage qui menace, l'Élysée, Matignon et le ministère de la Défense, à la fois fascinés par le destin et inconscients du danger, se repassent le mistigri, à charge pour Charles Hernu de monter une version qui tienne.

C'est cette inertie de départ qui produira les effets les plus nocifs. La DGSE va se croire lâchée : elle craint qu'au bout du compte on ne lui fasse porter le chapeau et que les deux officiers français soient abandonnés dans les geôles néo-zélandaises.

Alors la direction de la « centrale » de renseignements va monter une opération « opinion publique ». Objectif : contraindre le gouvernement à négocier avec la Nouvelle-Zélande la libération des faux Turenge. Moyen : forcer le gouvernement à reconnaître sa responsabilité dans l'attentat.

Sur ordre de ses supérieurs, le lieutenant-colonel Dillais va ainsi, au cours de la première semaine d'août, rencontrer plusieurs journalistes parisiens, anciens officiers, anciens des services secrets, tous ayant suivi les cours de l'IHEDN (l'Institut des hautes études de la Défense nationale). Dillais sait tout de l'épopée des hommes-grenouilles dans le Pacifique Sud. Aucune information sérieuse n'est encore parue dans la presse, ni *l'Événement du jeudi* ni *VSD* ne sont encore sortis, que l'officier supérieur lâche les premières bribes de vraies informations. Ceux qui l'ont rencontré se souviennent rétrospectivement du sérieux de ses informations.

Le 8 août, la presse française va déclencher, avec plus de quinze jours de retard sur la presse néo-zélandaise, *l'affaire Greenpeace.* Le gouvernement ne peut plus faire autrement que de réagir : c'est l'échange nocturne de lettres entre Mitterrand et Fabius, et la nomination en catastrophe de Bernard Tricot comme enquêteur officiel, chargé de fouiller dans tous les placards de la DGSE. Décision qui se révélera néfaste : la DGSE y voit immédiatement une menace. Boulevard Mortier, au siège de la « Piscine », c'est la panique. Pour les hommes de l'ombre, la preuve est faite que le gouvernement est décidé à faire des soldats anonymes, les boucs émissaires de l'opération manquée d'Auckland. C'est la raison pour laquelle ils décident de faire front avec Hernu pour « nier en bloc ». L'armée comme une coquille se referme. La nomination de Bernard Tricot, loin de faciliter la recherche d'une solution, va singulièrement compliquer la tâche du gouvernement : en fait Mitterrand et Fabius viennent de se piéger eux-mêmes.

Le 26 août, Tricot lave plus blanc

Choisi pour absoudre autant que faire se peut, au nom de la religion d'État l'ancien collaborateur du général de Gaulle va livrer à l'opinion publique un conte de fées pour hommes-grenouilles.

A l'évidence de la culpabilité de la DGSE dans l'attentat contre le *Rainbow Warrior,* il oppose l'innocence pure et simple : les agents français qui se trouvaient en Nouvelle-Zélande dans la première quinzaine de juillet faisaient du renseignement et de la formation professionnelle.

Docteur en droit de formation, maître des requêtes au Conseil d'État, Bernard Tricot n'est ni agent secret, ni policier, ni a fortiori juge d'instruction. Mais, comme avocat de la défense, il sait parfaitement jouer des faiblesses de l'accusation néo-zélandaise. Et à le lire, les policiers d'Auckland n'auraient pas la preuve formelle d'une collusion entre l'équipage de l'*Ouvéa* et les faux époux Turenge, non plus que de la participation directe de ces derniers à l'attentat lui-même. Le dossier de la DGSE n'est pas terrible, mais il sera difficile aux Néo-Zélandais de prouver la culpabilité des faux Turenge.

La « ligne » dominante alors dans cette affaire, c'est celle du « gros dos » : Bernard Tricot est une « personnalité incontestable », sous-entendu : son choix n'a pas été contesté par l'opposition et d'ailleurs il a accepté avec l'aval de certains barons gaullistes. Si la personnalité est incontestable, son rapport doit l'être. Tant à l'Élysée qu'à Matignon, on croit alors fermement que cette affaire va s'éteindre d'elle-même, faute de certitudes et grâce à la neutralité bienveillante de l'opposition.

Loin de « noyer élégamment le poisson », le rapport Tricot distille le poison : au lieu de calmer l'affaire, il la relance.

Ce n'est pas le paravent discret attendu en haut lieu, mais, au fil des pages, tout lecteur averti – et ceux de la présidence comme ceux de Matignon le sont plus que d'autres – s'aperçoit qu'il s'agit d'un piège à retardement, enrubanné dans une candeur savamment affectée.

Bernard Tricot prend la défense de l'armée d'une manière diaboliquement naïve : si des éléments nouveaux venaient à prouver que la DGSE a effectivement saboté le chalutier écologiste, Bernard Tricot a pris toutes ses précautions : « c'est qu'il aurait été berné » et que la version qu'il sert à l'opinion aurait été maquillée par toutes les personnalités civiles et militaires qu'il a été amené à interroger au cours de son enquête. Auquel cas, il sera prouvé par Bernard Tricot que le gouvernement, en liaison avec l'État-Major, est coupable d'avoir monté cette opération d'intoxication. C'est le premier piège de ce rapport.

Le second concerne la filière des décisions en matière d'opérations secrètes. Toute opération de faible envergure – dans la version à l'eau de rose de la DGSE, des hommes-grenouilles français vont faire de la cartographie et de la photographie en Nouvelle-Zélande – a besoin de l'aval du chef d'état-major particulier de la présidence, c'est-à-dire du général Saulnier. A fortiori pour une opération plus importante. Bernard Tricot est implacable dans sa candeur : on ne déplace pas un homme-grenouille français sans l'aval du général Saulnier. Le piège à cons du conseiller Tricot s'oriente alors dangereusement dans la direction du palais présidentiel.

Il faut peu de temps à Laurent Fabius pour comprendre que ce rapport cache un ressort tendu prêt à se détendre contre le Président et contre lui-même, singulièrement contre lui-même, qui, ayant officiellement commandé le rapport, se retrouve désormais en première ligne.

Dans tous les cas, le gouvernement fait figure de coupable : soit il a décidé le sabotage et cette version a tous les défauts d'une couverture trop voyante puisqu'elle innocente tout le monde, trop de monde justement, soit le gouvernement n'a pas pris cette décision et il est coupable de n'exercer absolument aucun contrôle sur l'armée et sur la DGSE en particulier.

Le Premier ministre est suffisamment bien informé pour détecter aussitôt dans la copie du conseiller Tricot la preuve qu'il existe « des carences importantes dans le fonctionnement de la DGSE ». Dans sa déclaration officielle qui suit la publication du rapport, le Premier ministre n'exclut pas l'éventualité que l'attentat ait pu être commis par des agents français et, à ce titre, il s'engage à ce que « les coupables, quels qu'ils soient, [aient] à répondre de ce crime ».

Pendant près de trois semaines, le gouvernement a misé toute sa crédibilité sur le rapport du conseiller Tricot et, lorsque le rapport arrive, il le jette à la poubelle. A force de ne trouver que des innocents, Bernard Tricot renforce en effet la suspicion générale à l'égard des responsables de l'exécutif. A commencer par Laurent Fabius, qui juge bon de prendre très sèchement ses distances. Comme cette version a été élaborée très minutieusement par Charles Hernu et l'amiral Lacoste, il ne fait plus alors de doute pour personne que le Premier ministre estime nécessaire de sacrifier Charles Hernu, puisque celui-ci n'a pas été capable de charger la DGSE de tous les péchés d'Auckland.

Non seulement le rapport relance la suspicion à l'égard de la présidence, mais, au surplus, pour crédibiliser la mission Tricot, il a fallu lâcher trois noms de sous-officiers, les membres de l'équipage de l'*Ouvéa,* ce qui provoque des perturbations au sein de la DGSE, dont les membres n'apprécient pas du tout cette publicité accusatrice. Pour prouver sa bonne foi, le gouvernement a en effet autorisé Bernard Tricot à livrer les noms de trois agents secrets qui, après être allés grenouiller en Nouvelle-Zélande, avaient réussi à s'en sortir sans être identifiés. Encore une fois, ce sont les lampistes qui sont exposés à tous les dangers. Cette maladresse se télescope avec le « parti pris moral » présidentiel : sur l'aspect criminel de l'opération. Fabius, qui ne fait, en l'occurrence, que paraphraser Mitterrand, va précipiter la

« colère de la DGSE », en annonçant des poursuites contre les soldats de l'opération d'Auckland.

La hiérarchie de l'ombre cette fois n'a plus seulement à sauver les faux époux Turenge, elle doit également se sauver elle-même d'un coup fourré en perspective.

Cette crainte va encourager les officiers de la DGSE à faire feu de toute information « sensible ». Ils n'ignorent pas qu'ils jouent alors avec le feu. En réagissant au rapport Tricot et aux déclarations de Laurent Fabius, ils risquent à tout moment de mettre en cause la présidence. Comme toute la hiérarchie militaire, ils sont naturellement présidentialistes, même s'ils ne partagent pas les options idéologiques prêtées à Mitterrand. Pour protéger le Président et son ministre de la Défense, ils vont peu ou prou s'acharner contre Laurent Fabius et nourrir une vindicte rampante à son encontre.

Le 17 septembre, le piège du mensonge

Au commencement, il y avait un simple kyste. Et puis le kyste s'est transformé en tumeur. Les injections à hautes doses de mensonges divers, petits et grands, n'ont fait que soulager la douleur. Puis on devient l'esclave du mensonge et, pour soutenir ce dramatique sursis, il faut encore et toujours plus de mensonges. De telle sorte qu'on n'échappe plus à son œuvre dévorante. C'est cette médecine du mensonge dans les affaires d'État qui est à l'origine de l'affaire du Watergate. Au terme du processus américain, c'est l'ensemble de l'équipe nixonienne qui est apparu gangrené. Il ne restait plus d'autre issue que tenter une transplantation d'organes. Si l'affaire du *Rainbow Warrior* a pu évoquer si intensément celle du Watergate, c'est parce qu'on y soupçonne le même processus autodestructeur.

Le flagrant délit de mensonge est établi par la presse. La reconstitution des itinéraires des membres de la DGSE en Nouvelle-Zélande par l'enquêteur de *Libération* prouve que la version Tricot ne tient pas « la route ». On a donc menti sciemment au premier prix de vertu républicaine choisi par Fabius pour établir la vérité. Mais ce sont *le Monde* et *le Canard enchaîné* qui donnent le coup de grâce à la version Tricot en révélant l'existence sur place d'une troisième équipe de la DGSE qui aurait placé les charges explosives. L'engagement de la DGSE dans le sabotage du *Rainbow Warrior* ne fait plus de doute. Or, plus de deux mois après l'attentat, le gouvernement affecte toujours de courir après la vérité. Une nouvelle fois, la presse lui force la main. D'autant que le quotidien du soir, de manière péremptoire, affirme que la décision a été prise par Charles Hernu, l'amiral Lacoste, mais aussi par les généraux Saulnier et Lacaze.

Certes, *le Monde* n'apporte aucun élément de preuve, mais une intime conviction étayée par des confidences dont on apprendra qu'elles ont été faites au directeur du quotidien en personne. L'interlocuteur d'André Fontaine n'est de toute évidence pas un sous-chef de bureau, ni une barbouze galonnée. Pour emporter une telle conviction, il faut du poids. Manifestement, l'informateur en a beaucoup. Cette information en recoupe beaucoup d'autres, déjà recueillies par les enquêteurs du journal. Elle s'impose donc comme le chemin de la vérité. De fait elle aura toutes les vertus de la vérité.

La « source » qui alimente *le Monde* a voulu forcer la main à l'homme qui, à la tête de l'État, défend bec et ongles son ami, le ministre de la Défense. Une « gorge profonde » qui a un sens aigu de la survie du Président, qui, malgré lui, a pris sa défense par ce jeu d'ombre et de lumière parfaitement maîtrisé. Car, à l'Élysée, Mitterrand face à cette situation fuyante et irrattrapable, attend. Lui qui finit toujours par charmer les imbroglios les plus retors, il ne parvient pas à se sortir de ce marais mouvant dont le niveau le surprend d'heure en heure. Il y a chez cet homme la certitude enfouie que, de toutes les façons, il trouvera un moyen de réagir : l'odeur des poisons qui bouillonnent l'excite au plus haut point. Mais cette fois, il n'arrive pas à rentrer dans le jeu.

La peur commence à faire chavirer son entourage, qui craint que, cette fois, Mitterrand ne rate cette marche magique qui borde la catastrophe. Alors les initiatives se multiplient pour forcer le destin. Et ceux qui pensent que le sacrifice d'Hernu est devenu un impératif catégorique sont de plus en plus nombreux parmi ceux qui savent.

Car, comme prévu, le rapport Tricot est en train de se retourner contre ses commanditaires : il accrédite la thèse du mensonge orchestré. Il ne peut l'avoir été que par Charles Hernu.

L'acide du mensonge d'État est implacable, il s'attaque à la première ligne de défense : Hernu. Et, si Hernu ne cède pas assez tôt, il faudra remonter logiquement à Fabius et, plus vraisemblablement, à Mitterrand.

Hernu ne veut rien savoir. Et le Président le couvre.

Le maire de Villeurbanne est plus qu'un vieux compagnon de route, c'est, au propre et au figuré, son lieutenant depuis les années soixante. Entre eux, mille liens, tissés de souvenirs politiques et intimes, de séductions et de coups. Mais l'ami est également devenu une pièce maîtresse du dispositif « cohabitationniste » pour l'après-1986. Charles Hernu n'est-il pas le ministre socialiste le plus indiscutable au point que la journaliste du *Figaro* Christine Clerc, dans un ouvrage de fiction consacré au 16 mars 1986, imagine que Jacques Chirac, nommé Premier ministre, garderait naturellement l'homme de guerre de Mitterrand? L'incarnation ministérielle du consensus national sur la défense et la dissuasion, c'est encore lui. Peut-on sacrifier aussi facilement un tel capital à six mois des législatives pour une « connerie pareille »?

Mitterrand attend. Il ne désespère toujours pas de trouver un moyen de sauver Charles Hernu : à force de dire que cette opération était un crime, dès lors qu'il n'était plus possible de nier que la DGSE l'avait exécutée sur ordre, soit Charles Hernu était un menteur, soit il faisait la preuve de son incompétence, incapable deux mois après l'attentat de savoir qui en avait donné l'ordre et pourquoi. Dans les deux cas, Mitterrand devait logiquement le sanctionner.

Car Charles Hernu est désormais le seul, du moins officiellement, à s'en tenir à la version Tricot et, tout comme le rapporteur gaulliste, il n'exclut d'ailleurs pas qu'on lui ait menti ou désobéi.

Et puis il y a cette lettre du 18 septembre que le Président adresse au Premier ministre néo-zélandais, lui demandant de ne plus présenter la France comme responsable du sabotage. Brusquement, malgré l'évidence, malgré d'aussi fortes présomptions, malgré les doutes exprimés par Laurent Fabius et Lionel Jospin sur la version Tricot, Mitterrand plaide à nouveau pour l'innocence française. C'est comme une poussée de fièvre : à nouveau l'emporte chez Mitterrand le désir irrésistible de sauver Hernu, alors même que c'est son propre système de défense – la thèse de l'ignorance – qui condamne son ami. Il a fourbi l'arme qui frappe le ministre.

Charles Hernu de son côté plaide encore son innocence en s'engageant cette fois tout entier dans le mensonge : « Aucun service, dit-il, aucune organisation dépendant de [mon] ministère n'a reçu l'ordre de commettre un attentat contre le *Rainbow Warrior.* » C'est le mensonge de trop.

Le lendemain, à la sortie du Conseil des ministres, interrogée sur la solidarité gouvernementale à l'égard d'Hernu, Georgina Dufoix répond par « l'absolue solidarité gouvernementale dans la recherche de la vérité ».

Le 20 septembre, le sacrifice d'Hernu

Las, le temps a passé et Mitterrand n'a pas réussi à dénouer ce nœud de vipères qu'il avait lui-même encouragé par sa propre attitude. « Je dissimule, je biaise, j'adoucis, j'accommode tout autant qu'il est possible » : l'accommodement ne s'est pas produit. Il faut céder. Le Président a joué avec le temps, la vérité et le mensonge et, cette fois, il a perdu : le miracle n'a pas eu lieu. C'est en catastrophe qu'il faut sacrifier Hernu, comme on coupe un membre gangrené : au plus vite, sans faire de fioritures, sans pouvoir jouer à l'opinion la moindre comédie. Fidèle à lui-même, Mitterrand trouvera le moyen de le dire avec des fleurs.

Le sort du ministre de la Défense s'est joué tout au long d'un face-à-face dramatique entre Mitterrand et son Premier ministre, lequel aurait même évoqué au cours de cet affrontement sa possible démission. Argument de poids dans la balance présidentielle, alors que Mitterrand exhortait Laurent Fabius à tenter l'impossible pour sauver le ministre de la Défense. « On entendait les lustres vibrer », diront plusieurs membres de l'entourage présidentiel à propos des face-à-face Mitterrand-Fabius dans le bureau du premier étage de l'Élysée.

Les révélations du *Monde* ont provoqué la colère présidentielle. Hernu vient sur-le-champ proposer sa démission : elle est refusée. Elle est finalement acceptée le vendredi 20, lorsque décidément il est patent que la situation échappe à Mitterrand.

Quand on ne parvient pas à dénouer les nœuds gordiens, il faut bien finir par essayer ce que l'on aurait dû commencer par faire : à savoir les trancher. La chose qui répugne le plus à la nature de Mitterrand : trancher. Car, par cet acte, il n'est plus possible de rester présent des deux côtés à la fois, les ponts sont littéralement coupés : il ressent cette coupure comme une mutilation.

Mais Mitterrand tranche-t-il vraiment en ce qui concerne Hernu? C'est la révélation sur l'existence de la troisième équipe qui a créé l'irréversible, en démasquant le mensonge d'Hernu sur la prétendue innocence de la DGSE. C'est en s'appuyant sur cette révélation que Fabius, soutenu par Joxe et Quilès, va contraindre Mitterrand à trancher, c'est-à-dire à sacrifier le ministre de la Défense.

La nature du sacrifice consenti deux mois et demi après l'attentat donne l'exacte mesure de la situation catastrophique dans laquelle Mitterrand et l'exécutif s'étaient aventurés.

Outre l'ami de toutes les aventures, il y avait le ministre qui avait su être, depuis 1981, le bras armé de la politique étrangère élyséen-ne.

Il n'y a pas de politique étrangère active sur la scène internationale sans l'implication des forces armées. De la force de frappe qui fonde l'indépendance française entre les deux supergrands jusqu'aux forces conventionnelles qui permettent d'intervenir sur le théâtre du mon-de. Depuis 1981, les forces armées ont pris une part active à la politique étrangère, et des hommes comme le général Lacaze, le général Saulnier et l'amiral Lacoste y ont été étroitement associés.

L'artisan de ce mariage de raison entre le Président et l'armée : Charles Hernu. En 1973 cet ancien mendésiste met le socialisme à l'heure nucléaire. Aux yeux de nombreux leaders de l'opposition parlementaire, Charles Hernu crédibilisait la cohabitation avec Mitterrand : il en symbolisait plus que tout autre la possibilité. Effectivement, le ministère de la Défense n'est pas un ministère comme les autres : il est à la charnière entre le domaine réservé du Président et l'action gouvernementale proprement dite.

Mitterrand n'avait plus le choix : soit Hernu, soit les généraux du Président.

Le civil ou les deux cinq-étoiles? La perte d'Hernu est dramatique, celle des deux généraux irréparable. Entre deux maux, il faut toujours choisir le moindre, et l'essentiel était préservé si Mitterrand, au sortir de cette crise, parvenait à garder l'appui de ces deux hommes qui, par leur autorité, incarnent le soutien de l'armée à sa politique. En dernière instance, c'est à cela que servent les ministres : on peut démettre un ministre sans déclencher une tempête. Même un Charles Hernu. Mais on ne démet pas Janou Lacaze sans provoquer une rupture coûteuse entre l'armée et le pouvoir politique.

Deuxième règle : un militaire vaut un civil. La démission de l'amiral Lacoste supposait celle d'un civil de haut rang et, compte tenu de l'importance de la DGSE, ça ne pouvait être que le ministre. Même si cette règle avait échappé au Président, le général Lacaze s'est chargé de la lui rappeler : c'était la condition sine qua non pour que l'État-Major général accepte le départ à la retraite de l'amiral des ombres.

Paul Quilès est donc appelé à succéder à Charles Hernu. Officiellement, il sera ministre de la Défense, mais en tant que Kagemusha du général Lacaze.

L'affaire n'est pas pour autant close. L'amiral Lacoste est remercié pour insubordination : il a refusé de faire la dictée que le ministre de la Défense lui demandait de faire, alors que Saulnier et Lacaze reconnaissaient par écrit qu'ils n'avaient « pas donné une instruction ou reçu une information relative à la préparation de l'attentat ». Et puisque l'amiral refusait de faire un faux, le ministre a offert sa démission. Nouvel échange de lettres entre l'Élysée et Matignon. Fabius écrit à Mitterrand et lui propose d'accepter cette démission. Ce gouvernement par lettres met involontairement en scène l'opposition Mitterrand-Fabius : il sera dit pour l'Histoire que le Premier ministre était favorable à la démission d'Hernu contre le Président. Exit Hernu et Lacoste, mais rien n'est réglé pour autant.

Car le Président et l'exécutif n'ont toujours pas de ligne de conduite claire. Depuis le début, ils oscillent entre le parti de la vérité et celui de la raison d'État. C'est à force de flotter entre les deux qu'ils se sont fait piéger par ces révélations en cascade.

La paralysie de l'exécutif au lendemain de la « bavure » d'Auckland, la fuite en avant généralisée devant la responsabilité de la décision, l'abandon de facto du commandant Maffart et du capitaine Prieur vont encourager toutes les fuites possibles et imaginables : les « fuites » dans un premier temps vont être utilisées de manière homéopathique et parfaitement maîtrisées pour faire « bouger » le Président et son gouvernement mais, au fil des événements, elles vont devenir un moyen chirurgical de « sauver » le Président en danger de déstabilisation.

La thèse de l' « ignorance scandalisée » tient lieu de ligne de défense officielle depuis le 7 août. Cette improvisation a tout du provisoire qui dure : il s'agit alors de justifier ce long silence de trois semaines consécutif à l'arrestation des faux époux Turenge. Ensuite c'est la nomination de Bernard Tricot et, par souci de cohérence, l'exécutif doit poursuivre dans la voie de l'ignorance. A mesure que les révélations se succèdent, cette « continuité » s'avère suicidaire.

« Je veux savoir », déclarait encore le Président au Conseil des ministres du 18 septembre. Le Président est devenu l'homme le plus mal informé de France.

Le 23 septembre, le face-à-face Fabius-DGSE

« La vérité est cruelle », lance le dimanche 22 septembre Laurent Fabius sur les écrans de télévision. Il déclare également : « Un nouveau chef de la DGSE sera nommé dès le prochain Conseil des ministres. Il devra prioritairement réorganiser l'ensemble des services. »

C'est un langage que les chefs espions connaissent bien : il annonce la purge. L'entourage de l'amiral Lacoste démissionné-démissionnaire parle de « démantèlement de la DGSE ». Pourtant, l'amiral Lacoste croyait avoir la garantie des principaux chefs de l'État-Major : on ne toucherait pas aux cadres supérieurs de la DGSE et aucune sanction ne serait prise à l'encontre de tous ceux qui ont pris part d'une manière ou d'une autre à l'opération contre le *Rainbow Warrior*. L'amiral avait voulu être rassuré sur ce point: la rumeur courait de manière persistante selon laquelle le Premier ministre et le nouveau ministre de la Défense entendaient bien « faire porter le chapeau à la DGSE » et prendre des sanctions exemplaires.

L'émotion était telle dans les rangs de la « Piscine » qu'Alexandre de Marenches, l'ancien chef des services secrets sous Pompidou et Giscard, avait été reçu par Mitterrand à la mi-septembre pour évoquer cette question et alerter le chef de l'État contre un éventuel démantèlement des « services ».

Le dimanche soir, après avoir entendu Fabius, les chefs de la DGSE font alors état de listes nominales d'officiers de la DGSE qui devraient être démis de leurs fonctions avant le Conseil des ministres du 25.

La déclaration dominicale de Fabius alarme l'amiral Lacoste, qui, en privé, y voit « la condamnation des Turenge et le démantèlement de la DGSE. On va me faire passer pour un félon. C'est inacceptable ».

Et les cadres supérieurs de la centrale de renseignements d'alerter quelques journalistes de confiance au milieu de la nuit : « A partir de jeudi, c'est-à-dire après le Conseil des ministres qui doit statuer sur la DGSE, nous sommes prêts à sortir tous les documents que nous possédons sur le montage politique, financier et juridique de l'opération. » L'amiral Lacoste publie même le lundi matin un communiqué dans lequel il se déclare prêt à aller témoigner devant une commission parlementaire d'enquête.

Mais à aucun moment ces hommes n'envisagent par contre de révéler l'identité du « commanditaire civil », comme si c'était là par excellence un sujet tabou.

Le message est reçu cinq sur cinq. Des émissaires s'agitent en effet toute la journée du lundi pour tenter de trouver avec les hommes de l'amiral Lacoste un *deal.* L'accord proposé aurait été le suivant : les cadres de la DGSE sont disculpés de tout opprobre, l'amiral n'est pas repêché, à la condition bien sûr qu'Hernu veuille bien endosser seul la responsabilité.

Parallèlement, l'amiral est reçu par le nouveau chef d'État-Major des armées, le général Saulnier, qui, au moment des faits incriminés, était à l'Élysée en tant que chef d'état-major particulier. Le général aurait écouté l'ex-patron de la DGSE et lui aurait demandé de ne « *rien entreprendre qui puisse mettre en cause l'autorité présidentielle* ».

L'alerte rouge déclenchée par l'amiral Lacoste ne restera pas sans effet. Les sanctions un moment envisagées par Fabius et Quilès resteront lettre morte. Dès le lundi soir, cette hypothèse était abandonnée. Et on en revenait ainsi à Charles Hernu.

Le 25 septembre, l'accusation

A la sortie du Conseil des ministres, Mitterrand et Fabius s'attardent entre deux portes et échangent quelques mots : « Monsieur le Premier ministre, j'aimerais que vous n'oubliiez pas que c'est mon ami [il s'agit d'Hernu]. » Réponse de Fabius : « J'aimerais que vous n'oubliiez pas, monsieur le Président, que c'est moi qui parle ce soir à la télévision. » C'est en effet le jour de *Parlons France* et Fabius doit donner dans son langage télégraphique habituel la version officielle de l'affaire. Il doit notamment répondre à la question centrale : qui a donné l'ordre?

Depuis le dimanche précédent, le ton n'a cessé de monter entre les deux têtes de l'exécutif. Fabius, au cours de sa déclaration télévisée impromptue ce soir-là, a lancé : « La vérité est cruelle. » La phrase est restée en travers de la gorge de Mitterrand : elle accuse formellement Charles Hernu. Pour le Président, c'est son Premier ministre qui, pour le coup, est bien « cruel » de s'acharner ainsi contre l'ancien ministre de la Défense, contrairement à ses recommandations.

Depuis la publication du rapport Tricot, Fabius est sorti de son indifférence ombrageuse, il est monté en ligne contraint et forcé par le piège à retardement qu'il a décelé dans le texte du conseiller gaulliste. Mais, pour autant, il entend exercer sa charge de Premier ministre. Puisque le Président a soudainement besoin d'un Premier ministre en chair et en os, qui retrouve sa vertu de paratonnerre constitutionnel, Fabius y met implicitement une condition : il s'engage pour autant que l'on s'accorde sur le sacrifice d'Hernu. Puisque ni le Président ni lui-même ne veulent ni ne peuvent plus prendre la responsabilité de l'attentat anti-écologiste, la seule politique possible consiste à charger Hernu. Il s'ensuit entre lui et Mitterrand une interminable partie de bras de fer où le Premier ministre finit par prendre l'avantage.

Un nouvel épisode de ce face-à-face douloureux entre les deux hommes aura lieu dans l'après-midi de ce même mercredi 25 : Fabius a convoqué Lacoste et Hernu pour leur demander de prendre leurs responsabilités. Il veut pouvoir le soir même devant les caméras de télévision en finir avec cette affaire en désignant les coupables. Il demande à Hernu de confirmer publiquement par un communiqué cette accusation. Hernu refuse : « Je ne dirai rien. » Mitterrand, consulté préalablement par le maire de Villeurbanne, l'aurait encouragé à ne pas céder. Le soir même Fabius passera outre, en faisant état de sa « conviction » sur la responsabilité du ministre. Il sera plus évasif en ce qui concerne l'amiral. Il ne pourra aller au-delà, puisque, dans la fin de l'après-midi, l'ancien ministre déclarait à quelques journalistes qu'il persistait à nier avoir donné l'ordre de couler le *Rainbow Warrior*. Il condamne si violemment cette décision qu'il ne s'y serait pas pris autrement s'il avait voulu signifier très nettement qu'il n'était pas le « commanditaire civil » de l'attentat anti-écologiste.

L'homme du « parlons vrai » et du « parlons simple », dès lors qu'on faisait appel à lui pour gérer la sortie du « scandale », ne pouvait pas biaiser trop longtemps avec l'ignorance et les jeux de miroir d'une vérité prétendue insaisissable. Il fallait un coupable, le Premier ministre le désigne d'office : ce sera Charles Hernu.

Des proches de Mitterrand prétendent que le soir du mercredi, après *Parlons France,* le Président aurait évoqué l'éventualité de se séparer de Laurent Fabius. Gaston Defferre dira à propos de cet épisode : « Mitterrand est affecté par le fait que Fabius lui ait tenu tête. Parce que, comme tout le monde, il s'est trompé sur Fabius : Fabius ne pense qu'à lui. » L'aveu gouvernemental, la désignation de Charles Hernu comme coupable officiel ont mis fin à l'affaire : la spirale infernale du mensonge avait été en grande partie brisée par l'opportunisme de la vérité. « Dans le doute, disait Mark Twain, l'un des pères de la démocratie américaine, dites la vérité. » Le doute a plus que rongé l'exécutif, prisonnier de ses propres stratagèmes. Il n'a pas dit toute la vérité, mais suffisamment pour apaiser l'angoisse collective. Le plus étrange, c'est que personne ne fut dupe de l'ignorance officielle, mais très rapidement, à l'affaire née du mensonge gouvernemental devait s'en substituer une autre, plus intimiste : le drame du pouvoir et de l'amitié qui opposait Mitterrand, Fabius, Hernu, les chefs des armées et deux ou trois ministres. Plus qu'une affaire politique, un fait divers du pouvoir dont Fabius allait faire en partie les frais.

14

Les mois d'apprentissage du jeune Fabius

Juin-décembre 1985

Le 21 juin, les fausses querelles

La « politique médiatique » peut-elle casser des briques ? Au début de l'année 1985, Laurent Fabius s'envole : le Petit Prince de la technostructure de gauche fait rougir les médias par son professionnalisme de communicateur. Si l'effet Fabius donne le vertige à Rocard, il laisse sur place Mitterrand. Loin de tirer le Président, il incarne toujours un antidote à l'union de la gauche, dont l'homme de l'Élysée reste désormais malgré lui la figure emblématique. A sa manière, Fabius préfigure la cohabitation avec un président de gauche. Et c'est bien ainsi que les sondés l'entendent, qui le plébiscitent semaine après semaine jusqu'en juin.

En se mirant ainsi dans le miroir des sondages, il va céder à la tentation d'être enfin à son image, tel que l'opinion le rêve. Il va se mouler subrepticement dans le rôle de ces vrais Premiers ministres de la Ve qui ont gouverné dans l'ombre de leurs Présidents et parfois contre eux. L'exemple le plus flamboyant est évidemment celui de Pompidou. C'est très naturellement qu'il prend ses marques d'animateur de la campagne des législatives : de toute évidence, il se sent investi d'une mission, il est devenu la « chance » du Parti socialiste et donc celle du Président.

Il n'était pas « monstrueux » de s'abandonner à cette vision. A une condition : ne jamais laisser dépasser le bout de l'oreille, ne jamais faire le pas de trop qui transforme le fondé de pouvoir du Président en rival potentiel. L'histoire de la Ve République est lourde de ces suspicions présidentielles. A fortiori quand l'opinion s'en mêle et impose de force la succession au monarque vieillissant, blessé ou mourant.

Fabius a d'abord été victime de son succès. Il était trop incandescent, trop insolent pour qu'il n'inquiète pas, même inconsciemment, le Président et tout l'aréopage socialiste.

L'inquiétude s'est installée comme se posent des colombes : sans faire de bruit. Elle était déjà là alors que personne ne s'en était encore aperçu.

Paradoxalement, Laurent Fabius a été porté par les événements plus qu'il n'a cherché à précipiter le rythme d'une ambition étincelante et tellement sûre d'elle-même qu'elle n'avait pas besoin d'impatiences et de brusqueries inutiles. Ces lancinants sondages empanachés vont pourtant encourager Michel Rocard à quitter le gouvernement. C'est la faute originelle de cette année antifabiusienne : le Premier ministre croit à une erreur du ministre de l'Agriculture et décide de le laisser couler au fil du fleuve. A partir de là, les événements s'enchaînent de manière irrésistible. Sa liberté à peine retrouvée, Michel Rocard a repris son entreprise de séduction inlassable à l'égard de ce Parti socialiste qui ne cesse de le rejeter depuis qu'il l'a rejoint en 1974. Mais cette fois, en courant silencieusement les fédérations, il a trouvé des oreilles complaisantes en dehors même des terres rocardiennes : la mayonnaise Rocard est en train de prendre dans les provinces. C'est l'alarme à l'Élysée, à l'Hôtel Matignon et rue de Solferino, au siège du parti.

Les instituts de sondages mettent alors le PS à 23 % : autrement dit, la cohabitation sera impraticable et les présidentielles risquent d'être anticipées. C'est justement le moment que choisit Rocard pour prendre la clef des champs et, peut-être, par la même occasion, celle du PS. Fabius, le Brummell de la prudence, sort alors du bois de la gestion gouvernementale, accélère le rythme et se lance à la poursuite de Rocard, en organisant des meetings en province. Pour ne pas gêner Jospin, ces meetings seront pris en main par une cellule de fidèles fabiusiens. Le premier a lieu le 14 juin à Marseille : le PS y participe en spectateur. C'est le triomphe : Fabius part en campagne pour éviter que Rocard ne s'envole tout seul.

Le 21 juin, Lionel Jospin écrit aux membres du comité directeur qui doit se tenir le 6 juillet et, titre en jeu, il met sa démission en balance : ou c'est lui et le PS qui dirigent la campagne électorale ou il s'en ira. Et, au passage, de critiquer l'étiquette lancée par Laurent Fabius à Marseille sur « le front républicain », censée, dans l'esprit du Premier ministre, succéder à celle de « l'union de la gauche ».

La « querelle Jospin-Fabius » commence, avec l'été. Mais elle est aussi imprévue que le crépuscule à 5 heures de l'après-midi à la fin juin. Pour le PS, qui broie son défaitisme en accueillant le Premier ministre comme un baume, l'initiative de Jospin déglace même les optimistes invétérés. Qu'est-ce qui pouvait encore arriver de pire au Parti socialiste? Un duel Rocard-Fabius, passe encore, ce ne serait jamais que la suite du vieil affrontement entre Mitterrand et l'ancien leader de la deuxième gauche, et puis un tel match au sommet entre deux monstres sacrés de cette trempe, c'est un luxe pour un parti, un exceptionnel signe extérieur de richesse. Mais pas un duel Jospin-Fabius, c'est-à-dire entre le chef du parti du Président et le Premier ministre, l'homme qui réussit, ou en tout cas qui fait parfaitement semblant, et dont le succès efface beaucoup les humiliations passées.

Jospin et Fabius, les demi-frères en mitterrandisme, les deux enfants préférés du Président, ses hommes de confiance, soudain dressés l'un contre l'autre comme Abel et Caïn : pour le coup toutes les illusions militantes sont foudroyées.

Que ces deux hommes en viennent aux dernières extrémités consacre de toute évidence un drame profond qui affecte le cerveau présidentiel. Car Jospin et Fabius sont comme le lobe droit et le lobe gauche de Mitterrand. Tous deux sont branchés en permanence sur le cortex du souverain. Ils sont trop intimement liés à son destin pour qu'un dérèglement de cette importance lui soit étranger! Plus qu'une « querelle de jaloux », c'est un affrontement accidentel entre Mitterrand-Jospin et Mitterrand-Fabius : deux faces de sa personnalité entrées en collision par inadvertance de sa part. Et, naturellement, c'est à lui que va incomber l'arbitrage.

Mitterrand a la passion des hommes. Il a eu le coup de foudre pour Fabius, qui, deux ans après leur première rencontre en 1974, était déjà son directeur de cabinet. Il a eu le coup de foudre pour Jospin. Il aime l'intelligence froide, cruelle et susceptible du premier, il aime la dureté humble, morale et infatigable du second, et c'est pourquoi il lui confie la charge du PS : « C'est celui, dit-il en 1981, qui saura le mieux parler aux communistes », c'est-à-dire sans morgue, mais sans concessions, en sachant leur tenir tête sans jamais céder.

Avec Jean-Louis Bianco – un autre coup de foudre –, Jospin et Fabius forment le trépied qui gouverne effectivement la France. Et Mitterrand les laisse faire, se réservant d'intervenir plus tard, en cas de dérapage, de bavure ou de drame. Il aime à les regarder faire : ce sont leurs années d'apprentissage, il est certain d'en faire des « bêtes d'État », les monstres sacrés de la France de l'an 2000.

Selon plusieurs de ses proches, Mitterrand avait « sciemment laissé faire. Il est probable même qu'il a dû encourager Jospin à monter sur ses grands chevaux ».

La préoccupation principale de Mitterrand, c'est alors la préparation du congrès de Toulouse du PS : « Le problème essentiel de la campagne électorale, confiait peu auparavant Jean-Louis Bianco, l'un des observateurs les plus attentifs de cette querelle, c'est ce qui va sortir du congrès du PS. » Mitterrand veut que le parti aille uni à la bataille, sans minorité reléguée dans une opposition aigrie et, naturellement, sans scission. Le Président prend la menace scissionniste de Rocard de plus en plus au sérieux après l'avoir totalement sous-estimée, comme Fabius de toute évidence et sans doute comme Jospin. C'est Pierre Mauroy qui va alerter le Président du danger. Comme le dit joliment Robert Badinter : « Pierre Mauroy, ce n'est peut-être pas le cardinal de Retz dans ses analyses, mais il a énormément de bon sens et surtout un grand flair politique. » Mis à part l'amour-propre de Fabius, cette « querelle » n'a pas d'enjeu : c'est une gaminerie qui masque un vrai drame, celui qui se noue dans le cadre de la préparation du congrès du Parti socialiste à Toulouse, en octobre 1985. C'est ce que Pierre Mauroy vient dire à Mitterrand : « Le parti est en danger. »

Pour le sauver, il faut maintenir coûte que coûte son unité. Il ne faut donc pas exciter l'ancien ministre de l'Agriculture comme le fait Fabius. Que le Premier ministre prenne tout de suite la tête de la campagne électorale, qu'il aille ainsi de meeting triomphal en meeting triomphal, et Rocard, pour sauver son ambition présidentielle, se verra contraint à quitter le PS. Fabius, jusqu'au congrès, devra donc rester en retrait. D'autant qu'il sera nécessaire pour juguler la menace de faire des concessions à Rocard à la direction du parti et sur les listes électorales. Cette négociation difficile, seul Jospin peut la mener à bien : cela suppose qu'il soit en position de force. S'il est éclipsé par le Premier ministre dans le lancement de la campagne, cette négociation deviendra impossible.

De cette analyse découle pour Mitterrand une tactique obligée : il faut verrouiller totalement la préparation du congrès du Parti socialiste et le congrès lui-même.

Tant par répulsion naturelle que par tactique, il va geler tout pseudo-débat idéologique sur le socialisme, son projet, l'archaïsme et la modernité. S'il devait avoir lieu, un tel débat recréerait les conditions d'un duel inévitable Rocard-Fabius. Ce dernier, pour asseoir son autorité, serait contraint de pousser une motion « Transcourants » condamnée d'avance : elle risquerait d'être minoritaire face à la motion rocardienne, mais, au surplus, elle entraînerait l'éclatement du courant A, celui des fidèles du Président, dont Laurent Fabius est lui aussi issu. Sans parler des candidatures : qui dit motion « Transcourants » dit aussitôt candidats « Transcourants » directement patronnés par le Premier ministre.

Le risque d'une dislocation du parti devient pour Mitterrand une évidence dramatique. Pour enrayer le processus en cours, il faut mettre un terme à la course-poursuite engagée par Fabius. C'est évidemment à Jospin de « stopper » Fabius, de telle manière que Rocard comprenne le message et mette également la pédale de frein.

Pour retenir Rocard, Jospin doit s'en prendre à Fabius et lui imposer de rentrer publiquement dans le rang. C'est cette comédie de la « querelle » qui amène à la menace de démission de Jospin.

Encore une fois, Mitterrand a été pris de court. Il a sous-estimé le paramètre rocardien. C'est le spectacle de la surenchère Rocard-Fabius qui lui a fait comprendre la pente catastrophique sur laquelle s'engageaient le Parti socialiste et Laurent Fabius lui-même.

Intellectuellement, il avait besoin d'être confronté à l'anticipation expérimentale de cet avenir pour *re-agir* et penser la tactique susceptible de casser cet engrenage infernal.

Et puis, comme le confiait un de ses amis, il n'était pas mécontent, selon son expression, de « tâter le cuir » de Fabius, de voir comment il allait encaisser ce « contretemps ». Comme si Mitterrand, à travers cette épreuve, voulait s'assurer de sa « trempe », de sa capacité à encaisser les coups imprévisibles sans pour autant baisser la garde de son intelligence politique, sans pour autant trébucher stupidement.

Sans qu'un seul mot sur le fond de cette affaire soit échangé entre lui et Fabius, il sait instinctivement que le Premier ministre aura tendance à l'interpréter comme un choix définitif entre deux disciples. Il n'en est rien et pourtant Fabius va réagir en homme blessé, sous le coup d'une déception amoureuse. Mitterrand, au cours d'un dîner privé, dira, commentant cette attitude : « Il est encore un peu vert ! »

Il ne déplaît pas à Mitterrand de pouvoir ainsi gourmander Fabius : tous les conseillers présidentiels, après avoir tressé des lauriers à Fabius sur son efficacité exceptionnelle à la tête du gouvernement, et notamment dans les arbitrages quotidiens, ont « découvert », à l'occasion de la querelle Jospin-Fabius, que le Premier ministre avait un peu la « grosse tête », qu'« il a cru que c'était arrivé », « il va trop vite ».

Mais si le plus jeune Premier ministre qu'ait connu la France reste en observation sous le regard tendre, amusé et néanmoins inquiet de son « patron », celui-ci a toujours en tête alors d'utiliser ce tribun charmeur et cruel en première ligne de la campagne électorale. A partir d'octobre, c'est-à-dire après le congrès du Parti socialiste.

Le 26 octobre, le face-à-face manqué

Début octobre, Laurent Fabius prépare une rentrée en fanfare : il va enfin pouvoir lancer sa vitesse de nerfs et d'esprit, la fulgurance de son punch verbal dans la campagne électorale. Deux rendez-vous sont prévus à cet effet : le discours de clôture du congrès du Parti socialiste à Toulouse le 12 octobre et le face-à-face télévisé avec Jacques Chirac le 26 octobre, qui doit être l'événement de la campagne.

Il y a une sorte de « hargne tranquille » chez ce hussard. Il ne lui suffit plus au mois d'octobre de prendre ses marques, il doit « revenir » dans la partie. D'avril à septembre, sa cote de popularité s'est dangereusement inversée : elle a souffert des deux grandes épreuves qu'il vient de traverser. D'abord la « querelle » avec Jospin et son humiliante conclusion quand il a dû quitter le terrain et rentrer sur le banc de touche. Et puis l'ouragan « Greenpeace » où, pour la première fois de sa carrière, il a vu la « mort » politique de près. Les boulets l'ont frôlé à plusieurs reprises. L'opposition, choisissant de protéger Mitterrand pour cause de cohabitation future, s'est acharnée sur lui, et c'est in extremis qu'il est parvenu à arracher au Président la démission de Charles Hernu. L'épisode a laissé des traces entre les deux hommes. En revenant du feu, ils ne se regardent plus de la même manière. Et puis, au sein du Parti socialiste, une cabale s'est montée contre lui, dénonçant sa « cruauté » à l'égard d'Hernu : on applaudit l'ancien ministre uniquement pour le blesser. C'est peu dire en ce mois d'octobre que, loin d'être porté par une vague triomphante, il cumule des handicaps. Il doit tuer le doute et effacer la fêlure qui s'est insinuée dans son image. Alors Laurent Fabius va faire de la surenchère. Il va en « rajouter » pour vamper son parti, pour époustoufler la galerie socialiste, pour susciter l'admiration du Président et lui prouver qu'il n'est pas aussi « vert » qu'il le dit et le redit à un entourage qui s'empresse de le lui répéter.

Et puisqu'on lui reproche d'être plus prudent qu'un moine contemplatif, il va renoncer à toute prudence, il va brûler ses vaisseaux, pour jouer à quitte ou double sur le 12 et le 26.

Sur le 12, il fait trente-six fois la mise et ramasse un congrès socialiste pâmé par son verbe assassin. Il triomphe à Toulouse : il ne fait plus de doute pour personne qu'il va courir de meeting en meeting, redonner à l'électorat socialiste le goût de la bataille. Mitterrand n'est pas surpris : depuis 1979, il sait que « Laurent » est sans doute le meilleur tribun socialiste et, s'il l'a nommé Premier ministre en juillet 1984, c'était aussi en prévision de cet hiver 1985-1986, lorsqu'il faudrait faire feu de tout bois.

C'est dans cet esprit qu'il aborde la semaine du 26 octobre. Plus encore que le 12, il va jouer le 26, contre Chirac, comme Bonaparte se lançant sur le pont d'Arcole contre les troupes autrichiennes : autant pour balayer l'ennemi que pour prouver au Président et « à ses amis qu'il est non seulement indispensable à leur gloire, mais qu'il est le meilleur dans la bataille.

Prisonnier de cette mécanique de la preuve à assener, Fabius va trop en faire. D'abord il va faire l'erreur de se lancer dans un aller et retour aux Antipodes, uniquement pour « neutraliser » le sujet Greenpeace, sur lequel Chirac risque de concentrer ses attaques au cours de leur face-à-face télévisé. Non seulement il va « neutraliser » le sujet, mais il va d'un même mouvement se neutraliser lui-même par l'effet d'un double décalage horaire. Il revient à Paris littéralement « déboussolé ». Lorsque Chirac frappera au plexus solaire de son orgueil, ce coup laissera Fabius comme pugilistiquement sonné. Mais surtout, dans sa hargne à se venger de toutes les mises en cause de l'été, à se défier lui-même pour mieux esbaudir le Président, il va vouloir « tuer ». La tactique qu'il choisit pour le face-à-face est calquée – ironie de l'Histoire – sur celle utilisée par Barre lors de son face-à-face avec le premier secrétaire du Parti socialiste d'alors, à savoir François Mitterrand. Barre ne cessait d'interroger Mitterrand de manière professorale et notait ses réponses. Fabius se fait passer la cassette de l'émission de 1978 à plusieurs reprises dans la semaine : sur la lancée verbale de son discours de Toulouse, il va écraser Chirac!

On attendait donc Fabius comme sérénissime favori : c'est lui qui avait lancé le défi de ce face-à-face et, qui plus est, le duel avait lieu sur son terrain de prédilection avec l'arme de ses triomphes : la télévision. Le prince de la politique médiatique contre le bagarreur charismatique des champs de foire autocratiques. A la surprise générale, Fabius va tomber, victime de Fabius, faisant de Chirac un vainqueur par défaut.

Piégé par sa propre surenchère psychologique, Fabius a montré à l'opinion publique un leader qu'elle ne connaissait pas. Elle appréciait et même plébiscitait le charme de ce Premier ministre du possible, allant vite et parlant court, ébauche optimiste de la cohabitation. L'opinion ne connaissait pas le « tueur » et ne voulait pas le connaître. Elle s'attendait sans doute à ce que ce face-à-face apporte la preuve rassurante que le temps des guerres de Religion était effectivement clos, que Chirac et Fabius, à défaut de s'écouter, pouvaient s'entendre. Confusément, elle croyait que cette émission allait inaugurer l'ère de la coexistence pacifique. Le retour de la guerre froide l'a déçue : que le fauteur de guerre fût Fabius n'était plus de l'ordre de la déception mais de la tromperie. L'opinion s'en voulait de s'être fait avoir par les belles manières de ce dandy de la politique : elle le jugea d'autant plus sévèrement.

L'effet destructeur de ce face-à-face viendra de cette découverte époustouflante : Fabius non seulement n'est pas ce jeune homme rassurant dont on avait l'image, mais, en fin de compte, il menace la cohabitation fantasmée dont il était la calme apparence : face à Jacques Chirac, qui, d'habitude, est si emporté et qui, cette fois, prenait sur lui pour justement éviter tout contact brutal avec son adversaire, Fabius devenait le « tueur » de la cohabitation.

On attendait qu'il donne le ton de la campagne en sol mineur et il jouait sa partition cruelle en fa majeur.

Les émotions, lorsqu'elles sont vraies, font tout de suite à la loupe du petit écran un tabac cathodique. Cela se vérifie tous les vendredis soir, sur le plateau d'*Apostrophes,* lorsque Bernard Pivot met généreusement en scène le trac qui étouffe la voix, la mémoire en transe, le rire du vieillard qui offre sa vie ou la douleur du récit trempé jour après jour dans les larmes, dont on sait tout de suite si elles sont vraies ou apprêtées. Ce qui vaut pour les écrivains vaut pour les stars politiques. Et un face-à-face télévisé avec de tels enjeux a la puissance révélatrice d'un véritable scanner.

Fabius, cherchant à s'imposer en seigneur de la guerre, a basculé de manière irrattrapable dans une dimension jusqu'à présent cachée de son personnage politique : le mépris. Non seulement le mépris pour une politique passée et à venir, mais aussi mépris pour l'homme qui en est l'incarnation. Étrangement, il s'est laissé déporter dans la caricature de cet autre lui-même : la fusion de ces deux arrogances qui marquèrent le septennat précédent : celle technocratique de Giscard et celle mandarinale de Barre. Même l'énarque Chirac, qui en connaît quand même un rayon sur la technostructure française et sa culture, n'en est pas revenu.

Du technocrate on a vu tous les travers caricaturaux. Cette manière horripilante de répondre, dès qu'on évoque un problème, par trois points, trois réponses ou trois remarques. Thèse, antithèse, synthèse : les idées marchent par trois, comme si la réalité coûte que coûte devait impérativement pour être reconnue se plier à ce rythme ternaire. Et puis cette manie d'utiliser les chiffres comme des projectiles, en accusant les experts de l'adversaire d'incompétence, car, naturellement, plus personne aujourd'hui dans un débat ne cache le fait que des armées de chiffreurs travaillent derrière le langage des leaders. Les chiffres partent par salve : ils doivent assommer un adversaire dont les statistiques sont par principe décrétées fausses. Les sentiments n'étaient peut-être pas au rendez-vous, mais, question chiffres, c'était la mitraille. Chirac d'ailleurs n'a pas été en reste : il renvoyait les chiffres liftés comme des balles de tennis.

Toujours dans le registre de la supériorité méprisante, Fabius a essayé de se couler dans la position de l'examinateur qui fait passer un oral de télévision politique à son challengeur.

Depuis 1973, les gouvernements successifs se sont beaucoup trompés : Messmer, Chirac, Barre, Mauroy, jusqu'à Fabius. Logiquement la cure de réalisme, que les années quatre-vingt imposèrent à la classe politique, aurait dû inviter à plus de modestie et, ce faisant, à plus de respect minimal vis-à-vis d'adversaires politiques qui ne furent pas tous des incapables et des liberticides.

A la télévision, ce sont les images qui ont naturellement le dernier mot. Fabius, qui a été l'un des premiers à appliquer cette loi de la politique médiatique – avec les images, il ne faut pas chercher à convaincre mais à séduire –, a fait le geste qui « tue », parce qu'il fait « image ». A la mi-temps, le ton monte entre les deux hommes, Fabius multiplie les croche-pieds : « Pas de laïus, répondez! » « Ne vous énervez pas! Ne vous énervez pas! » Chirac arrête l'émission et lui lance le cri du cœur : « Soyez gentil de me laisser parler et de cesser d'intervenir incessamment, un peu comme un roquet. » Cette phrase, qui autrefois se serait réglée dans le sang, venait comme l'écho de ce que pensaient exactement au même moment des millions de téléspectateurs. L'insulte tombait juste. Fabius monte sur ses grands chevaux : « Écoutez, je vous en prie, vous parlez au Premier ministre de la France... », ils échangent encore deux phrases et Fabius, pour en terminer, fait un geste de la main qui remplit brusquement l'écran : il congédie l'insolent, renvoie l'importun dans une sorte d'infériorité ontologique. Tout est dit. Ce sera justement le tournant de l'émission. Fabius confiera après celle-ci à ses proches qu'à ce moment-là il avait senti que le débat lui échappait, qu'il fallait immédiatement redresser la barre, changer de terrain, mais il était sous le choc du coup d'épée fulgurant de Chirac. Car le leader du RPR sait être également un « tueur » en politique, mais, à la différence de ses prestations antérieures, il a discipliné ses coups : il ne frappe plus à tort et à travers, il attend aux aguets le moment où il accompagne le désir de l'opinion pour décocher son trait. Imagine-t-on une corrida où le matador d'entrée essayerait de frapper à mort le taureau? Il se ferait immédiatement encorner par une demi-tonne de sauvagerie pure, et puis il ne resterait plus rien de cette danse macabre où la mort donnée au terme d'un long ballet vertigineux de cuir, de tissu et de sang, sous le contrôle millimétrique de la corne à tuer, devient la mort désirée par toute l'arène. On n'a jamais vu un garçon boucher ou un tueur des abattoirs remplir une arène.

Outre qu'elle menaçait l'avenir de la cohabitation « rêvée », l'attitude de Fabius avait pour effet de montrer les limites de la politique médiatique, de la séduction programmée quand celles-ci tiennent lieu de programme et de politique.

Laurent Fabius a été nommé Premier ministre en juillet 1984 pour mettre en place le décor de la cohabitation, pour rassurer quant à sa possibilité. Il a appliqué dès lors une méthode simple, qui consistait à dégauchir la majorité socialiste en campant systématiquement sur le terrain de l'opposition, comme s'il était l'homme du juste milieu entre la droite et la gauche. Il a cherché, aidé en cela par l'allant de Pierre Bérégovoy aux Finances, à anticiper partiellement ce sur quoi l'opposition entendait manifester une différence gouvernementale. Au fil des mois, de la réforme du marché financier à la flexibilité, en passant par la privatisation de la TV et d'Europe 1, Laurent Fabius cherche à faire apparaître le gouvernement socialiste comme une composante indispensable du futur, parce que modératrice des inévitables excès d'une opposition revenant au pouvoir. On ne discute plus nationalisation contre dénationalisation, mais, in fine, le débat entre Chirac et Fabius consiste à répondre à la seule et même question : comment dénationaliser sans risque. On ne discute plus sur le principe de la réduction du nombre des fonctionnaires, mais uniquement sur les moyens d'organiser efficacement cette réduction.

Ce duel, plus duel que ceux qui opposèrent dans le passé Mitterrand à Giscard et à Barre, pour la première fois que gauche et droite s'affrontent ainsi à la télévision, n'opposait plus deux conceptions de la société et deux visions du monde, mais démontrait que la cohabitation des idées était finalement très avancée. Paradoxalement, plus les idées tendent à cohabiter et plus les hommes qui les défendent deviennent féroces. Mis à nu, le choc des ambitions est plus dévastateur à la télévision que celui des idées.

Mais sonné par la sentence chiraquienne sur le « roquet », impuissant à réagir, Fabius va abandonner toute combativité sur le terrain où justement la gauche entend traditionnellement faire par générosité sa différence : l'immigration et la sécurité. Chirac défend l'amalgame immigration-sécurité, qui est pourtant à l'origine du renouveau de la thématique xénophobe, mais Fabius, laminé, oublieux de toute identité, se fait encore plus cohabitationniste pour déclarer finalement forfait : « Sur ces principes-là, à une ou deux exceptions près, je crois qu'il n'y aurait pas de désaccords forts... » Le dernier mot est pour Chirac, il est cruel et, une fois encore, le trait tombe juste : « C'est nouveau. »

Un débat télévisé, c'est d'abord un spectacle. Ce fut celui d'un drame, à la fois humain, moral et idéologique. L'implosion a eu lieu en direct devant plus de vingt millions de téléspectateurs.

Venu pour séduire, presque pour hypnotiser « son » parti, pour se faire aimer passionnément de lui, de ses dirigeants comme de ses militants, pour forcer l'admiration de son « patron », Fabius a cherché à leur offrir la tête du leader de l'opposition sur un plateau... de télévision. Non seulement il a temporairement ruiné son capital images, mais il a semblé mettre en danger la cohabitation par une attitude qui, en tout cas, en augurait mal. Enfin, il a donné de la gauche socialiste une image en voie de désincarnation, comme en train de se vider.

Dès le soir même, Fabius reconnaissait s'être trompé de registre et avoir été incapable d'en changer en cours d'émission. Mortifié, il s'enfonçait en lui-même, là où personne n'a jamais pu décompter les blessures. Très critique sur la conduite de l'affaire de l'école privée, partisan en privé du pluralisme scolaire, il avait été « heurté » (déjà) par le coup de force de Mauroy en mai 1984, lorsque celui-ci avait imposé des amendements « laïcs » au projet Savary. Il avait alors fait cette confidence : « On dort mal une nuit et on repart le lendemain faire son travail. »

Fabius, après son face-à-face manqué avec lui-même, a dû très mal dormir. Il sait le prix de cet échec : une nouvelle chute dans les sondages et un retour aux vestiaires de la campagne électorale. Le Président comptait l'utiliser pour galvaniser la gauche, tandis qu'il occuperait la position de Sirius. Fabius s'est blessé au début du tournoi, comme ces champions aux articulations fragiles, comme Hinault, Rocheteau ou Noah. Cette défaillance tend à bouleverser le dispositif présidentiel pour la campagne. Mitterrand se donne le temps de réfléchir : il attend la réaction de Fabius à cette nouvelle épreuve.

Le 4 décembre, le trouble

« J'ai toujours été frappé de la marge infime qui sépare souvent le succès de l'échec », écrit Laurent Fabius dans le livre qu'il avait concocté pour sa rentrée 1985, *Au cœur du futur*, et que l'affaire Greenpeace, avec beaucoup d'autres choses, a emporté. Pourtant, en un saisissant raccourci, le Premier ministre trace de lui un autoportrait lapidaire. Il sait que le talent ne suffit pas à expliquer le triomphe, il y faut en plus ce millimètre que seule la chance peut donner. Jusqu'à présent il a toujours su accueillir celle-ci. Mais, depuis la « querelle » de juin, quoi qu'il fasse il est à contretemps. Il est prisonnier de sables mouvants : plus il déploie d'efforts pour s'en sortir et plus il s'enfonce et précipite sa chute. Depuis la démission de Michel Rocard, chacune de ses initiatives tourne à son désavantage. Avec l'échec du face-à-face avec Chirac, la série noire vire au cauchemar : dans le travail quotidien du gouvernement, il a beau serrer les dents, le cœur n'y est plus. La main a passé et le bonheur existentiel d'être Premier ministre avec elle. Pour la première fois dans sa jeune carrière politique, il connaît une année terrible et, comble d'horreur, il n'arrive pas à récupérer. Il est comme un boxeur dont la vue s'est troublée après un KO et qui redoute la mort de ses yeux. Pourtant, il a devant lui l'exemple vivant d'un homme qui, grâce à une longue ascèse de la patience et beaucoup d'intuitions fulgurantes, a su utiliser ses défaites, ses humiliations, ses blessures, dont certaines l'avaient laissé exsangue, pour rebondir et pour finalement atteindre ses objectifs. Mitterrand, après le débat manqué avec le leader du RPR, dira à plusieurs reprises : « Ça arrive de rater des débats télévisés très importants, j'en compte quelques-uns. On en revient. » Chirac pourrait également faire le même commentaire, qui s'est planté plusieurs fois. Peu après le débat, au cours d'un déjeuner, le leader du RPR aura cette remarque de jaloux qui prend sa revanche : « La preuve est faite que, pour assumer la charge de Matignon, il faut beaucoup d'expérience. Fabius est trop jeune. Mitterrand a fait une erreur en le nommant Premier ministre. »

Pourtant, après ces mois d'apprentissage douloureux qui comptent pour des années, Fabius n'est toujours pas au bout de ses peines. Il va faire à nouveau, selon l'expression d'un conseiller élyséen, le « mauvais calcul ». Ce sera le 4 décembre, le jour de la visite surprise à Paris du général Jaruzelski.

Cette fois encore, Mitterrand va consciemment (ou non, la question reste posée) pousser Fabius à la faute. Au lieu de l'éviter, celui-ci va foncer désespérément dedans.

Le 20 novembre en effet, l'Élysée reçoit de la part du général Jaruzelski une étrange demande : le golpiste polonais désire être reçu par le Président français à l'occasion de l'escale technique qu'il fera à Paris, en revenant d'Alger où il aura rencontré le président Chadli. Sont mis dans le secret : Roland Dumas et un carré de conseillers élyséens. Le Président pendant dix jours va, avec ses collaborateurs, peser le pour et le contre. A priori cette visite n'a pas d'objet déterminé. Elle fait suite au sommet de Genève Reagan-Gorbatchev et à l'officialisation par les deux supergrands de la réouverture du dialogue Est-Ouest. Gorbatchev pousse son proconsul polonais à participer au réchauffement de l'atmosphère terrestre. Déjà deux membres éminents de l'internationale socialiste, deux chefs de gouvernement, l'Espagnol Felipe Gonzales et l'Italien Bettino Craxi, ont rencontré l'adversaire de Solidarnosc. Willy Brandt, le vieux sage du SPD allemand, doit se rendre à Varsovie dans le courant de décembre. Enfin, Mitterrand ne désespère toujours pas d'organiser le pont aérien de l'*Exodus* soviétique : le transfert des juifs soviétiques vers Israël. La proposition française de mettre des avions d'Air France au service de ce projet n'a pas été rejetée par Gorbatchev lors de sa visite officielle en France, enfin elle a été rendue publique par le Premier ministre israélien Shimon Pérès lui-même après son entretien avec François Mitterrand le 28 octobre. Une telle entreprise mobilise Mitterrand; comme le dit ce jour-là Shimon Pérès : « La France a aidé les Palestiniens à sortir du Liban, c'est normal qu'elle aide les refuzniks à quitter l'Union soviétique. » Cette symétrie politique est de celles qui bouleversent esthétiquement le Président. Il y voit la quintessence de son rôle international : ce chef d'État qui a horreur de se faire des ennemis se veut le juge de paix du monde, celui auquel toutes les parties ont recours quand la nécessité s'en fait sentir. Et cette rencontre symbolique entre les refuzniks et les Palestiniens de l'OLP sous le même label « France » doit l'émouvoir très profondément : comme un hommage que la folie des hommes finirait par lui rendre.

Pour Shimon Pérès, il y a un préalable : la reprise des relations diplomatiques normales avec l'Est. Et, selon le Premier ministre israélien, cela se fera d'abord avec la Hongrie, la Tchécoslovaquie et la Pologne. La Pologne où les refuzniks pourraient notamment faire escale.

Il est vraisemblable que le général Jaruzelski n'était pas mandaté par Moscou pour évoquer le détail de cette affaire. Mais en ne le recevant pas alors que c'était manifestement un désir de Gorbatchev, Mitterrand risquait de laisser passer la chance d'être celui qui sauve à la fois les Palestiniens et les juifs. En recevant le général polonais, rien ne garantit que l'opération se fera avec le concours de la France, mais en lui fermant la porte, il peut s'exclure ipso facto de cette épopée.

Ce qui le fait hésiter : la symbolique de Varsovie. Et, curieusement, il pense plus au voyage maladroit de Giscard à Varsovie, où il avait été rencontrer Brejnev à la fin de son septennat, qu'à la polonophilie française. Certes, Solidarnosc est sondé. La demande remontera jusqu'à Varsovie et retour à Paris : pas de « veto » moral de l'organisation polonaise. Cela le rassure et lui suffit : si Solidarnosc reste réservé, il y aura quelques propos venimeux et basta ! L'attitude du syndicat clandestin va lui faire spontanément sous-estimer la réaction de l'opinion publique française. Par contre il redoute beaucoup plus les lazzis de l'opposition giscardienne, qui va de toute évidence chercher à lui faire avaler ses propos cinglants d'opposant d'alors sur le voyage du « petit télégraphiste ». Il passe outre : d'une part cela n'a rien à voir sur le fond, même s'il ne peut pas s'en justifier, et par ailleurs il se considère comme inattaquable sur la question des rapports avec l'Est. Enfin, le jeu en vaut la chandelle : à quelques semaines des législatives, le transport toujours possible des refuzniks par des avions français aurait belle allure dans le bilan de son action internationale. Il en mesure les risques et les prend.

Le 28 novembre, Roland Dumas est chargé de donner une réponse positive et de mettre en branle la machine diplomatique. Le samedi 30, l'ambassadeur de France à Varsovie envoie un télégramme au Quai d'Orsay pour l'informer sur les préparatifs du voyage. Le service du chiffre fait comme de coutume ses trois copies, une pour l'Élysée, une pour le ministre des Relations extérieures et la troisième pour Matignon.

Le lundi 2 décembre au matin, en arrivant, Fabius découvre la copie du télégramme sur son bureau. Il apprend non seulement que le général Jaruzelski vient en France et sera mercredi à Paris, mais que son propre ministre ne l'en a pas informé et, pis encore, que Mitterrand l'a tenu une fois encore à l'écart d'une information sensible. Il est accablé : il ne sait pas ce qui le bouleverse le plus, le fait que la France reçoive le dictateur communiste, que Roland Dumas le court-circuite ou que le Président manifeste ainsi une telle méfiance à son égard. Tous ces faits l'humilient. Non seulement il pense que « c'est une connerie », mais en plus, il se sent relégué dans le rôle de la voiture-balai : car c'est évidemment lui qui va devoir gérer les vagues que l'annonce de cette visite va provoquer inévitablement. C'est le scénario de l'affaire Greenpeace qui se répète, à son corps défendant. Et une nouvelle fois, il devra en subir les conséquences, évidemment négatives.

Accusé par les hiérarques sourcilleux du Parti socialiste d'avoir oublié d'être de gauche lors du débat contre Chirac, Fabius se sent légitimé cette fois à réagir en homme à cheval sur les principes, et notamment sur l'éthique des droits de l'homme. Spontanément d'ailleurs, il réagit comme tous les dirigeants socialistes. Lionel Jospin apprend la visite du général rouge au cours d'un dîner chez des amis, de la bouche d'un journaliste. Il croit d'abord à une plaisanterie. Après vérification, il se montre également catastrophé. Mardi en fin d'après-midi, comme chaque semaine, Fabius reçoit à Matignon les dirigeants du parti. C'est le même « trouble ». Mais ce n'est que le mercredi matin avant le Conseil que Mitterrand et Fabius peuvent évoquer pour la première fois l'affaire. Le Président pendant deux jours se trouvait à Luxembourg au sommet européen. Fabius lui dit donc tout haut ce que les dirigeants socialistes disent tout bas. Le Premier ministre explique que cette décision « le heurte », qu'elle suscite en lui des « problèmes de conscience ». Mitterrand écoute et dit comprendre son point de vue. De toutes les manières, il va exposer ses raisons au Conseil des ministres. Sans commentaire : on ne discute pas les propos du Président. Un ange passe : Laurent Fabius n'est pas le seul à être « heurté » par l'annonce de cette visite. Tous sans doute, sauf évidemment Roland Dumas.

Fabius bavarde à la sortie du Conseil avec certains d'entre eux. Il en sonde d'autres par téléphone. Entre les ministres et la direction du parti, c'est la même tonalité, le même « trouble ». Il parle enfin le même langage que tous les barons socialistes. Il est à l'unisson. Apprenant que le groupe socialiste à l'Assemblée a décidé de poser une question d'actualité à ce sujet au cours de la séance du mercredi, il se propose de répondre. Vers midi Mitterrand lui téléphone et ils conviennent d'un argumentaire : Fabius peut exposer ses réserves, mais il fera valoir les arguments du Président pour annoncer en conclusion qu'il s'y range. A 15 heures, il lance sa bombe : après avoir rappelé « sa désapprobation lors de ce qu'il est convenu d'appeler les événements de Pologne », il ajoute : « C'est pourquoi – et pourquoi le cacher? – la visite du chef d'État polonais m'a personnellement troublé. » Et s'il expose les explications de Mitterrand, il conclut sèchement par un : « Je n'ai rien à ajouter. » C'est la stupeur dans les rangs socialistes : Fabius vient de commettre un crime de lèse-majesté présidentielle. Un genre avec lequel on ne badine pas sous la Cinquième.

De tous les faux pas de Fabius, celui-ci sera le plus terrible : il a simplement oublié que le pouvoir présidentiel en France reste d'essence très monarchique.

Certes, Mitterrand étonné comprend qu'il a sous-estimé la réaction de l'opinion : il en connaît le prix, il va passer plusieurs jours, une semaine, peut-être deux, à se justifier. Ce n'est pas la première fois que ça lui arrive. Cela fait partie du métier de courir après les erreurs d'appréciation. C'est à la Martinique où il s'est rendu en visite officielle qu'il apprend le « coup du trouble ». Il est visiblement « irrité », surpris par « l'impulsivité » de Fabius. A Pointe-à-Pitre, commentant l'attitude de Fabius à l'Assemblée nationale, il racontera cette fable à la Orson Welles : deux singes, l'un vieux, l'autre jeune, reçoivent des décharges électriques. Le vieux régulièrement, le jeune de façon imprévisible. Moralité : le vieux singe, habitué, n'en meurt pas. Mais le jeune pourrait en mourir. Mitterrand sait lui aussi être cruel. Le téléphone fonctionne entre les deux hommes : Fabius propose sa démission, Mitterrand le maintient dans ses fonctions et fait une déclaration officielle qui l'intronise à nouveau comme Premier ministre. Tous deux, dans les heures qui suivent, vont multiplier les déclarations accommodantes. Fermez le ban.

Ces difficultés répétées, dès lors qu'il faut aller au contact, plaident pour lui : ce n'est pas l'homme-machine du cynisme politique. Fabius est atteint : même ce grand dissimulateur ne parvient pas à masquer la faille par où l'humeur des blessures profondes affleure. C'est l'année terrible : elle l'est d'autant plus pour lui que c'est véritablement celle de son baptême du feu.

Pourtant, cette fois, la déception semble bien réelle chez Mitterrand. Comme le dit un de ses conseillers qui l'accompagnait au cours du voyage aux Antilles : « Ce n'est pas la question de la loyauté qui dans le fond a provoqué la cassure, c'est la connerie. Fabius a fait une grossière erreur qui, pour Mitterrand, est incompréhensible de stupidité. » Le Président comprend les erreurs : même s'il ne l'avoue pas ou que très parcimonieusement, il en a fait beaucoup dans sa vie et il en a commis plusieurs depuis 1981. Mais ce qu'il ne supporte pas, c'est la bêtise : il a la haine de la bêtise. Pour cet homme que la haine en général fatigue et ennuie, la bêtise seule est impardonnable.

Pour le Président, la prudence et l'adresse sont des valeurs essentielles au métier de la politique. Fabius, le plus doué d'entre tous pour la grande politique, qui l'agaçait parfois par son excès de prudence, vient à la fois de se montrer imprudent et maladroit. Se reproche-t-il alors le fait de n'avoir pas mis Fabius dans la confidence de cette décision, ce qui a provoqué toute la réaction en chaîne? Sans doute pas. Il aime la dissimulation : il en a la religion. Parce qu'elle lui permet de ne rompre avec aucune possibilité d'action, c'est cette marge qui définit sa liberté politique. Et puis, cette affaire est par excellence du ressort de son majestueux « domaine réservé ».

Ce qui va à nouveau passionner Mitterrand, c'est la réaction de Fabius. Il professe volontiers une pédagogie de l'adversité : il ne juge pas les hommes au moment de leurs triomphes, mais à la manière dont ils réagissent dans la tempête. Mitterrand est l'un des hommes politiques de l'après-guerre qui, avec Pierre Mendès France, fut le plus haï. Il a connu toutes les défaites et plus appris d'elles que des victoires, au point d'en faire ses principaux leviers et ses ressorts vitaux. Depuis juin, il regarde Fabius se débattre avec la défaite, l'échec et la petite « mort » politique, cette disparition temporaire, cette mise entre parenthèses historique que l'on appelle aussi parfois la « traversée du désert ». Ceux qui y survivent accèdent, selon Mitterrand, à une autre dimension : pour l'instant, Fabius n'y parvient toujours pas.

Exaspérant dans son maniement des hommes, Mitterrand a suscité, puis trouvé la défaillance chez chacun de ceux qui l'entourent. Mauroy, Delors, puis Fabius, aucun n'a réussi à traverser ce champ de mines psychologiques. Sans parler de Rocard, lui aussi sous observation depuis longtemps et dont chaque geste, chaque mot sont soigneusement comptabilisés. Ayant été son ennemi déclaré, si Rocard parvenait à surmonter ce handicap, il n'en serait que plus méritoire. La tenue à jour du pedigree de chacun de ces fauves aux prises avec lui-même et avec eux-mêmes est l'une des occupations favorites du Président. Jusqu'à la veille de sa chute, de sa retraite ou de sa mort, il est évident qu'il s'interdit de choisir entre eux celui qui sera oint du Seigneur. Cela lui permet de prolonger l'observation et de limiter ainsi les risques d'erreur dans le choix.

Mitterrand avait mis fin à la « querelle Jospin-Fabius » en encourageant Jospin à taper du poing sur la table : en toute logique mitterrandienne, cela signifiait qu'après le congrès d'octobre Fabius prendrait effectivement la direction de la campagne des législatives. Il avait le sentiment de l'avoir éliminé temporairement en juin pour mieux le relancer en octobre. Las, Fabius a manqué cette passe de balle acrobatique, puis il a raté des balles plus classiques, jusqu'à ne pas reprendre celles qui font partie de la formation de base des débutants. L'élimination provisoire de la fin juin est devenue une habitude. Et, comme tous les autres avaient déjà été éliminés auparavant, seul Mitterrand peut alors venir à la rescousse. « Comme d'habitude, affirment les membres les plus anciens du premier cercle mitterrandiste, Mitterrand se retrouve tout seul pour aller à la bataille. Paradoxalement, ça le libère : c'est là où il est le meilleur ! »

TROISIÈME PARTIE

COHABITATION, MODE D'EMPLOI

Hiver 1985-1986

« Tout l'art de la guerre est basé sur la duperie. »

SUN TZU, *l'Art de la guerre.*

Elle lui ressemble tellement. Entre la cohabitation et Mitterrand il y a plus qu'une affinité, au point que certains en viennent à croire que le Président en est l'inventeur.

Pourtant la cohabitation n'est ni un rêve ni une politique, c'est une donnée. Elle fait partie du mobilier constitutionnel, même si elle n'a jamais servi. Mitterrand en a hérité en 1981.

De Gaulle, qui mettait son mandat en jeu dans les référendums qu'il provoquait, s'en était bien gardé pour les législatives de 1967, lorsque, dans le sillage de l'échec quasi triomphal de Mitterrand aux présidentielles de 1965, l'opposition flirta avec la majorité parlementaire. Il s'en fallut d'un cheveu. « Après les élections de 1967, qui donnèrent une majorité très étroite, de Gaulle m'a dit : " Au fond, cela aurait été amusant de voir comment on peut gouverner avec la Constitution. " » Selon les propos rapportés par Edgar Faure, de Gaulle aurait non seulement gouverné avec la Constitution, mais avec l'opposition. Il fallait bien que cette Constitution, qui a désormais résisté à deux alternances, celle des libéraux en 1974 et celle plus décisive des socialistes en 1981, passe son dernier examen de contrôle de viabilité démocratique. L'alternance législative est de toutes évidemment la plus délicate et la plus complexe.

Mais on mesure le chemin parcouru entre 1967 et 1986 en ayant à l'esprit les propos que tenait alors la plus belle voix de l'intégrisme gaulliste, celle d'Alexandre Sanguinetti : « Le Président aura le droit de recourir à l'article 16 pour gouverner malgré l'Assemblée. »

A chaque élection législative la même question lancinante s'est reposée. L'alternance présidentielle est en effet plus simple : le Président peut éviter la cohabitation en usant de son droit de dissolution – ce qu'a fait Mitterrand en 1981 –, la réciproque n'est pas possible : le parlement n'a justement pas le pouvoir de dissoudre le Président! L'absence de précédent et de tout texte relatif à cette question dans les tables de lois gaullistes autorise les interprétations les plus radicalement contradictoires, sinon tous les fantasmes. On notera au passage, bien qu'il en ait été confronté à l'éventualité, que de Gaulle, toujours prudent, s'était bien gardé de laisser à ses héritiers, légitimes ou non, une prise de position sur ce qui n'était pas encore la « cohabitation ». Il savait par expérience du pouvoir que son silence serait nettement plus précieux pour l'avenir qu'une lecture de la Constitution que les grands prêtres de sa mémoire auraient immédiatement transformée en dogme : il préférait laisser les gaullistes de la seconde génération libres de jouer avec les situations selon leurs intérêts du moment. A voir l'attitude du RPR en 1985, on mesure le prix de ce silence.

En fait, la cohabitation ne devient la cohabitation qu'en mars 1978, lorsque Giscard lance le mot à la veille d'élections législatives pour lesquelles l'union de la gauche, bien que marchant à cloche-pied, se fait menaçante. Mais Giscard devra attendre 1984 pour que sa création lexicographique connaisse un formidable succès médiatique. Giscard a le talent du mot juste. Le mot est non seulement entré dans le langage commun, mais il a désormais force de loi : il n'est pas dans la Constitution, mais tout un chacun l'utilise exactement comme on parle du pouvoir de dissolution ou de toute autre disposition constitutionnelle.

Il en va du vocabulaire politique comme de la communication publicitaire : lorsqu'un slogan se voit détourné de son usage pour « parler » d'autres situations, c'est qu'il capte l'air du temps. Le succès de « cohabitation » est du même ordre : il a manifestement sa magie propre.

On le voit en effet s'installer paisiblement dans l'opinion publique comme la plus accommodante des solutions à défaut d'être la meilleure. Cela tient sans doute à ce que le mot évoque plus une dimension domestique que des rapports de forces meurtriers entre les deux supergrands, qui, à l'inverse, parlent de « coexistence ». Il est vrai que dans ce cas il s'agit d'existence, ce qui, finalement, est ce que nous avons de plus précieux, alors que la cohabitation renvoie à un problème d'habitat, quasiment à un remugle pavillonnaire entre des gens vivant sous le même toit, dans une des avenues les plus fréquentées du monde. On frise l'imaginaire boulevardier : on se chamaille pour savoir qui va occuper l'appartement du premier avec la salle de bains, tandis qu'une autre famille va, contre son gré, se trouver reléguée au rez-de-chaussée et qu'une troisième intrigue pour s'isoler dans le pigeonnier. Cette tragi-comédie crispante fait partie du patrimoine français depuis longtemps : à certains égards, la cohabitation apparaît à beaucoup comme le contraire d'une innovation.

Tous les électeurs se débattent en effet quotidiennement avec des problèmes de cohabitation : le voisin du dessus qui fait du bruit, celui du palier qui fait une cuisine dont les odeurs empestent tout l'immeuble, sans compter les enfants du dessous. La cohabitation met naturellement les nerfs à vif, elle a aussi ses drames, lorsque les papys flingueurs confondent décharge d'adrénaline et décharge de chevrotine : Mais, c'est tellement exceptionnel : on n'échappe pas au voisinage. La cohabitation : sauf quelques isolés, tous les Français y sont condamnés, cela fait partie des contraintes de la vie urbaine. Tout le monde la connaît d'expérience. Voilà pourquoi la cohabitation ne parvient pas à devenir cet épouvantail censé jeter l'effroi dans l'électorat. Au contraire, elle tend à banaliser cette épreuve décisive pour la Constitution. A condition naturellement que personne ne vienne tout casser.

Élu au suffrage universel pour sept ans, le Président n'est théoriquement pas concerné par le renouvellement du parlement. Défenseur par excellence de la fonction présidentielle, s'il liait, par une démission par exemple, son mandat à la majorité parlementaire, cela reviendrait à donner une lecture « parlementaire » de la Constitution qui engagerait l'avenir : tout Président pourrait être ainsi « censuré » par le parlement à l'occasion des législatives. Ce n'est déjà plus la même Constitution.

Mitterrand l'a plus matraqué que répété : il défendra une lecture « présidentielle » de la Constitution. Dès lors qu'il entend achever son mandat, que la majeure partie de l'opposition « parlementaire » se déclare prête à pratiquer ce voisinage démocratique, la question ne se pose plus : il y aura cohabitation.

Mais, plus encore, ce qui légitime la cohabitation comme horizon constitutionnel, c'est une même volonté d'éviter, autant que faire se peut, toute « crise de régime ». On est loin des menaces d'antan : ni le recours à l'article 16 pour gouverner contre le parlement, ni la démission forcée du Président par la grève du Premier ministre, comme ce fut le cas en mai-juin 1924 quand le cartel des gauches imposa sa loi au Président Millerand. Certes, Raymond Barre défend une thèse anticohabitationniste, mais c'est un luxe théorique qu'il peut se permettre d'autant plus facilement qu'il restera théorique : il n'a pas à charge l'une de ces machines électorales que sont le RPR et l'UDF, qui se verraient mal faire campagne pour une « crise de régime ». Le propos de l'ancien Premier ministre de Giscard est celui d'un spectateur engagé qui marque son engagement présidentiel à travers des prises de position de nature toujours très présidentielle, afin que nul n'en ignore. En s'affirmant contre une cohabitation qu'il sait inéluctable, il prend une longueur d'avance sur ses concurrents directs dans la course à l'Élysée.

La cohabitation n'en est pas moins un mystère total : un saut dans l'inconnu, un suspense haletant dont personne ne connaît le scénario et qui, pour l'essentiel, s'improvisera au fil des jours. Personne n'en détient le mode d'emploi. Cette histoire incertaine va dépendre entièrement des électeurs, des hommes qui vont être appelés à en interpréter les volontés, et en particulier de l'un d'entre eux, que la Constitution met en position d'en tirer de nombreuses ficelles, à savoir le Président.

Depuis 1983, Mitterrand a retenu la cohabitation comme l'hypothèse la plus vraisemblable. Depuis juillet 1984 et le départ des communistes : c'est désormais une certitude mathématique. Le Parti socialiste, même hypertrophié par un invraisemblable coup de foudre électoral, ne peut à lui seul constituer une majorité parlementaire. Depuis, Mitterrand met en place un dispositif destiné à faire de la cohabitation une machine à meurtrir les velléités majoritaires de l'opposition.

D'abord le savonnage programmatique. « Il est possible de rassembler les Français sur quelques constats, sur quatre ou cinq thèmes vraiment importants », disait Mitterrand, le 9 décembre 1985, à Jean-Pierre Elkabbach sur Europe 1. Ce qui donne de la crédibilité à cette déclaration d'intention, c'est la politique de rigueur et, plus encore, la gestion « rigoureuse » des finances publiques qui en a été le fruit. Les socialistes peuvent arguer du fait qu'ils ont réussi leur examen de passage de gestionnaires sérieux. Ils en sont très fiers. Pierre Bérégovoy, le fougueux ministre de l'Économie et des Finances qui se veut le libérateur des prix et du marché financier, confiait avec délectation en décembre 1985 que, le jour de la discussion du budget à l'Assemblée, il avait croisé Raymond Barre dans un couloir et ce dernier lui aurait confié : « C'est très bien, ce que vous faites ! » Le ministre en exercice a d'ailleurs au sujet de Raymond Barre ce propos qui donne l'une des clefs de la cohabitation et de ses multiples entrées : « Barre voudrait bien gouverner avec nous, mais sans Mitterrand, alors que nous, nous aimerions bien gouverner avec ses troupes, mais sans lui. »

L'attitude de Pierre Bérégovoy est symptomatique : là où la plate-forme de l'opposition veut libérer tous les prix tout de suite, le gouvernement fait du rattrapage intensif : 85 % des prix industriels ont déjà été effectivement libérés, mais en évitant soigneusement ceux qui entrent dans le calcul de l'indice des prix et qui contribuent à mettre l'inflation au régime de la peau de chagrin.

Mitterrand ne veut rien laisser à l'opposition qui puisse s'apparenter à l'ombre d'une alternative programmatique. Il y est aidé par l'alliance objective très étrange qui s'est nouée entre la majorité socialiste et le député de Lyon. Celui-ci compense en effet son hostilité au principe de la cohabitation institutionnelle par une cohabitation des idées qui s'apparente à un flirt poussé. Ses mises en garde sévères sur l'utilisation démagogique des problèmes suscités par l'immigration ou contre le libéralisme sauvage « marquent » le spontanéisme de Jacques Chirac et privent le leader du RPR de ses envolées « attrape-tout » où le ton importe plus que le fond. Raymond Barre consolide ainsi jour après jour une aura antidémagogique, tandis que Jacques Chirac se fait « ramasser » par un professeur scrupuleux qui lui coupe littéralement la « chique ». Selon le principe des vases communicants : ce que Chirac perd en crédibilité lors de ces polémiques, Barre en prend la majeure partie, mais le reste va quand même au crédit de la gestion socialiste.

Au *Club de la presse* du 5 janvier 1986, Jacques Delors justifiait par cette convergence le rôle que Raymond Barre avait joué à partir de 1976 dans l'« apprentissage de la crise », qui, selon le Président des communautés européennes, doit être envisagé sur la période 1976-1985. En d'autres termes, la gestion Barre a été un moment de cette prise de conscience que la gestion socialiste aurait permis de « dialectiser ». D'où ce paradoxe qui reflète les intérêts divergents en lice : il y a convergence sur le fond entre barristes et socialistes contre chiraquiens et giscardiens, tandis que sur la forme (institutionnelle), socialistes, chiraquiens et giscardiens convergent contre Barre et les siens; c'est ainsi que Mitterrand réussit à être le plus grand diviseur commun.

Le maire de Paris n'est pas un adepte du « parler vrai », mais il pratique avec beaucoup de talent, malheureusement en petit comité, le « parler vert ». Évoquant, courant décembre 1985, la proportionnelle, la loi sur le cumul des mandats et la création de la cinquième chaîne, il conclut : « Mitterrand, c'est un vicieux. » Dans sa bouche, il ne s'agit ni d'un vice de forme, ni d'une manie, mais d'une « immoralité » profonde, de celles dont Baudelaire parlait dans ce vers célèbre : « La ménagerie infâme de nos vices. » A sa manière, Jacques Chirac reconnaît que le minage des ports auquel Mitterrand s'est livré en 1985 à travers plusieurs initiatives n'est pas passé par profits et pertes et qu'il constitue bel et bien un handicap pour son entreprise de conquête d'une vraie liberté majoritaire.

Le hachoir de la proportionnelle poursuit en effet son œuvre de tronçonnage de la future majorité.

Le Président a adopté le système proportionnel, qui répondait à ce cahier des charges démoniaque : nuire le moins possible au PS, tout en contrariant au maximum les prétentions majoritaires du RPR et de l'UDF. C'est ainsi que, malgré le bonus prévu pour les listes majoritaires à l'échelle départementale, le RPR a préféré, pour valoriser son leadership dans l'opposition, risquer le chacun pour soi. Plus de 60 % des députés de l'opposition « libérale » devraient être élus sur des listes séparées. Si le RPR peut espérer limiter ainsi la percée meurtrière de la droite extrême, il risque de provoquer dans de nombreuses régions un affaiblissement « notable » de l'UDF, qui doit simultanément anticiper la menace d'une éventuelle sécession barriste après mars 1986. Le calcul pour l'UDF était évidemment du même ordre : ne pas laisser le RPR s'envoler vers Matignon en abandonnant à Raymond Barre une UDF exsangue qui se donnerait alors avec délices à ce providentiel sauveur. Les ordinateurs estiment à trois ou quatre points la déperdition pour l'opposition parlementaire. L'enjeu pour le RPR est en effet le même que pour le PS : ils doivent compenser l'absence de la prime du second tour par le bonus au parti dominant. Le RPR ne veut pas le partager avec l'UDF, d'autant qu'il est vital pour lui de prendre de vitesse le PS dans la course à la position de parti dominant. Les mêmes ordinateurs calculent en effet qu'avec 30 % des voix par exemple, le PS pourrait obtenir selon les cas entre 33 % et 37 % des sièges. En multipliant les obstacles à la constitution d'une véritable majorité parlementaire, le Président provoque un affrontement interne au scrutin, entre le RPR et le PS, destiné à se substituer à l'ancien face-à-face des deux coalitions. Finalement, il y aura deux niveaux de lecture du scrutin du 16 mars : le rapport général des forces et le rapport des forces RPR-PS : qui des deux grands partis va l'emporter sur l'autre? Si les grandes majorités cadenassées ne revoient plus le jour, le choc des deux grands partis va tendre à devenir déterminant pour le contrôle de l'Assemblée : autour de quel pôle se formeront les majorités, le pôle dominant ayant naturellement la force d'attraction la plus forte sur les petits partis et les agrégats fragiles d'ambitions?

La loi sur le cumul des mandats était à l'origine une véritable bombe à retardement. Versus moral : sus aux cumulards, à ces élus qui trustent les mandats et se créent ainsi de véritables fiefs locaux ou régionaux. Cette féodalité électorale reste un obstacle effectif à la modernisation de la vie démocratique, et notamment à la décentralisation. Il convenait de mettre un terme à cet héritage d'un temps où la gestion d'une ville, d'un département ou d'une région ne s'apparentait pas à celle d'une grande entreprise dotée d'une multitude de succursales. Versus « vicieux », pour reprendre le mot de Jacques Chirac, plusieurs centaines d'élus vont devoir à la suite de cette loi abandonner certains de leurs mandats, provoquant ipso facto des élections partielles. « Avec le projet du gouvernement en l'état, il ne sera plus possible de gouverner, commente Jacques Chirac : on ne gouverne pas avec des partielles tous les dimanches pendant un an. » Un compromis est intervenu au Sénat avec le gouvernement : les partielles n'auront lieu qu'à partir de 1987. Mais elles auront quand même lieu et produiront les mêmes effets paralysants tandis qu'elles serviront de banc d'essai à l'opposition d'alors pour les élections présidentielles de 1988.

Enfin, le coup de force de la cinquième chaîne de télévision. Annoncée le 20 novembre, la création de la chaîne franco-italienne constituait le plat de résistance de la conférence de presse présidentielle du lendemain : une fois encore, Mitterrand signifiait de manière provocatrice la nature élyséenne de cette décision, et à ce titre il entendait en assumer toute la responsabilité. Ce n'est pas simplement une figure de style, le Président a suivi personnellement, au téléphone, quasiment heure par heure, le déroulement des négociations au finish avec le tandem Seydoux-Berlusconi. Il fallait bien d'ailleurs cette estampille présidentielle pour que les socialistes ne ruent pas dans les brancards d'une initiative qui ombrait lourdement le discours protectionniste tenu depuis le début du septennat sur le cinéma et l'audiovisuel. Mitterrand est parvenu ainsi à imposer à ses troupes un silence gêné, qui pour beaucoup s'apparentait à une ingestion de plomb en fusion. Onze mois après l'annonce de la création de plus de quatre-vingts télévisions privées, un quasi-monopole privé de télévision commerciale voyait le jour dans des conditions qui ne sont pas sans rappeler les concessions faites dans les années cinquante à RTL et à Europe 1. Mitterrand accordait beaucoup de prix à la création de cette télévision privée clairement destinée à verrouiller l'audiovisuel français après mars 1986. Plus qu'une chaîne sensible à la rhétorique mitterrandiste, sur laquelle il est sans illusions, la naissance de ce nouveau géant de la communication évoque ces dessins animés où l'on voit un personnage poursuivi par un crocodile bloquer la mâchoire du saurien avec un bâton : la cinquième chaîne, c'est le bâton que Mitterrand a jeté dans la politique audiovisuelle de l'opposition prévue pour mars 1986. Il sera en effet beaucoup plus difficile, après le lancement de la cinquième chaîne, de privatiser ne serait-ce qu'une seule chaîne du service public sans déséquilibrer totalement le système audiovisuel français et sans doute le briser en partie. On comprend la rage de l'opposition et notamment celle de Jacques Chirac, que cette annonce a emporté dans l'une de ses célèbres colères. Au point d'en faire désormais une affaire personnelle qui, selon ses proches, ne s'épanchera que dans la revanche.

Il s'agit là, pour le RPR comme pour l'UDF giscardienne, d'une question centrale de gouvernement. En moins de deux ans, en cas de victoire totale, l'opposition ne disposera pas d'une formidable marge de manœuvre, même si l'on optimise les paramètres : cela dépendra certes de ses scores électoraux, mais elle sera à la fois soumise aux feux croisés de Mitterrand, du PS, de Barre et de Le Pen, elle sera en déséquilibre à peu près constant, aux prises avec une multitude d'effets centrifuges, rendant encore plus précaire chacune de ses initiatives. La réforme de l'audiovisuel, et notamment la privatisation d'une ou deux chaînes publiques, avait l'énorme avantage de signifier immédiatement une volonté de désétatisation : la télévision ayant valeur de symbole. En cas de victoire, cela devait être l'entrée en matière éclatante de l'opposition. Le retard pris par le gouvernement durant toute l'année 1985 donnait du corps à cette construction de vainqueur potentiel. La colère du RPR est celle de la frustration : sur ce terrain également, les socialistes n'auront pas laissé grand-chose à l'opposition libérale.

Reste la méthode utilisée par Mitterrand. Après avoir tergiversé pendant des mois, pris entre deux amitiés concurrentes, celle d'André Rousselet (patron de Canal +) et celle de Jean Riboud, qui se proposait de conduire un consortium financier préfigurant le montage de la cinquième chaîne, Mitterrand a cherché à ne rompre ni avec l'un, ni avec l'autre, à faire en sorte que ces deux télévisions puissent cohabiter tant bien que mal sans s'exclure comme ils le défendaient devant lui. La mort de Jean Riboud en octobre 1985, l'approche des échéances électorales, le compte à rebours du calendrier ont précipité les choses de manière inéluctable. Soit Mitterrand passait en force – contre son entourage immédiat, une partie du gouvernement, le Parti socialiste –, brouillant au passage l'image culturelle de la gauche, soit il renonçait à entamer ce grand bouleversement de la communication. Il a évidemment choisi la méthode « dure », sans s'encombrer particulièrement des formes puisque, en l'occurrence, c'est lui qui tout à la fois fixait les règles du jeu et au final désignait le groupe privé à qui reviendrait ce quasi-monopole. L'économie mixte venait de produire son plus extraordinaire bâtard : l'accouchement d'un groupe de communication privé qui la semaine précédente n'existait pas sur ce marché – les Chargeurs réunis – selon une méthode qui n'est pas vraiment symptomatique d'une société de droit. Jacques Chirac se préparait à faire exactement de même : Mitterrand l'a simplement pris de vitesse. Un appel d'offres légitime dans un domaine aussi sensible aurait de toutes les manières été soumis en dernière instance, dans un pays aussi centralisé que le nôtre, au choix du politique. La presse anglo-saxonne notait à juste titre que c'était sans doute l'une des décisions les plus importantes prises par Mitterrand depuis 1981 : l'antithèse des nationalisations, le suprême hommage rendu au privé, puisque, contre toute attente, il n'a pas cherché à tricher avec la logique exclusivement commerciale de la télévision privée.

La rudesse de la procédure a dû tout au contraire susciter chez Mitterrand l'extase de ces courses à l'abîme quand il réussit à reprendre in extremis les commandes d'un véhicule devenu fou, face à une opinion médusée. D'autant que cet accouchement violent avait valeur de message pour l'opposition : la cohabitation, ce n'est pas une partie de plaisir, mais une pure affaire de rapports de forces, sur lesquels Mitterrand entend peser continûment. Après plusieurs mois de leurre où le gouvernement avait paru passer son temps à arrondir les angles, la création abrupte de la cinquième chaîne lui permettait de mettre les points sur les *i* : la cohabitation, c'est la poursuite de la guerre entre le Président et ses challengers par d'autres moyens.

La cohabitation ressemble à ces labyrinthes de miroirs déformants que l'on trouve encore dans les fêtes foraines. Au terme de ce voyage trompeur : les présidentielles de 1988. Le sujet de la cohabitation, ce n'est pas la promotion d'une union nationale qui n'oserait pas dire son nom : c'est une forme perverse de la course à l'Élysée, imposée par la Constitution. Le détour pour permettre à Mitterrand de jouer à quitte ou double, tandis que Giscard et Chirac se prêtent d'autant plus volontiers à ces jeux biaisés qu'ils espèrent faire également coup double en éliminant à la fois Mitterrand et Barre. Le député de Lyon fait le même calcul : il compte bien ferrailler contre la cohabitation pour se débarrasser d'un même mouvement du Président et du leader du RPR.

Sous les masques avenants du réalisme gestionnaire se cachent en réalité les plus sombres machinations. Un tel chassé-croisé dans la tradition de la comédie à l'italienne a besoin d'une unité de lieu pour en dénouer l'intrigue : la cohabitation. L'opposition est encombrée d'un trop-plein de candidats sérieux aux présidentielles : Chirac, Barre et Giscard. Chacun a son calendrier d'ici à 1988. Il s'en déduit des stratégies et des tactiques qui entrent fréquemment en collision. Mitterrand considère que c'est sans doute son atout essentiel tant il semble assuré, s'il décide de se représenter en 1988, d'imposer à nouveau sa loi dans les rangs socialistes et le vote utile à la majeure partie de son électorat de 1981. Il se retrouverait alors en situation de candidat quasi unique face au coude-à-coude meurtrier de ses adversaires.

Mitterrand a pris facilement prétexte des défaillances de Fabius durant les semaines d'échauffement de la campagne des législatives pour se lancer en solitaire dans la tourmente, en prenant ostensiblement la responsabilité globale de tout ce qui avait été fait depuis cinq ans. Le bilan que va défendre le PS est donné à voir comme le bilan présidentiel. Les échecs ou les réussites sont les siens : à gauche il n'y a qu'un seul bilan qui compte, c'est le sien. Subrepticement, Mitterrand prend également ses marques présidentielles et verrouille délicatement toutes les autres candidatures socialistes. L'heure de la relève n'est manifestement pas pour 1986.

La présentation du bilan porte la marque de cette ambivalence, puisque, à l'entendre, il fait désormais partie du patrimoine national, le « domaine commun », les acquis sociaux d'une part et la maîtrise de la crise d'autre part, c'est-à-dire la jugulation de l'inflation et la dérivée légèrement négative du chômage pour la première fois depuis treize ans. Côté face, les bases minimales de la cohabitation, côté pile, le bilan de la gauche. Si l'opposition accepte de reconnaître qu'elle ne reviendra pas sur ces acquis sociaux et sur cette politique économique, elle admet ipso facto que le bilan de la gauche est positif. Et s'il est positif, pourquoi les électeurs ne rendraient-ils pas justice à la majorité socialiste? Pour que cette jésuistique entre dans les esprits comme un gimmick obsédant, Mitterrand la répète inlassablement. Pour faciliter la séduction consensuelle, Yves Mourousi est mobilisé pour tirer le Président à l'image, pour faire de lui l'homme qui rit.

Le rire, le tonus physique, la pugnacité, ce ne sont pas les synonymes de la défaite.

Cette « campagne », qui mélange sciemment le bilan présidentiel et le bilan socialiste, vise à « tirer » le Parti socialiste vers l'objectif auquel rêve le Président : 30 % des suffrages exprimés, qui lui donneraient au sein du parlement, quels que soient les cas de figure, un point d'appui considérable, nécessaire pour mener à bien sa cohabitation présidentielle.

La cohabitation est d'autant plus mystérieuse que non seulement elle recouvre des stratégies élyséennes concurrentes, mais aussi qu'elle varie de nature selon les rapports de forces tels que les électeurs vont les déterminer.

Pour se mettre à l'heure de la cohabitation, il faut s'accoutumer à envisager la nouvelle géographie des rapports de forces : d'abord le rapport de forces global; ensuite la répartition des sièges entre les différentes composantes de l'ancienne opposition, notamment le poids spécifique du RPR et celui de l'UDF; le rapport des forces à gauche : entre le PS et le PC; enfin le rapport des forces entre le PS et le RPR pour déterminer lequel va occuper la position de parti dominant à l'Assemblée. Schématiquement, on peut déduire quatre modèles très différents de cohabitation.

Chaque candidat aux présidentielles a ses préférences : ce ne sont évidemment pas les mêmes.

Pour Mitterrand, le modèle de luxe, c'est le cas de figure où RPR-UDF ne parviennent pas à arracher la majorité sans le concours du Front national et où le PS occupe une position dominante au parlement. Alors, le Président peut envisager la cohabitation avec sérénité : il gardera ses aises présidentielles et ne devra rien ou quasiment rien sacrifier de son train de vie exécutif. Comme Premier ministre, il a l'embarras du choix.

Deuxième modèle de cohabitation : le PS reste le parti dominant à l'Assemblée, mais le RPR et l'UDF parviennent à arracher la majorité des sièges. Selon le mot de Jacques Attali, cette hypothèse serait « jouable » pour le Président. C'est en référence à cette situation que Mitterrand a jugé qu'il avait alors « le choix entre le Premier ministre qui m'arrange le plus, c'est Chaban, et celui qui les divise le plus, c'est-à-dire Giscard ».

Troisième modèle de cohabitation : le cas de figure où le PS laisse sa position dominante au RPR sans pour autant que l'opposition « libérale » parvienne à être majoritaire sans un apport lepéniste. Dans ce cas, Mitterrand a encore le choix du Premier ministre.

Le dernier modèle est le pire pour Mitterrand : le RPR y triomphe à la fois comme parti dominant au parlement et majoritaire en sièges avec l'UDF. Dans ce cas, il serait difficile à Mitterrand de refuser l'entrée à Matignon de Jacques Chirac et des équipes de l'opposition. C'est sans doute la seule hypothèse d'ailleurs où Jacques Chirac ira volontairement à Matignon : face à un Président affaibli par un véritable raz de marée électoral, il disposera alors des marges de liberté nécessaires à la conduite d'une politique à effets rapides.

Le 16 mars 1986, les électeurs vont se prononcer pour des listes de députés, ils vont également choisir l'un de ces quatre modèles de cohabitation et décider ainsi l'emploi qu'il convient de faire de cette période de transition.

La Constitution de la Ve République va devoir montrer ses faiblesses structurelles. La cohabitation durera ce que durent les traitements. Il faut souhaiter que les emplâtres ne tiennent pas lieu de thérapeutique. A partir du 16 mars, la France va s'en remettre plus encore que par le passé aux talents et aux volontés de quelques hommes à qui il appartiendra de lever ces ambiguïtés constitutionnelles.

Mitterrand est naturellement à son aise dans une instabilité qu'il pourra manœuvrer avec volupté jusque dans le désastre de ses adversaires. Il est certain qu'il fera, pour paraphraser Jean Giraudoux, du droit constitutionnel la plus imaginative des disciplines. Sa responsabilité en tant que Président n'en sera que plus grande, puisque, en dernière instance, ce sera à lui de dénouer une crise dont il sera peut-être la principale victime. Si, grâce à lui, la cohabitation accouche d'un apaisement constitutionnel durable, ce sera son heure éblouissante. Sinon, la chute.

Paris, le 6 janvier 1986.

TABLE

Cet ouvrage a été réalisé sur
Système Cameron
par la SOCIÉTÉ NOUVELLE FIRMIN-DIDOT
Mesnil-sur-l'Estrée
pour le compte des Éditions Grasset
le 17 février 1986

Imprimé en France
Première édition : dépôt légal : janvier 1986
Nouveau tirage, dépôt légal : février 1986
N° d'édition : 6943 – N° d'impression : 4037
ISBN : 2-246-36971-1